THOR

Naar Parijs

KERSTIN THORVALL

Naar Parijs

Uit het Zweeds vertaald door Clementine Luijten

UITGEVERIJ DE GEUS

Naar Parijs is een 'spiegelroman'. In het boek spiegelt Signe haar leven aan dat van de romanfiguur Alberte uit de gelijknamige trilogie die de Noorse schrijfster Cora Sandel in de jaren 1926-1939 publiceerde

Oorspronkelijke titel *Från Signe till Alberte. Kärleksfullt och förtvivlat*, verschenen bij Albert Bonniers Förlag
Oorspronkelijke tekst © Kerstin Thorvall, 1998
Nederlandse vertaling © Clementine Luijten en Uitgeverij De Geus bv, Breda 2003
Omslagontwerp Uitgeverij De Geus bv
Omslagillustratie Paul Citroen/Alannah Delias/2002 c/o Beeldrecht Hoofddorp
Foto auteur © Caroline Roosmark
Druk Koninklijke Wöhrmann bv, Zutphen

ISBN 90 5226 988 2
NUR 302

Verspreiding in België via Libridis nv, Industricpark-Noord 5a, 9100 Sint-Niklaas

Naar Parijs

Intro

Lieve Alberte,

Het lijkt wel alsof ik naar een catastrofe verlang. Toen ik zojuist knallen hoorde, als van twee schoten, sprong ik geestdriftig uit bed en liep naar de open balkondeur. Maar toen geschreeuw in doodsnood en gierende sirenes van ambulances uitbleven, was ik teleurgesteld. Beneden lag het plantsoen met zijn grote, statige bomen, nog groen in november. Ik zag een stukje van vier broekspijpen. Twee oudere heren in gesprek op een bankje. Een te dik aangekleed meisje van twee werd door haar moeder in een stevige, vastberaden greep gehouden. Een voorbeeld van de degelijke Franse opvoeding, die tot doel heeft ieder begin van uitgelatenheid, kleine huppeltjes en zo, in de kiem te smoren. Vooral bij meisjes.

Ik slaak de ijle, krachteloze zucht van een oude vrouw, drink een beetje water en ga weer op bed liggen. Een sjaal over mijn benen. Hier lig ik dan, al bijna drie weken, en kom tot niets. Ik heb een stipendium van het Centre Culturel Suédois in Parijs, niet slecht, toch? Alleen al dat ik ben toegelaten. Je moest een aanvraag indienen en motiveren waarom je als schrijver uitgerekend het Parijse milieu wilde bestuderen. Ik heb geschreven dat ik door de straten wilde zwerven waar jij gelopen hebt en een kijkje wilde nemen op de oude binnenplaatsen in Montparnasse, waar misschien nog ateliers te vinden waren met de plee in de verste hoek van het plaatsje. Het stond mooi op het aanvraagformulier. En het was effectief, anders had ik hier nu niet liggen kijken naar een witgekalkt, zeventiende-eeuws plafond met ruwe, bruine balken die lijken op de poten van een olifant.

Het is een mooie en gerieflijke kamer, smaakvol gerenoveerd en gemeubileerd. De bad- en wc-ruimte is klein, maar er drijven geen muizen in de waskom en om de dag komt er iemand schoonmaken. Mijn tijd is beperkt. Een maand – en ruim de helft is al verstreken. Angst staat als een ondoordringbaar filter tussen mij en mijn opdracht. De vogels kwetteren, dat ze dat hier zo laat in de herfst nog doen! Ik zou me moeten aankleden en naar buiten gaan.

Als ik nou nog dronk! Als ik hier lag te pimpelen, zou dat weliswaar tragisch, maar vergeeflijk zijn. Arme ziel.

Ik ben zeventig. Ik weet niet eens of jij je zo'n leeftijd kunt voorstellen.

Toen jij in Parijs was en dezelfde kramp voelde als ik en door de straten zwierf terwijl je wist dat je eigenlijk iets heel anders in Parijs kwam doen, toen ontmoette je die vrouwen 'op jaren, veertig en vijftig of nog ouder', die altijd op Montparnasse te vinden waren en er altijd zullen zijn.

Ze (…) hebben rimpels en grijs, onverzorgd haar, zeulen met grote penseeltassen aan de ene arm, veldstoel en ezel onder de andere, een nat doek op spieraam in elke hand, terwijl hun rokken door het stof slepen. Ze zitten op straathoeken en in parken en langs de Seine te schilderen, zeurderig en opdringerig nemen ze plaatsen in op de academies en tekencursussen, verdwijnen soms in de zomer, maar duiken weer op tegen de herfst, onafwendbaar als het jaargetijde zelf, leven van de wind, zetten thee van water waar eieren in gekookt zijn, zoals Fräulein Stoltz. Zij is een van hen, miss Potter ook. Oorspronkelijk kwamen ze uit verschillende landen en hadden allemaal hun eigen stijl. Nu lopen ze hier rond en schilderen bijna allemaal op dezelfde manier. (…) Een vreselijke gedachte dat ze hier maar blijven rondhangen en niets anders zijn dan lelijke, arme dilettanten van middelbare leeftijd.

Maar ík ben niet een van hen. Integendeel. Ik ben een oudere dame met wie het goed gaat.

Het begint koud te worden. Ik wikkel de sjaal om mijn schouders en doe de balkondeur dicht. Op het ruime bureaublad staan mijn typemachine en een cassetterecorder. Voordat ik vertrok heb ik een van mijn kinderen gevraagd een bandje met melancholieke liederen samen te stellen. Ik spoel door naar nummer drie. De smartlap: 'Altijd bij mij'.

Wil je jezelf echt kwellen, dan is dit een topnummer. Een hese, doorleefde mannenstem naast een zoete, tere meisjesstem die af en toe lijkt te breken.

Zwaar laat ik me op mijn bureaustoel vallen en zuig brokstukken op van zinnen die onverdraaglijk zijn.

In een lichtjaar van stilte...
Zo schitterend als toen...
Ben je altijd bij me, altijd bij me...
Hou me vast... hou me vast in het uur van de wolf...
Verwarm me en wieg me...
Hou me altijd bij je...

Ik begin te huilen.

Het is mijn eigen schuld. Ik was te opstandig, een querulant.

Ik heb me niet aangepast, mijn tanden op elkaar gebeten, mijn best gedaan. Ik heb geschreeuwd, met dingen gegooid, gehuild en ben weggelopen. Zonder er goed over na te denken. Zonder ervoor te zorgen dat ik in de herfst van mijn leven iets had om bij weg te kruipen, tussen het uur van de wolf en het ochtendgloren.

Dat hebben we opgegeven, Alberte. Dat hebben we afgezworen.

Eenzaamheid in het uur van de wolf is de prijs van de vrijheid.

Je kan niet alles hebben.

I

Jij bent ook in Parijs en het is nu bijna zeven jaar geleden dat je
hiernaartoe kwam. Je familie in Christiania is ongeduldig en hun
toelage nadert de bodem. Ze weten niet wat je doet, maar ze gaan
ervan uit dat je je met schilderen bezighoudt. In werkelijkheid
dwaal je door de straten, opgejaagd door een onrust waar geen
naam voor is. Je verhuist naar steeds goedkopere hotels; naar de
slechtste en kleinste kamertjes helemaal bovenin. Soms verman je
jezelf en schrijf je een reisbrief uit Parijs om te laten publiceren in
een Noorse krant. Je weet wat ze willen hebben. Iets opgewekts en
pittoresks. Verstrooiing. Wanneer je erin slaagt zoiets te produce-
ren, komt er geld binnen zodat je weer een maand huur kunt
betalen.

In Parijs zit een kolonie Scandinavische kunstenaars die op
verschillende manieren voorkomen dat je doodgaat. Je ontwijkt
degenen die jouw taal spreken. Onder hen een zwijgzame, maar
opmerkzame schilder die Sivert Ness heet. Hij heeft een indringende manier van naar je kijken, waar je niet van bent gediend.

Maar je hebt andere vrienden. Liesel, die een groepsfoto van haar
familie op de schoorsteenmantel heeft staan. Fatsoenlijke mensen,
dat zie je zo. Ze zitten erop te wachten dat Liesels kunststudie in
Parijs zichtbare en liefst ook financiële resultaten zal opleveren. En
dan is er de zigeunerachtig knappe Zweed Eliel – beeldhouwer, en
we hebben Marusjka en Alphonsine, bereidwillige vrouwen die
model staan voor gevestigde kunstenaars. Ondertussen laten ze zich
mee uitnemen door burgerlijker heren die geld genoeg hebben om
een etentje te bekostigen en die af en toe een cadeautje meebrengen,
zonder dat ze zeker weten dat ze krijgen waar ze op uit zijn. Soms
natuurlijk wel… Maar dat laat men niet merken.

Jouw toevluchtsoord is dat lelijke kamertje, onder de nok. Je hebt
bij Bon Marché een dikke groenwollen lap stof gekocht en als
tafelkleed op het ronde tafeltje gelegd. De stoel en het matras
komen bij hetzelfde warenhuis vandaan. Om maar niet tweede-

hands te hoeven kopen, heb je afgezien van elke vorm van elegantie. Op dat tafeltje met het groene kleed zien we het inktstel, de schrijfmap, de doos briefpapier; in het lamplicht lijken ze griezelig tastbaar.

Daar schrijf je dus je brieven. Soms maar korte epistels en je stuurt ze allemaal naar een adres in Denemarken. Soms beperk je je zelfs tot een korte groet met initiaal.

Zo schrijven jij en ik en duizenden andere vrouwen naar iemand die niet antwoordt. In jouw geval heet hij Veigård, de Deen die je een paar maanden geleden hebt leren kennen, een zomeravond aan de rivier, met het licht van de booglampen als theatrale manen boven een sprookjesachtige wereld van bladergroene watervallen, donkere schaduwen, onduidelijke silhouetten van mensen die op- komen en afgaan van een toneel. Sommigen zijn je vrienden, die laten je met rust. De Fin Kalén is zoals altijd dronken en querulant, en aan zijn zijde zoals altijd een nieuwe vrouw die in hem een ongelukkig genie ziet en niets liever wil dan hem troosten en zijn muze worden. Zij weet niet, zoals jullie, dat Kalén een echtgenote heeft die de kost verdient door tegen betaling 'massages' te geven in de Rue d'Assas. Zij betaalt zijn caféschulden en zorgt dat hij een bord havermoutpap krijgt als hij tegen de ochtend komt binnen- strompelen en geholpen moet worden.

Uitgerekend op deze avond, die lijkt op zoveel andere, is er een nieuwkomer. Je kunt zijn brillenglazen, die vasthoudend jouw kant op kijken, niet ontwijken. Veigård, heet hij. Je wilt niets met hem te maken hebben.

Maar hij geeft niet zo gauw op, hij maakt zich zorgen over het feit dat je midden in de nacht alleen naar huis moet, en laat zich niet weerhouden mee te lopen en ervoor te zorgen dat je netjes het hotel bereikt.

Hij gaat heel veel voor je betekenen. Voor jou, die het liefst alleen is en met rust gelaten wil worden. Maar Veigård is niet een type dat zo makkelijk loslaat. Hoewel je tegenstribbelt, komt hij je nader. En later, als hij je meeneemt op een uitstapje naar Versailles en jullie rondslenteren in het grote park zonder op de tijd te letten en plotseling beseffen dat de hekken op slot zitten. Wat een haast maakt hij dan om een bed voor je te maken in een hooischelf en je toe te dekken met stro.

Je ontwaakt met dauw en hooi in je haren. Grauw en doorwaakt is hij er meteen om de strootjes en het kaf uit je haar te plukken. Zijn gezicht doodserieus. Het duizelt in je. Een lach borrelt op uit het niets. Je verstopt je erachter.

Jullie ontmoeten elkaar vaak. Je laat hem gevaarlijke, heerlijke gevoelens in je wakker maken. Hij heeft eerzame bedoelingen, maar voordat jullie je serieus kunnen settelen moet hij terug naar Denemarken om dingen te regelen: een echtscheiding.

Zelf deins je terug bij de gedachte aan een huwelijk, je associeert het met dwang en opoffering.

En toch ben je nu bijna bereid om met Veigård...

Daar zullen jullie over doorpraten als hij terug is.

Zijn warme handen wanneer ze de jouwe drukken op het Gare du Nord. Helemaal tot de trein begint te rijden. Dan pas is er iets wat je nog moet zeggen, het heeft zich naar de oppervlakte gedrongen. Maar het lawaai overstemt je. Het wuiven van een hoed. Hij is weg. Tranen wellen in je op.

Maar jullie zullen elkaar immers schrijven.

Twee dagen na zijn vertrek zit je al in het Parc de Montsouris je eerste brief te schrijven.

Maar van hem: niets. Je merkt hoe je houvast begint te verliezen. Marusjka en Liesel houden je steeds nauwlettender in de gaten. Al gaat Liesel snel weer op in haar eigen dingen. Ze is helemaal vol van Eliel.

Ze is begonnen met model voor hem te zitten, zoals gebruikelijk. Eerst haar gezicht, vervolgens haar buste, toen alles en meteen blijft ze die nacht en zelfs de volgende dag, doet boodschappen, maakt eten klaar, wast af en stopt zijn sokken.

Liesels verliefde glimlach als ze vertelt dat Eliel natuurlijk het liefst met haar zou trouwen. Maar het grote stipendium dat hij heeft aangevraagd is alleen voor ongehuwde kunstenaars.

En uiteraard moet hij in eerste instantie aan zijn kunst denken, nietwaar, dat begrijp je ongetwijfeld, Albertchen.

Na je ontmoeting met Liesel haast je je naar je kamer met het groene tafelkleed en schrijft opnieuw een kort briefje, dat je niet verstuurt. Je wereld wankelt. Het voelt alsof je schrijft aan een totaal onbekende.

Je kunt net zo goed voor het raam gaan staan roepen, recht de donkere nacht in.

En zelf zit ik, zomer 1947, in Parijse kerken en schrijf brieven aan iemand die ook niet antwoordt. De hitte is ondraaglijk. Maar in kerken ben je altijd verzekerd van koelte.

Buiten is het asfalt gebutst door damesschoenen met naaldhakken. Zelf had ik sandalen volgens de laatste mode aangeschaft, met plateauzolen van kurk en riempjes rond de wreef.

Voor de rest zag ik er dorps mondain uit in een geruit katoenen jurkje, gekocht bij een damesmodezaak in Uppsala. Mijn haar halflang met een scheiding opzij, vastgezet met een haarspeld. In het kleine studentenpensionaat, Pension du Luxembourg, waar ik woonde, dachten ze dat ik zestien was en ze begrepen niet welke moeder zo'n jong meisje alleen naar Parijs stuurde. Natuurlijk zei niemand het hardop. Het was meer hoe ze me tegemoet traden.

In werkelijkheid was ik bijna tweeëntwintig.

Mijn voornaam, Signe, was een andere bron van zorg. Hoe moest je die eigenlijk uitspreken? (*Singe* betekent 'aap' in het Frans.)

We kwamen tot de slotsom dat het beter Cecile kon worden.

Een erg verlegen jong meisje dat de taal redelijk beheerste, maar bang was iets verkeerds te zeggen. Ze wisten niet dat ze alleen haar lichaam de trap op zagen lopen en plaats zagen nemen aan de grote, gemeenschappelijke eettafel.

Haar geest, waar ze geen contact mee hadden, was in Zweden bij een zekere jongeman. In de ogen van haar moeder geen geschikte kandidaat en de reden waarom ze het meisje drie maanden naar Parijs gestuurd had.

Ze zal wel naar het oude spreekwoord gehandeld hebben: uit het oog, uit het hart.

Maar in mijn geval mislukte die opzet.

Ik bracht een groot gedeelte van mijn tijd door met brieven schrijven aan de jongen die ik moest vergeten. Iedere dag schreef ik, ik gebruikte dun papier zodat ik drie velletjes in één envelop kon stoppen.

Ik zat het liefst in kerken, met name in de nabijgelegen Saint Sulpice, die met zijn twee ongelijke torens een bijzonder onbeholpen indruk maakte en tegelijk iets menselijks uitstraalde. Iets waar God juist vanwege die gebreken van hield. Hoe het weer buiten ook was, in de kerken was het altijd heerlijk koel. En vredig en stil; soms klonk er een zacht gemurmel als van hommels in de verte. Kaarsen flakkerden aan de voeten van de madonna met kind en de meest geliefde heiligen.

Als uiteindelijk de vochtige kou begon op te trekken langs mijn benen, vertrok ik naar de Jardin du Luxembourg. Daar stonden robuuste groene banken, vastgeklonken aan de grond, waar je op kon gaan zitten zonder te betalen. In tegenstelling tot de sierlijke stoeltjes die je overal kon neerzetten, naast een standbeeld bijvoorbeeld met uitzicht over de vijver waar jongetjes in halflange korte broeken zeilden met hun speelgoedbootjes. Maar kijk uit. Vrouwen in katoenen overjas met grote zakken erop joegen op geld. Vaak overrompelden ze me midden in een zin terwijl ik een brief zat te schrijven.

'Mademoiselle, s'il vous plaît', en strekten bedelend hun tot een kommetje gekromde hand uit.

Als het park tegen sluitingstijd leeg begon te raken, stonden de stoelen vertrouwelijk dicht bij elkaar, twee aan twee of in halve cirkels; dan had er een groter gezelschap gezeten.

Maar de stoeltjes twee aan twee, die er zelfs leeg uitzagen als een verliefd paartje, zorgden ervoor dat de temperatuur in de brief die ik later op mijn kamer afmaakte, steeg.

Of ik zat voor Jeu de Paume, het museum van de impressionisten waar ik vaak naartoe ging.

Maar ik zat nooit op een terrasje. Dat had anders wel voor de hand gelegen, onder de groene markiezen was het koel en op de tafeltjes stonden koude citroenlimonades.

Zelfs op de hoek van de Place Saint Sulpice, een vrome omgeving gedomineerd door heilige winkeltjes waar ze kruisbeelden, rozenkransen, madonnabeeldjes en flesjes gewijd water uit Lourdes verkochten, durfde ik niet met mijn schrijfblok te gaan zitten.

Ik zal vertellen waarom.

Het kwam door een vrouw uit de trein. Ik reisde weliswaar in een zitcoupé derde klas, maar toen we de grens tussen Denemarken en Duitsland naderden, moesten we allemaal uitstappen voor een omslachtige pascontrole. Toen kwamen we door elkaar, ik bedoel, in de rij belandde je tussen mensen uit de tweede en zelfs eerste klas. We werden in de gaten gehouden door politieagenten die op soldaten leken met op hun hoofd die afschuwelijke petten met zo'n nazistische kneep in de ronding en hoge nauwe laarzen. Het klonk naar oorlog wanneer ze zich bewogen. Ze leken sprekend op de mannen die we op foto's hadden gezien na de val, toen alle gruwelijkheden in de openbaarheid kwamen.

De rij vorderde tergend langzaam en daarbij kwam onvermijdelijk het angstwekkende besef op Duits grondgebied te zijn. De mensen begonnen met elkaar te praten. Ik stond in de buurt van een oudere Zweedse mevrouw, een deftige dame met een hoed met voile en elegante witte glacéhandschoenen die inmiddels smoezelig waren van het roet. Ze stelde zichzelf voor als de vrouw van dokter Henrik Elbenzén. Ze was op weg naar Nice. (Het duurde even voordat ik begreep dat ze Nizza bedoelde. Dat was namelijk de naam die de kranten altijd gebruikten wanneer ze beschreven hoe onze bejaarde koning Gustav v daarheen reisde om te tennissen. Of zoals het ook wel genoemd werd: de witte sport bedrijven).

Zij zou dus alleen maar overstappen in Parijs.

Mevrouw Elbenzén opende het gesprek met de vraag waar mijn ouders waren. Daardoor werd ze de eerste die zich erover verbaasde dat zo'n welopgevoed jong meisje alleen naar het buitenland ging. Ik bloosde, dat deed ik trouwens nogal gauw, maar nu was het omdat ik onmogelijk kon onthullen wat de eigenlijke reden was dat ik hier in Flensburg in de rij voor de douane stond. Dat zou een té lang verhaal zijn en té veel vervolgvragen oproepen. Daarom verklaarde ik zo plechtig mogelijk dat ik meerderjarig was en tekenen ging studeren aan de École des Beaux-Arts in Parijs. Het klonk goed en was bovendien waar. Verder had mijn moeder een goed en veilig onderkomen voor me geregeld (dat was meer een gok).

De rij schoof een stuk op.

'En wie komt juffrouw Tornvall ophalen op het Gare du Nord?'

Het begon op een kruisverhoor te lijken.

Een grote handicap van mijn opvoeding was de eis altijd de waarheid en niets dan de waarheid te spreken. Het sociale leven, en dat niet alleen, verloopt een stuk soepeler met een leugentje om bestwil en glashard ontkennen als het fout dreigt te lopen.

Maar nu kon ik dus uit mijn tas een briefkaart te voorschijn halen waar mijn Parijse adres opstond. Die zou ik later ook aan de taxichauffeur laten zien.

'Ach, lieve kind', riep de doktersvrouw uit zodat haar voile opwaaide. 'Het volk rond het Gare du Nord is absoluut onaangenaam. Ik begrijp niet dat uw moeder, onderwijzeres zei u toch dat ze was...'

We naderden nu de tafel waar de twee pascontroleurs met hun stempels zaten. Mijn gezelschap zag het ook. We zouden spoedig uit elkaar gaan en elkaar nooit meer zien. De trein was lang en zij zat in een van de voorste wagons, ik in de achterste.

Maar voordat ons korte samenzijn eindigde, gaf ze me het volgende mee.

'Beste juffrouw Tornvall, hoe zal ik het zeggen: niemand lijkt u te hebben voorbereid op de risico's die een jonge vrouw alleen in Parijs loopt. Geloof me, die stad is een jungle. U kunt niet voorzichtig genoeg zijn. Beantwoord nooit een blik in de metro of op straat. Kijk goed naar de Parisiennes; zij weten hoe je langs of over iemand heen kijkt. En nog iets: ga nooit alleen op een terrasje zitten. Probeer een paar theesalons te vinden, daar gaan alleen dames naartoe, er ligt bijvoorbeeld een uitstekende salon aan de Rue du 4 Septembre, vlak bij l'Opéra.'

Maar ze vergat de bankjes in het park te noemen en de verleidelijke stoeltjes bij het naaktbeeld in de Jardin du Luxembourg.

Ik nam mijn raamplaats in de coupé voor zes personen weer in. Die had ik te danken aan de gewoonte van mijn moeder om altijd ruim op tijd te zijn. Door het open raampje kon ik speuren naar Lars-Ivar, die ik met hart en ziel liefhad. Want hij zou toch wel komen om me uit te wuiven? Maar ik wist dat hij lichtzinniger omsprong met de tijd dan mijn moeder en ik.

Mijn moeder stond er verbeten en nerveus bij en deed alsof ze mijn constant wegfladderende blik niet zag. Ze vertelde me hoe ik me moest gedragen en haar vermaningen gingen het ene oor in en het andere uit. De locomotief begon te puffen en zich klaar te maken voor vertrek. Met brandend droge ogen staarde ik in de verte, ook toen de trein zich in gang zette en de rook de coupé binnenwaaide. Toen stond een oudere heer op en duwde resoluut het raam omhoog.

Het was duidelijk dat Lars-Ivar niet de moeite had genomen te komen.

Maar zoals verliefde meisjes doen, had ik meteen allerlei excuses bedacht waarom hij niet op tijd was geweest. Iets op zijn werk. Zijn moeder was plotseling ziek geworden. Hij had geprobeerd me in Uppsala te bellen maar toen waren we al onderweg geweest.

De reis was zo enerverend dat ik – minstens een etmaal – geen tijd had om aan hem te denken.

Magere, smerige Duitse kinderen renden met de trein mee en de mensen gooiden biscuitjes en chocola naar buiten. Het was griezelig donker toen we door Duitsland reden. Pas op de terugweg drie maanden later, toen ik bij daglicht reisde, begreep ik waarom. Duitsland lag in puin. We reden tussen ruïnes door. Maar kijk, een hoek, een stuk huis dat nog intact is en waar mensen zich geïnstalleerd hebben. Witte gordijnen wapperen voor een open raam. Een geranium bloeit rood.

Ook België was net een nachtmerrie. In de mijnstreek was alles roetzwart of grauw: de huizen, wegen, mensen; en geen witte gordijnen te bekennen.

De kennismaking met Noord-Frankrijk was ook weinig verheffend, evenmin als de voorsteden van Parijs.

Maar toen verscheen plotseling de Stad. Uit de verte kon je de Sacré Coeur wit zien oplichten, en daar waren de daken met schoorstenen waaronder verliefde jonge paartjes bezongen werden.

'Onder 't zolderdak koert, geloof en hoop en amour…'

Het was geen enkel probleem om een taxi te krijgen en door de raampjes zag ik alle Parijse beelden die ik uit fotoboeken kende, voorbijglijden. De metrobordjes. De markiezen van de cafés. De bomenrijen langs de boulevards en daar... ja, dat was hem, de Arc de Triomphe. Ik leun naar voren en zie een glimp van de Eiffeltoren. Een brug over de Seine.

Ik ben in Parijs. Ik ben een gekwalificeerd modetekenares die voor het eerst kennismaakt met de hoofdstad van de mode. Parijs.

De chauffeur rijdt me vlot en veilig naar de Rue Servandoni nummer 8.

Die beste mevrouw Elbenzén had niet begrepen dat ik te vergelijken was met een jonge non van een orde, die zich buiten de muren van het klooster mocht begeven. Die leefde in de wereld zonder er deel van uit te maken. Je hoeft geen sluier te dragen om als een non gezien worden. Gekleed in naïviteit en onervarenheid is een meisje net zo beschermd, ook al heeft ze toevallig blote armen en moderne sandalen aan haar voeten. Ik had best op terrasjes kunnen gaan zitten en zelfs mijn blik op een jongeman in de metro kunnen laten vallen. Onschuld op zijn hoogtepunt merkt geen blikken op, geen knipoogjes of kleine gebaren die dubbelzinnig zijn bedoeld. Als ik een Italiaan zou tegenkomen die volgens de zeden van zijn land een beetje aan zijn gulp zat te friemelen wanneer hij een mooi jong meisje ontmoette, zou ik dus denken dat hij last had van een knellende onderbroek.

Bovendien was ik zwaar verliefd op iemand in Zweden die iedere seconde in mijn gedachten was.

Dat had ook een immuniserend effect.

De keuze die mijn arme moeder moest maken was niet eenvoudig geweest. Maar ze had op het juiste paard gewed. Niets in Parijs kon erger zijn dan dat haar dochter die zomer in dezelfde stad had gewoond als dat foute sujet waarmee ze zo dweepte.

Ze hadden elkaar leren kennen op de school waar het meisje modetekenen gestudeerd had – ook al tegen de zin van haar moeder. Daar had ze dus die jongen ontmoet met zijn wegkijkende blik en slappe handdruk. Een ondubbelzinnig charmante glimlach, die glans in zijn ogen en, hoewel nog zo jong, al die verweerde lijnen die van zijn neuswortels naar beneden liepen.

Hij had het uiterlijk van een verleider.

Al lange tijd stuurden burgerlijke families met voldoende middelen hun dochters naar het buitenland om een ongewenste schoonzoon in spe te doen vergeten. Andere reisjes, die er hetzelfde uitzagen, waren bedoeld voor dochters met wie hét al was gebeurd en bij wie gevolgen niet waren uitgebleven. De gevolgen waar zulke verschillende benamingen voor waren: 'In moeilijkheden'. 'Met jong geschopt'. 'In gezegende toestand'.

Signes moeder twijfelde er niet aan dat het meisje nog rein was in gedachte, woord en daad. Maar die verdwaasde blik, het blozen, haar lach, het strálen als ze de telefoon opnam en hij het was, dat alles wees erop dat er geen tijd te verliezen was. Ze zag dat de fatale bloei eraan zat te komen en daarmee het risico dat deze deugdzame, christelijke jonge vrouw van de ene op de andere dag alle normen en idealen zou laten varen en zich zou overgeven.

Want er school iets losbandigs in hem. Iets wat ervan getuigde dat hij aanzienlijke ervaring had met jonge vrouwen die het niet zo nauw namen.

Mijn arme moeder begreep niet dat niemand meer belang hechtte aan mijn maagdenvlies dan Lars-Ivar.

Hij was verliefd op mijn onschuld.

En natuurlijk op het feit dat ik hem verafgoodde.

Hier al, Alberte, merk je hoe verschillend we zijn.

Jij bent weliswaar verlegen, maar dat ben je uit onwil over wat er van je wordt verwacht. Zo snel mogelijk een geschikte jongeman ontmoeten, je beleefd het hof laten maken en vervolgens, nadat er een passende periode is verstreken, ja zeggen op zijn aanzoek.

Een poosje was een zekere advocaat Bergan onderwerp van de belangstelling van andere moeders en de jouwe. Hij ziet er niet echt aantrekkelijk uit met zijn lichtblauwe, waterige ogen en zijn kleurloze, weerbarstige haar. Hij beweegt zich langzaam en zelfbewust. Hij kent zijn waarde. Het gerucht gaat dat hij zijn huis op orde heeft laten brengen en dat het er in alle opzichten piekfijn moet zijn. Als hij een piano heeft aangeschaft, beseffen de dames dat hij nu gauw zijn keuze zal maken.

Hij bezoekt dan de ene, dan de andere jongedame, buigt beleefd, maar niets in zijn gedrag verraadt voor wie hij sympathie koestert.

Je bloost als je hem ziet. Bij het idee alleen al dat hij op jou zou vallen.

Je kent je voorbestemde lot. Tot het gezin behoort ook je broer Jakob. Aan de zoon wordt in de eerste plaats een opleiding besteed. Een dochter zal uiteindelijk toch trouwen, nietwaar?

Ik besef, Alberte, dat ik misschien tot de eerste generatie meisjes behoorde die het gymnasium mocht doorlopen en zelfs verder studeren. In 1921 kregen de vrouwen in Zweden stemrecht. Dat was nog maar het begin van de nieuwe mogelijkheden voor mij en mijn klasgenootjes. En nog steeds droomden we over de ware tegenkomen en trouwen. Maar in jouw geval ging het niet om 'de ware'. Het moest iemand zijn die jou wilde hebben en die je kon onderhouden.

Wij, die eindexamen deden in het jaar dat het vrede werd, hadden bijna allemaal plannen voor een bepaald beroep. Bij een reünie tien jaar later bleek dat negentig procent van de meisjes onderwijzeres geworden was. Eén was dokter. Eén juriste. Ik was modetekenares en columniste voor een weekblad.

Toch gingen er vooral foto's rond van echtgenoot en kinderen. Ik herinner me dat Bodil, die zich in de hoogste klas had verloofd en veel afgunst opriep door telkens haar linkerhand te bewegen om zo haar gouden ring te laten schitteren, niet op het jubileum aanwezig was. Iemand wist fluisterend te vertellen dat Bodils verloofde, Bertil, de verloving na zeven jaar verbroken had en met een ander was getrouwd.

Mijn moeder had een dochter die iets mocht worden. Maar ze werd iets wat haar moeder niet in gedachten had gehad. Absoluut niet. Toch geloof ik niet dat ze warm liep voor het idee het meisje uit te huwelijken. Het waren andere tijden, knappe meisjes konden zichzelf redden, en haar eigen ervaringen met de huwelijkse plichten, waren dusdanig dat ze die haar dochter wilde besparen.

In haar plannen kwam dus geen schoonzoon voor.

Ze hoopte vast dat mijn 'reinheid' mij onneembaar zou maken.

Ik lijd met je mee, Alberte, waar je de ogen van het stadje op je gericht voelt en het geroddel; zonder een uitweg te zien.

Maar ik benijd je om je wereldse en oppervlakkige moeder met haar herinneringen aan het sociale leven in Christiania waar ze een door velen bewonderde jongedame was.

Ik benijd je omdat je een broer had. Niet alleen omdat je iemand had om van te houden en te koesteren, maar ook omdat hij door zijn onwil aan de verwachtingen van jullie ouders te voldoen, zo veel aandacht vroeg dat jij als het ware in de luwte kwam en af en toe rust had.

Ik benijd je omdat je zo lang een vader hebt gehad.

Hij was trouwens een andere bron van zorg in je moeders leven; vandaar ook dat ze zich niet altijd op jou kon richten.

Ik benijd jullie Jensine in de keuken. Stuurs maar loyaal liet ze je ook het vijfde kommetje hete koffie opdrinken met een suikerklontje smeltend op je tong.

Daarna zette Jensine voor zichzelf van het koffiedik koffie terwijl ze korzelig bromde: 'Ik zeg het tegen mevrouw, hoor, Alberte, echt waar.' Maar dat zei ze alleen maar. Jensine klikte nooit. Vaak fungeerde Jensine als een buffer tussen jou en je moeder.

Ik, daarentegen, had niemand. Toen hij doodging en me samen met haar achterliet – ik was toen elf jaar – had ik alleen haar. Ik was haar lijfeigene, overgeleverd aan haar vreugdeloze strengheid en een God met dezelfde morele opvattingen als zij.

Ze voedde me beschermd op en hield me weg van het leven. In haar ogen was alles gevaarlijk. Dat scheen te maken te hebben met mijn zwakte. Maar als je lief en gehoorzaam was en diep voor alle tantes boog, voelde je je bijna veilig.

Ze heeft me gevrijwaard van gymnastiek gedurende mijn hele schooltijd. 'Zwakke enkels', stond er in de doktersverklaring. Mijn lichaam werd mijn vijand. Ik struikelde en liet dingen vallen, liep tegen tafelpunten en deurposten, was altijd bang om te vallen, me te stoten; overgeleverd aan de zelfwerkzaamheid van mijn lichaam. Mijn borsten botten uit, ik werd dik op mijn heupen en dijen, en dan die walgelijke menstruaties die ik niet wilde. Ik zat gevangen in dat uitdijende lichaam.

Maar jij, jij had dat beheerste lijf dat deed wat je wilde. Toen je model stond om de kost te verdienen, was dat op zich zeer onbehaaglijk. Maar wanneer je jezelf in de grote spiegel zag, mager en slank van lijn, bekleed met bescheiden spieren die hier en daar een beetje opbolden en vorm gaven, was dat niet iets om je voor te schamen. Een beheerste naaktheid, zonder overdaad. Als je dan toch vrouw was, was dit wel het minimale waarmee je bedeeld kon zijn.

God, wat had ik er graag zo uit willen zien!

In Parijs zijn ze bezeten van grote spiegels. Vaak als je opkijkt zie je jezelf weerkaatst. Soms tussen twee etalages in, altijd in de grote trappenhuizen van de chiquere huizen, in liften uiteraard. Tja, ik kan even niet op alle locaties komen, maar ik weet hoe mijn relatieve zorgeloosheid voortdurend werd verstoord door een beeld van mijzelf: een lang meisje met een klein hoofd, smalle taille, maar daaronder begon het te zwellen, ongeremd en smakeloos.

Als ik vervolgens verder liep, voelde ik overduidelijk mijn dikke dijen onder mijn rok tegen elkaar schuren.

Ik meende zelfs een kletsend geluid te horen.

2

Ik was tien jaar toen ik mijn toekomst bepaalde. De productie van kleertjes voor mijn kartonnen poppen was op haar hoogtepunt. De poppen, Jane en Maureen, waren net zo slank als de Hollywood-sterren Jean Arthur, Myrna Loy, Katherine Hepburn, Claudette Colbert... zij waren allemaal zo plat als een dubbeltje, niets stak uit. Uitzondering was een vreselijk vulgair mens, Mae West genaamd. Zij had rondingen die ze trots toonde in strakke witte jurken met hier en daar een witte struisvogelboa. Ze was ook grof in de mond. Een in alle opzichten afschrikwekkend voorbeeld.

Als ik groot was zou ik naar Parijs gaan als modetekenares en net zo slank worden als de kartonnen poppen en Jean Arthur. Ik wilde ook jong trouwen en veel kinderen krijgen. Zodat ze broertjes en zusjes hadden. Niemand van mijn bloed zou enig kind hoeven zijn. De prins op het witte paard, de ware, zou de eerste man zijn die me mocht kussen. Voor hem zou ik me bewaren (ik wist niet precies wat dat betekende, maar in de feuilletons in *Allers* kwam die uitdruk-king vaak voor). Het decor van die eerste kus was bij voorkeur een tuin met bloeiende kersenbomen waar bloemblaadjes als sterretjes neerdaalden in het haar van het meisje. De kus was lang en innig en na afloop fluisterde hij: 'Wil je voor eeuwig de mijne worden?'

Toen mijn moeder me uitwuifde op Stockholm Centraal waren twee van mijn besluiten gerealiseerd, en het derde stond op het punt werkelijkheid te worden. Ik was modetekenares, ik was op weg naar Parijs en ik was gekust door de man die God voor me had uitver-koren.

Ik had zojuist mijn opleiding aan de Anders Beckmanschool voor Mode en Reclame afgerond. Maar ik was niet slank als een modetekening geworden en mijn eindexamencijfers waren onder het gemiddelde.

Het was heerlijker dan heerlijk om eindelijk net zo veel te mogen tekenen als je wilde. Niet alleen nadat je huiswerk af was. Maar altijd. Dat geluk maakte me blind voor het feit dat ik zo slecht tussen de andere leerlingen paste. Ze waren slank op de manier waar ik van droomde, ze waren geknipt en gekleed volgens de laatste mode, lippenstift in dezelfde kleur als hun nagellak, ze waren zelfverzekerd en flirterig, ze wisten hoe je een elleboog kon optillen zodat je bustelijn naar voren kwam. Ze knepen hun ogen half dicht tegen de sigarettenrook en plukten een tabaksflintertje van hun tong. Ondertussen giechelden ze en fluisterden onderling. Dat ze daarbij vaak mijn kant op keken, viel me niet op.

Alles aan mij wekte irritatie op: alleen al mijn verschijning was een belediging voor de esthetische signatuur van de school. Kinderlijk, zich nergens van bewust, gekleed in een afgrijselijk gebloemde zogenaamde schildersjas – aangeschaft door mijn moeder in een fournituurenwinkel bij ons in de straat – riep ik migraineachtige symptomen op bij de fijngevoelige docenten. Ook mijn kinderlijke werkvreugde die ik vaak uitte door het zingen van psalmen terwijl ik me door de gangen haastte, was pijnlijk.

Achter mijn rug werd schamper gelachen. Ik werd de Pastorale genoemd (nee, niet naar een werk van Beethoven).

Mijn hoofddocente mode, de afgemeten, gesofisticeerde Ava Rosenholm, zelf de meest toonaangevende modetekenares van het land, kon mij moeilijk verdragen. Dat betreurenswaardige gebrek aan stijl en zelfbeheersing zat ook in mijn manier van tekenen. Geestdriftig en snel. En hoewel ze mij voortdurend opzij schoof om haar eigen lijnen over mijn ongedisciplineerde, spontane streken te zetten, duurde het niet lang voordat ik weer terugviel in mijn oude stijl. Ik was gewoon een hopeloos geval en tegenover de eindexamenleerlingen klaagde Andreas Beckbom: 'Als ze maar niet die vréselijke schildersjas droeg.'

De beroemde druppel was toen ik eigenhandig een briefje op het prikbord had bevestigd dat mensen zich konden aanmelden voor een gespreksgroep over levensbeschouwelijke vragen onder leiding van Per Cederlund, hulppredikant van de Adolf Fredriks-gemeente. 'Als je geïnteresseerd bent, kun je contact opnemen met Signe Tornvall.'

Vijf jongens en twee meisjes meldden zich aan. Een van de

gegadigden was Lars-Ivar Palm uit Uppsala. Hij was overtuigd atheïst.

We kwamen niet verder dan twee bijeenkomsten, waarin de opvattingen scherp tegenover elkaar stonden en die iedereen achteraf spannend en leuk had gevonden, voordat ik ontboden werd bij de rector, Anders Beckman, een man van een jaar of vijftig die aan een pasja deed denken.

Zijn onderkinnen trilden, zijn buik was als een wapen op me gericht toen hij me een echte uitbrander gaf.

'De mensen bellen om te vragen of de Beckmanschool opeens een christelijke signatuur heeft gekregen, waar is juffrouw Tornvall in godsnaam mee bezig? Begrijpt u niet dat dit misplaatste initiatief eerst met de rector besproken had moeten worden?'

Ik bloosde, maar verweerde me door te zeggen dat het om levensbeschouwelijke vragen ging en dat zowel hindoeïsme, boeddhisme, existentia...

'Zo is het wel genoeg, juffrouw Tornvall.'

Hij nam me met afgrijzen op.

'Deze activiteit dient onmiddellijk beëindigd te worden.'

'Ja, rector', zei ik en ik maakte een kniebuiging zoals ik altijd deed in aanwezigheid van een rector.

Maar deze rector werd knalrood in zijn gezicht en brulde: 'U hoeft niet voor me te buigen, juffrouw Tornvall.'

Geleidelijk aan zou de achtergrond hiervan mij duidelijk worden. De oprichter en rector van de school was een man die van wijn en jonge vrouwen hield en hij was ijdel genoeg om te denken dat uitverkoren meisjes zich gevleid voelden wanneer ze gefêteerd en betast werden door de charmante Anders Beckman.

Maar mijn mislukte humanistische project had de nieuwsgierigheid van Lars-Ivar gewekt. Hij was geraakt door zoveel onschuld. Hij begon zich voor mij te interesseren. Zo erg dat het opviel. De vlotste meisje trokken hun wenkbrauwen op en begrepen er niets van. Zo'n onhandige, achterlijke boerentrien. Lars-Ivar kon toch krijgen wie hij maar wilde?

Maar dat was het nu juist. Dat was te makkelijk.

Tegenover mij voelde hij bijna een soort ontzag. Hij wist welke verantwoording het was een onschuldig kind te verleiden. Ook al was het vooralsnog niet op het lichamelijke vlak.

Mijn verliefdheid deed me stralen. En niet alleen híj zag wat een leuk meisje ze eigenlijk was, die Signe Tornvall.

Een moeder ziet het meteen wanneer haar dochter zonder reden begint te stralen en schitteren en dromerig in zichzelf zit te glimlachen. En dan de manier waarop ze zich in het weekend bij haar moeder thuis op de rinkelende telefoon stortte.

Uiteindelijk moest ik de jongeman aan haar voorstellen. O ja, ik wilde niets liever.

Hun ontmoeting was kortstondig en mislukte totaal.

Al op het eerste gezicht zag ze dat dit absoluut geen man voor haar Signe was. Zijn gewiekstheid was haar onmiddellijk opgevallen. De toekomst van haar dochter was in gevaar.

Daarom zit ik nu in kerken brieven te schrijven. Ik schrijf over alles wat ik zie en meemaak, met op de achtergrond een soort vertwijfeling over het feit dat hij er niet bij is om het zelf in het echt te zien.

De glas-in-loodramen van de Notre Dame. O, de eerste keer huilde ik. Al die welbekende Parijse taferelen. De bomen die overhelden naar de rivier. De schoonheid van de bruggen. De clochards op de kaden. De boekenstalletjes. Het enorme, ononderbroken uitzicht over de Tuilerieën naar de Place de la Concorde, en nog verder helemaal tot de Arc de Triomphe. Een paar jaar geleden marcheerden de Duitsers daar nog in hun overwinningsroes. Nu zaten er Amerikanen. Zij marcheerden niet maar zaten breeduit in de cafés aan de Champs-Elysées te drinken. De nieuwe overwinnaars, belichaamd door grote Amerikaanse jongens die er wijdbeens bij zaten en Parijs in bezit hadden genomen.

Daarover vertelde ik in de brieven, en over de schilderijen van de impressionisten, die mijn vrienden werden en waar ik altijd naar terugkeerde om ze te bewonderen en te bestuderen. De danseresjes van Degas, maar meer nog de vrouw aan het groene absint. Het zelfportret van Van Gogh, met of zonder afgesneden oor. De zonnebloemen. De onheilspellende olijfboomgaarden. De korenvelden in beroering. Vincents slaapkamer in Arles. De tederheid in die eenvoudige houten meubels. Manets Olympia in haar bleke naaktheid, op een paar hooggehakte muiltjes na. Le déjeuner sur l'herbe. Geklede mannen. De vrouw naakt en duidelijk een onderdeel van de uitgestalde maaltijd. En al die groepsportretten van serieuze, donker geklede heren die de toeschouwer betekenisvol aankijken. Op andere schilderijen staan vrouwen afgebeeld. Ze hebben wonderbaarlijk prachtige decolletés en opgestoken kapsels. Soms spelen ze onbeholpen onder indrukwekkende bomen; ze zijn gekleed in gebloemde sleeprokken die zich vullen met lucht en de meisjes naar de horizon laten zeilen.

Er hangen ook familieportretten. De mannen kijken autoritair en krachtdadig. De vrouwen zijn gekleed in iets donkers en waardigs, het haar deugdzaam achterover gekamd. De ogen neergeslagen. Naar waar hun taak en doel zich bevinden. De kinderen.

Gaugain en Matisse, o, dat alles waar ik maar niet genoeg van kan krijgen en vervolgens niet, nooit iemand naast je te hebben tegen wie je kunt zeggen: 'En wat vind jij ervan?'

Op de École des Beaux-Arts teken ik gipsen na, kopieën van Griekse standbeelden, iets saaiers kun je je nauwelijks voorstellen. Maar het is een rijk gevoel door de prachtige tuin naar het magnifieke gebouw te lopen en een kaart te kunnen tonen waarop staat dat je bevoegd bent.

Ik stond in de lange, traag voortschrijdende rijen in grote kale zalen van een onbegrijpelijke administratieve instantie waar buitenlanders zich verdrongen voor een tijdelijke distributiekaart. Je hoorde hier veel vreemde talen en je kon je afvragen waar al die mensen vandaan kwamen en waarom ze in Parijs beland waren. Hadden ze hier ook de oorlog doorgebracht of waren ze later gekomen? Waren het net als ik studenten? Zochten ze werk?

Sommigen zagen er ellendig uit. Ze waren niet alleen mager en slecht gekleed. Het was vooral de uitdrukking in hun ogen. Die hadden onbegrijpelijke wreedheden gezien en meegemaakt waar een meisje uit Uppsala zich geen voorstelling van kon maken. Ook al had ze vast de foto's in de kranten en de krakende zwart-witjournaals gezien waartegen je je enkel kon wapenen door steeds je ogen dicht te knijpen.

Niemand uit zo'n rij sprak me aan. Geen enkele keer. Waar ik ook liep, stond of zat in Parijs, het was alsof ik een onzichtbaarheidskap droeg. Of kwam het doordat ik uiterst gehoorzaam de waarschuwende raad van doktersvrouw Elbenzén opvolgde? Ik ontmoette nooit een blik die iets van me wilde.

Ik viel alleen op bij de stuurse dame achter het loket voor postzegels en correspondence in het postkantoor op Rue de Vaugirard, ja, het leek zelfs of ze ten slotte bijna glimlachte tegen dat blozende meisje dat zo'n régulière was met haar brieven naar la Suède, waar dat dan ook mocht liggen.

Ik banjerde niet net als jij aan één stuk door de straten van Parijs. Daar was het te warm voor. Ik vluchtte de schaduw in, op toegestane bankjes en in de koele schemer van de kerken, waar je na het felle zonlicht buiten eerst even geen hand voor ogen zag.

Mijn kamer had de ochtendzon. Maar 's middags was het daar goed toeven met de Franse ramen en de kamerdeur naar de gang open zodat het een beetje kon doorwaaien.

Iedere ochtend vloog ik de drie trappen af om te kijken of er iets in mijn postvakje lag. In de laatste bocht verlaagde ik het tempo om de kans te vergroten dat uitgerekend vandaag...

Ach nee, vandaag ook niet.

In materieel opzicht ontbrak het me aan niets. Het was een eenvoudig pension, maar het ontbijt en twee warme maaltijden waren bij de prijs inbegrepen. In de loop van de week werd de soep steeds wateriger. Maar er was altijd voldoende brood.

Soms stuurde mijn moeder een voedselpakket uit Zweden.

Ik bedenk dat ik me nooit heb afgevraagd hoe ze me een hele zomer in Parijs kon laten wonen. Ze sprak met mij nooit over onze financiën. Als ze zorgen had, mocht ik dat niet weten. Ik moest kinderlijk onwetend en zorgeloos gehouden worden; dat was haar opvatting.

Als er een pakket uit Zweden was gearriveerd, trakteerde ik de meisjes uit het pension met wie ik op goede voet stond. Dan was het feest op mijn kamer met de aflopende vloer en het sponsachtig zachte bed waarin je altijd naar het midden rolde. In het pakket zaten bijvoorbeeld knäckebröd, smeerkaas, blikjes sardientjes, leverpastei en tonijn. Een pakje melkpoeder en twee blikjes thee. Mijn Franse vriendinnen knabbelden voorzichtig aan het Wasaknäckebröd en Lucille vroeg of dit nu des gâteaux suédois waren.

Geen van beiden, Alberte, belandden we in Parijs om romantische redenen. Ik werd erheen verbannen. Jij kwam er terecht vanwege de dood van je ouders. Parijs betekende voor jou vooral: eindelijk vrij.

Dankzij een vreselijke catastrofe ontsnapte je aan de verwachtingen die in een kleine stad leefden ten aanzien van een huwbare dochter uit de betere kringen. Toen je broer Jakob weigerde zich te voegen naar de plannen die zijn vader, de kantonrechter, met hem had, was er maar één uitweg. Zonen die zo het vertrouwen beschaamden, rebelleerden en weigerden in het gareel te lopen, gingen naar zee. En dat was precies wat Jakob deed.

Jij deed een poging je voorbestemde lot te ontlopen. Je solliciteerde naar een betrekking op Røst. Als je moeder dat hoort laat ze zich op de sofa vallen. Vernietigd. Machteloos huilend. In huis heerst een begrafenisstemming tot op de dag dat je vader binnenkomt met een geopende brief in zijn hand. Je leest hem. De vacature op Røst was al vervuld. En je moeder komt bij haar positieven. Gaat rechtop zitten en roept uit: 'De hemel heeft mijn gebeden verhoord.'

Dan rest alleen nog de griffier, die advocaat Bergan als mogelijke huwelijkskandidaat is opgevolgd. Ondertussen is je vriendin Beda in moeilijkheden geraakt door toedoen van tandarts Lett. Maar dan brengt de belastingontvanger, een rijpere man die allang van Beda houdt maar haar niet heeft durven vragen vanwege het leeftijdsverschil, redding. Het huwelijk wordt in allerijl georganiseerd.

Tegelijkertijd rukt de griffier op. Op je verjaardag geeft hij je de enorme hortensia die lange tijd dé blikvanger in de etalage van de bloemist was. Je moeders ogen twinkelen. Nu zal het niet lang meer duren voordat Alberte en de griffier een paar zijn.

Maar je weigert. Terwijl je vriendinnen een voor een voor de bijl gaan. Niet alleen voor Beda was er haast bij, ook Harriets verlovingstijd met dokter Mo was opvallend kort. Maar de hoofdzaak is dat Harriet arm in arm gezien wordt met haar verloofde en dat er van alle kanten wordt gebogen.

Je moeder moet weer naar haar zakdoek grijpen. Het helpt niet. Je wilt niet al jong mevrouw worden, kinderen krijgen, met andere vrouwen over bevallingen praten en verholen roddelen over iemands dochter die, het is wel niet helemaal zeker, erg is aangekomen...

En dan gebeurt onverwachts dat vreselijke ongeluk op de oude kade die van binnenuit verrot is en bezwijkt wanneer de hogere kringen van de stad zich daar hebben verzameld.

De kantonrechter en zijn vrouw zijn erbij. Jij zit alleen thuis als je buiten plotseling hoort roepen en schreeuwen.

Je opent een raam in de donkere avond. Lantaarns die onrustig bewegen. Maar vooral dat gejammer, al die angstkreten.

Je ouders behoren tot de overlevenden, maar ze zijn er allebei slecht aan toe.

Je vader sterft eerst. Je herinnert je het stille, bleke gezicht van je moeder tegen het kussen. Haar ogen zijn ongewoon helder en glanzend. Je hebt haar nog nooit zo gezien.

Voor ons, met moeders die we ervaren hebben als vijanden, is het moeilijk aan te zien wanneer ze hulpeloos zijn als een kind, en gevoelens die we niet eerder kenden komen naar boven. Tederheid, spijt, verlangen, verlatenheid...

Je ziet hoe je moeder al haar krachten verzamelt om iets te zeggen en je denkt dat ze naar je vader gaat vragen en wat moet je dan antwoorden...? Maar in plaats daarvan zegt ze helder en duidelijk, met een oneindig verlangen: 'Jákob.'

Een minuut later is ze dood.

Ja, toen moesten ze wel iets voor je regelen, die familie van je moeder. Je onvermogen – of halsstarrig weigeren – om jezelf leuk en innemend voor te doen, je ogen en tanden te laten blinken, maakte je onmogelijk op bals en andere gelegenheden waar jonge dochters geëtaleerd werden.

Ze stemmen erin toe je reis naar Parijs te bekostigen. Voor een kunstopleiding. Je hebt immers talent. En als dat nu het enige is wat je wilt...?

Je ouders kun je niet meer teleurstellen. Daar ligt je vrijheid.

Maar vrijheid is niet vanzelfsprekend hetzelfde als geluk. Nu heb je de kans te doen wat je wilt. Je hoeft niemand om toestemming te vragen. Je hoeft niet door achterafstraatjes te sluipen. Maar je richt verder niets uit. Kleumend drentel je door de Parijse straten om het moment uit te stellen dat je naar de bovenste verdieping van dat sjofele hotel moet waar de armen wonen. Hoestjes en vuile kleren verspreiden een geur die door de kier onder de deur naar binnen trekt; en op een dag drijft er een arm, dood muisje in je waskom. Je wist allang dat er muizen zaten, maar ze hielden zich verborgen in de hoeken. Dan beginnen ze vrijmoediger te worden. Je legt brood-kruimels op de grond om te voorkomen dat ze in je bed klimmen als je ligt te slapen.

Onze financiële posities verschillen sterk. Als ik geld nodig heb hoef ik mijn moeder maar een telegram te sturen. Jij moet maar hopen dat Alphonsine een schnabbel als model voor je weet te regelen.

Je laatste opdracht is bij een zekere mister Digby, een gezette Amerikaan met de onvermoeibare ijver van een amateur. Hij woont in de betere wijk Passy, waar het risico gering is andere Scandina-viërs tegen het lijf te lopen.

Ik heb de afgelopen jaren vaak in tekenlokalen zitten schetsen. Ik weet hoe het meisje daar vooraan van levend individu verandert in lijnen, hellingshoeken, draaiingen, de zwaartekracht in het rustende been, de gespannen spieren in het lichaamsdeel dat op de grond rust. Je zwoegt met de positie van het hoofd, de linkerschouder die naar achteren trekt, allemaal problemen die je moet overwinnen, tot je onverwacht de oplossing vindt. Nee, o, nu heb ik het! Zo ja! Opeens voel je waar het evenwicht ligt...

Als tekenaar vergeet je hoe vermoeiend het voor degene op het podium moet zijn om vijfentwintig minuten dezelfde houding aan te houden.

Jij beschrijft wat ik nooit heb ervaren.

Het gevoel wanneer je daar staat met geen draad aan je lichaam is niet – zoals je misschien op het eerste gezicht zou denken – schaamte, maar weerloosheid. De onrust dat iemand te dichtbij zal komen. De angst van je huid. En de uitlevering aan totale eenzaamheid. Je zou misschien denken dat het in de loop der tijd verdwijnt. Jij vertelt me dat dat niet zo is. Het is iedere keer hetzelfde. Alsof je pardoes in het diepe springt.

Dat het je lukt drie kwartier te staan zonder in te zakken, op je knieën te vallen, zie je als een soort offer aan de duistere machten die je in deze situatie gedwongen hebben.

Je weet immers dat je eigenlijk voor iets heel anders naar Parijs gekomen bent dan om naakt model te staan en verbeten één franc en vijfentwintig centimes per uur te verdienen.

Maar jij bent niemand tot last.

Dat kun je van mij niet zeggen. Ik ben mijn moeder echt tot last. Om mij te redden van een noodlot erger dan de dood heeft ze geld bij elkaar geschraapt zodat ik in een pension in Parijs kan wonen en tekenles krijg op de École des Beaux-Arts.

De verbondenheid die ik met je voel, die bijzondere vereenzelviging die mij ertoe bracht steeds met je mee te leven, in het Noorden, in Parijs, in Bretagne, met je onvermogen aan de slag te gaan met wat je eigenlijk moet doen, valt intellectueel gezien niet te verklaren. Wat zijn er voor overeenkomsten tussen jóuw kramp en míjn angst, die zich uit in koortsachtige activiteit, uitbarstingen, weglopen, onverantwoordelijkheid, euforie, een ongelooflijke scheppingsdrang. Er komt ontzettend veel uit mijn vingers en ik doe wat ik graag wil doen.

Maar toch. We zijn hetzelfde. In wezen, wat betreft de gevoeligheid van onze weke delen en de onmacht, het inzicht niet te deugen. Nee, we deugen voor geen meter, want we kunnen niet wat iedere normale vrouw kan, iets waar je geen scholen of speciaal talent voor nodig hebt, namelijk je voegen naar het meest elementaire in het leven: een goede echtgenote en moeder zijn. Dat komt op de eerste plaats. Wanneer je er per se iets naast wilt doen, kan dat als de kinderen slapen, je man in het echtelijk bed het zijne heeft gekregen, het eten voor de volgende dag in de koelkast staat en je dankbaar en tevreden bent met je lot.

Wij zijn allebei zo slecht in leven.

Wij zijn meisjes die verwachtingsvol op onze tenen staan om over de schutting te kijken naar de binnenplaats waar de normale meisjes spelen.

Jij bent veel consequenter dan ik. Al jong ben je je bewust van je beperkingen, terwijl ik volledig opga in de meisjesboeken en damesbladen met hun rozengeur en maneschijn en ze leven nog lang en gelukkig. Met heerlijk zachte en warme kinderen op de arm.

Jij had een jonger broertje.

Ik had geen broertjes of zusjes. Hoe ik ook zeurde bij God – zelfs een jong hondje wist hij niet voor me te regelen.

Wat literatuur betreft neigde ik dus vooral naar zalige vervoering en meeslepende gevoelens tussen man en vrouw. Wat er onder de gordel gebeurde werd nooit aangeroerd. Dus toen een meer ervaren vriendinnetje, Margareta, me fluisterend toevertrouwde dat zij en Gösta tot de grens waren gegaan, had ik zelfs geen idee waar die grens zich überhaupt bevond.

Voor mij lag die bij de kus. Op school hadden we plaatjes gezien van de baarmoeder van een vrouw met een embryo, opgerold als een kikkervisje. Maar op de dag dat werd uitgelegd hoe dat daar terecht was gekomen, was ik zeker ziek geweest. Ik was vaak verkouden en koortsig. Het beeld van de hand van mijn moeder op mijn voorhoofd is een vroege en permanente herinnering.

In mijn tienerjaren moest ik steeds horen hoe dankbaar mijn moeder mocht zijn met zo'n brave dochter: 'Als je weet hoe de jeugd van tegenwoordig…'

Mijn moeder was zo zeker van mijn braafheid – die eigenlijk onwetendheid was – dat ze nooit hoefde te zeggen: 'Ik kan mijn meisje toch wel vertrouwen?' En nooit hoefde ze wakker te liggen tot ze de buitendeur hoorde, om dan meteen het licht aan te knippen en te kijken hoe laat het was, om vervolgens in ochtendjas op dochterlief af te stappen die moeders hand wegduwde, haar kamer in vloog en de deur op slot deed.

Zulke scènes bleven ook jouw moeder bespaard, Alberte.

Maar jij wist hoe het eraan toeging. Jij was op de hoogte. Maar je had zelf de behoefte niet; de soevereiniteit van je lichaam regeerde.

Je had gezien hoe meisjes hun hoofd verloren vanwege een man. Dat was niets voor jou. Voor mij wel. Maar er was niemand die het ook maar probeerde. Ik was namelijk niet populair bij jongens.

Maar zowel jij als ik kon de zuiging voelen van een brutale, gevaarlijke jongen. Zo'n jongen als Cedolf.

Lars-Ivar had die uitstraling ook. Qua uiterlijk leek hij op Cedolf. Maar in dat opzicht kwamen we bedrogen uit, mijn moeder en ik. Later zou blijken dat die jongeman met zijn avontuurlijke glimlach echt een burgermannetje was die een nestje wilde bouwen waar hij zich geborgen voelde en die nooit de behoefte had om het te verlaten. Terwijl ik, zijn naïeve en toegewijde kindvrouwtje, wild, opstandig en onhandelbaar zou worden.

Maar daar wist niemand iets van toen ik me een lange, hete zomer in Parijs vooral wijdde aan het schrijven van en wachten op brieven. Ondanks Gods onwilligheid in te grijpen als ik om iets bad, bleef ik nieuwe voorstellen doen.

'Goede God, laat Lars-Ivar me in Parijs komen opzoeken. Laat hem anders ten minste één brief schrijven, goede God.'

En op een ochtend, toen ik zoals gebruikelijk de trappen af holde om mijn postvakje bij verrassing te nemen, lag daar een brief in een lichtblauwe envelop. Ik moest een paar seconden wachten want mijn hart leek stil te staan. Het briefpapier en de enveloppen van mijn moeder waren wit.

'Madame, excusez, madame', riep ik tegen de werkster, die op haar knieën de onderste traptreden dweilde. Ik ging ervan uit ze madame was aangezien ze duidelijk zichtbaar in verwachting was. Ik had al eerder bedacht hoe vreselijk het was dat ze ondanks haar toestand zulk zwaar werk moest verrichten.

'Excusez, madame', hijgde ik nog een keer voordat ik bij de envelop was en op de achterkant de naam van de afzender kon lezen. Lars-Ivar Palm. Er ging een siddering door me heen en ik moest steun zoeken tegen de muur toen ik de envelop openscheurde.

'Lieve Signe', zo begon de brief. Toen volgden er meerdere regels waarin hij me bedankte voor al mijn brieven en dat hij zich schaamde dat hij niet eerder geantwoord had. Maar hij had een zomerbaantje in een drukkerij en moest al om zeven uur 's ochtends beginnen. Daarom was hij 's avonds zo moe. Daarna kwam ik te weten dat het mooi weer was maar dat het vorige week iedere dag had geregend. Hij was jaloers op me omdat ik in Parijs was en alle musea kon bezoeken en dat hij graag samen met me aan een cafétafeltje had gezeten met uitzicht over de Seine. '…maar nu moet ik ophouden want ik schrijf tijdens de koffiepauze. Dag, veel liefs van je toegenegen Lars-Ivar.'

De schoonmaakster, die klaar was met de trap en met rood-gezwollen handen de dweil uitwrong en moeizaam opstond, glimlachte naar me. Met haar linkerhand stopte ze een haarsliert terug in haar knot. Toen zag ik dat ze geen trouwring droeg. Ze was dus ongehuwd. Even sloeg een golf van mijn moeders afwijzing door me heen.

Maar de vrouw maakte geen gebroken of beschaamde indruk, ze was alleen vriendelijk belangstellend: 'O, ik begrijp dat mademoiselle een brief gekregen heeft van haar fiancé in Zweden?'

Ik bloosde: 'Nee, mijn verloofde is hij niet.'

De vrouw lachte. 'Maar een vriend, nietwaar? Een vriend kan als een verloofde zijn. En u bent nog jong, mademoiselle.'

Ze bleef staan terwijl ik de brief nog een keer las.

'Misschien komt uw vriend u opzoeken, mademoiselle? In dat geval: het kamertje op de vierde etage staat leeg.'

Na de derde keer lezen stopte ik de brief met trillende handen terug in de envelop. Dat viel niet mee door de wanhopig open-gescheurde bovenkant.

'Nee', zei ik, mijn stem klonk opeens hees. 'Hij kan niet komen. Hij werkt.'

'Maar later misschien?' hield de vrouw aan, met haar handen over haar schandelijke buik gevouwen. 'In augustus is het pas vakantie.'

In Frankrijk, ja. Maar in Zweden is het vakantie in juli. Twee weken in juli.

En nu was het juli.

Ik verontschuldigde me en liep langzaam met zware tred de trap op. Voor het eerst had ik het gevoel dat mijn kamer enorm hoog lag. Op de tweede verdieping moest ik gewoon even uitrusten. Toen zag ik Michèles kamerdeur opengaan en de Deense student Ole wegglippen. Hij had zo'n haast dat hij niet eens tijd had om me te groeten. Ik zag ook nog een glimp van Michèle, het haar door de war, een te rood gezicht en gekleed in een slordig dichtgesnoerde kimono. Ze zag er inderdaad totaal verfomfaaid uit. 's Ochtends om halftwaalf. Maar het kwam niet in me op me af te vragen wat Ole in haar kamer deed. 's Nachts kraakte en zuchtte het in de kamers naast mij zonder ik begreep wat dat betekende.

(...want voor de reine is alles rein.)

Uit de brief van Lars-Ivar sprak geen enkele blijk van genegenheid.

Hij had me graag vergezeld naar musea en aan cafétafeltjes. Kon je daar soms uit opmaken dat hij naar me verlangde? Hij was geëindigd met dag en veel liefs.

Lars-Ivar was geen jongen, nee, hij was een man. Een man schrijft op een andere manier. Stroever. Ze gingen zich niet te buiten aan sentimentele liefdesverklaringen. Zoals een verliefd meisje doet.

Ik verlang zo waanzinnig naar je. Ik ga dood van verlangen. Ik hou het niet uit zo ver bij je vandaan te zijn. Ik denk dag en nacht aan je. Duizend kussen (eventueel met toevoeging van een lippenstiftafdruk van mijn lippen.)

Ik bedenk nog iets wat we gemeenschappelijk hebben, Alberte.

We houden niet van onszelf. Jezus zegt: 'Heb je naaste lief als jezelf.' Ha, dat stelt niks voor. Je naaste liefhebben, bedoel ik. Je kan wel horen dat het een man is die dat verzonnen heeft. Jezelf liefhebben, dat is pas echt moeilijk. Dat maakt het ook zo onbegrijpelijk dat iemand van mij zou kunnen houden.

Ik was zo onmogelijk.

De brief maakte een hoop duidelijk.

Het was te veel gevraagd dat Lars-Ivar van me zou houden.

Maar het was al mooi genoeg als hij mij van hem liet houden.

3

Jullie houden elkaar in de gaten, het groepje dat onder schamele omstandigheden in Parijs verblijft. Het valt op als iemand een tijdje niet gesignaleerd is. Jullie maken je zorgen over iemand wanneer daar aanleiding toe is.

Nu betreft het Liesel. De gelukzalige staat waarin ze verkeert en de ijver waarmee ze voortdurend haar positie als de vriendin van Eliel verdedigt, brengen onmiskenbaar momenten van twijfel met zich mee. Liesel is tot over haar oren verliefd op Eliel, ja, ze houdt van hem. Daar kun je jaloers op zijn, maar niet op het feit dat ze vanwege die liefde iedere maand bang moet zijn dat... ja, dat waar ieder verliefd meisje bang voor moet zijn nadat ze zich aan een man 'gegeven' heeft. Liesel vindt er niets verkeerds aan, aan dat laatste dus. 'Ik heb alleen maar gedaan wat ik moest doen', verklaart ze tegenover jou. 'Het is net zo natuurlijk als het leven zelf.'

Uitdagend spreekt ze over de mensen die vinden dat je getrouwd moet zijn, und so weiter. Maar Eliel mag niet lastiggevallen worden met zulke dingen. Eliel, die Liesels hand had gepakt en gezegd dat deze zo buitengewoon mooi was dat hij hem wilde boetseren.

Toen je Liesel bij die marktkraam tegenkwam liet ze je een nieuw nachthemd zien met ajour borduursel, dat ze net gekocht had voor het bedrag van een halve maand huur.

Ja, Liesel balanceert op de rand van de afgrond, en dat weet ze. Toch kun je jaloers op haar zijn. Zij heeft iemand. Het is niet goed om alleen te zijn.

In alle toonaarden heb je vrouwen die vermaning horen uitspreken. Van de oude mevrouw Weyer in het stadje in het Noorden tot Alphonsine, die met haar geloken groene ogen constateerde: 'Il vous manque une affection, mademoiselle.'

Dat zeiden ze voordat je Veigård ontmoette en daarom kon je antwoorden: 'Voor mij is er niemand.'

Maar jij weet wat het inhoudt. Je hebt jarenlang naast allerlei slag volk gewoond in gehorige kamers. De geluiden die je opving, deden je vooral denken aan waanzin of gekooide dieren. Gekreun, strijd, een gekwelde schreeuw in het donker, een diepe stilte, als de dood. Gesnurk. Soms vrouwengehuil. Bittere woorden.

Alberte, jij wist hoe het klonk. Jij wist hoe het eraan toeging. Dat wist je al jong, terwijl ik als het ware in een glazen kooitje leefde en dacht dat het via je speeksel ging. Daarom was het zo gevaarlijk om te kussen. Volgens mij was die speciale stof niet altijd in je mond aanwezig, maar op bepaalde dagen van de maand.

(Op zich niet veel merkwaardiger dan hoe het echt gaat, trouwens.)

Toen ik op mijn achttiende te horen kreeg hoe het werkelijk toeging, weigerde ik het te geloven. Mijn arme moeder was degene die me moest voorlichten. Een vroeger vriendinnetje was 'in gezegende toestand' en er werd gezegd dat het van twee kon zijn. En ik riep ontzet en vol afschuw: 'Hoe kunnen het er twee zijn?'

Ik weigerde te geloven dat de liefdesdaad zich afspeelde tussen de twee meest onreine lichaamsopeningen. Wat wilde God daar nu mee? In mijn geest doken andere, hygiënischer vermenigvuldigingswijzen op. De god Zeus, die zich in een gouden regen veranderde voordat hij neerdaalde over Danaë. Pallas Athena, die geboren werd uit het hoofd van haar vader Zeus. Aphrodite, die kant-en-klaar opsteeg uit het schuim der zee. Om nog maar te zwijgen van de steriele en kuise bevruchting van de Maagd Maria door de Heilige Geest.

'Zoiets zal ik nooit, nooit doen!' riep ik uit. Pauze. 'Maar dan moet je naakt zijn? Ja toch?'

Het antwoord van mijn moeder was vaag. Maar mijn nóóit werd steeds definitiever. Nooit zou ik, die zo dik was, me naakt laten zien aan degene van wie ik hield. Nóóit.

Wat ik al wel kende, was het huiveren en beven van liefde en het koortsachtig verlangen. Al die gevoelens hadden mijn lerares Zweeds bij me wakker gemaakt. Alle sensaties had ik doorgemaakt. Hoe ik bloosde en gelukzalig huiverde wanneer zij de klas binnenkwam. Ademnood. Moeite mijn stem onder controle te krijgen als ik een beurt kreeg. Gelukkig waren er de opstellen, anders weet ik niet hoe het met mijn rapportcijfer was afgelopen.

Als ik 's avonds uit catechisatie naar huis ging, maakte ik soms een omweg langs haar huis. Ik keek of het licht brandde achter haar raam. Ze deelde een woning met de gymnastieklerares. Ze woonden op de begane grond en één keer toen ik daar stond te kijken, werd het raam geopend en stond zíj daar. Ze sloeg een stofdoek uit. Aangezien ik onder een straatlantaarn stond, zag ze me.

'Maar Signe, waarom sta je daar?'

Ik reageerde door blindelings weg te rennen. In de keuken zat mijn moeder de distributiekaarten door te nemen.

Ze keek op en riep uit: 'Wat zie je er verhit uit. Je bent toch niet ziek?' Haar hand was al onderweg, maar bereikte nooit zijn doel. Ik had me opgesloten in de badkamer. Riep dat ik last had van mijn maag.

Ik had natuurlijk geen flauw idee dat er een speciale naam bestond voor liefde tussen vrouwen. En nog minder wat ze dan tussen de lakens met elkaar konden doen.

Een keer tijdens de zomervakantie, toen ik met mijn beste vriendin in het zomerhuisje van haar tante in Skåne was en we met twee jongens uit Malmö in een roeiboot zaten, begon een van hen over onze koning, de oude Gustav v. Over zijn zwak voor jonge tennisspelers. Niet alleen op de tennisbaan. Maar vooral in bed.

Door mijn toedoen sloeg de boot bijna om toen ik verontwaardigd opstond en zei: 'Hoe durf je, ónze kóning, ben je niet goed bij je hoofd?'

Hun gelach deed mijn maag samenkrimpen.

Toen ik uiteindelijk wist hoe het er tussen man en vrouw aan toeging, restte nog lange tijd het raadsel wat mensen van hetzelfde geslacht met elkaar konden uitspoken.

Tegelijkertijd werd ik mijn eigen braafheid zat. Het is geen pretje om het keurigste en meest rechtschapen meisje van de klas te zijn. Zoiets kan je voor het leven tekenen.

Vreemd genoeg was ik jaloers op de meisjes die brutaal, ja, losbandig gevonden werden. Het betekende dat ze hét gedaan hadden. Meisjes die op een verboden dansavondje van de studentenvereniging met een student wegglipten.

Eindexamenklas. Negentien jaar en ik begon te vermoeden dat er iets ernstig mis was met mij. Geen jongen die knipoogde of veel-betekenend naar me keek. Dat kwam natuurlijk ook door mijn bril. Een naderhand erg beroemd geworden Amerikaanse schrijfster schreef: 'Men never make passes to girls who wear glasses.'

Een populaire en veel voorkomende scène in Amerikaanse films was die waarin de aantrekkelijke, charmante held (Cary Grant) plotseling het saaie meisje achter de typemachine ontdekt (de film was dan al over de helft en hij was al die tijd verloofd met een knappe blondine die niet te vertrouwen bleek). Maar goed, dan kijkt hij naar de onbeduidende secretaresse, trekt haar uit de bureaustoel omhoog, neemt langzaam haar bril af, trekt een paar haarspelden uit haar strak achterovergetrokken haar, zodat het vrij over haar schouders golft en fluistert: 'O, wat ben je mooi! Waar zat ik met mijn gedachten? Wil je met me trouwen?'

De enige die ík kon krijgen was Artur. Hij droeg ook een bril en zou dominee worden. We leerden elkaar kennen op een bijeen-komst van de Geheelonthoudersbond voor Jongeren. Het was een serieuze jongeman. We gingen samen naar de kerk en praatten veel over de dood en de Drie-eenheid.

Ik gebruikte hem als sociaal alibi. Een meisje in de eindexamen-klas moest iemand hebben die op vrijdagavond van zich liet horen en voorstellen deed voor het weekend.

Op een zachte lenteavond had hij de euvele moed te proberen me te kussen, maar ik duwde hem weg met de woorden: 'Wat doe je? Ben je niet goed bij je hoofd?'

Hij zag deze reactie als een bevestiging van mijn kuisheid en kort daarna deed hij een aanzoek.

Anders dan jij, Alberte, had ik een gegronde reden om een huwelijkskandidaat voor wie ik geen belangstelling had af te wijzen. Artur had verteld dat hij van plan was na zijn ambtswijding als zendeling onder de heidenen te gaan werken.

'Je snapt toch wel dat dat niet kan?' zei ik. 'Ik wil modetekenares worden. En je kunt niet tegelijkertijd de vrouw van een zendeling en modetekenares zijn.'

Dat begreep hij.

Alberte. Herinner je je die keer in Hotel Grand? Het jaarlijkse stadsbal. Iedereen is er. Ook je ouders. De drukte en hitte zijn verstikkend. Je danst met die arme, mislukte Weydemann en je hoopt dat iedereen begrijpt dat je het alleen maar doet uit medelijden. Het is echt geen pretje. Je goede daad van die avond.

Even later staat Cedolf voor je en buigt. Hij is donker en heeft blauwe ogen; zijn glimlach is schaamteloos vrijmoedig. Telkens als jij het over Cedolf hebt moet ik aan Lars-Ivar denken. Maar wanneer je beschrijft hoe jullie dansen, herken ik in jouw ervaring de Noor op Viola's eindexamenfeestje, dat heerlijke, onwerkelijke gevoel alle reserves te laten varen, je over te geven en één te worden met het ritme. Want dansen kan hij, die Cedolf.

En je drijft weg, wordt als het ware één met Cedolf en zijn handen die over je lichaam zwerven terwijl jullie dansen. Door het gedrang worden jullie steeds dichter tegen elkaar aan geperst en je lichaam siddert onder een lokroep, een zoete trilling in je bloed. Het golft door je heen en sterft weg op het moment dat hij je alleen laat. Dan sta je weer met beide benen op de grond.

Het is 1945, ik had net mijn eindexamen gehaald en ben op de foto gezet door het meest toonaangevende portretatelier van Uppsala. Het werd geleid door een vrouw. Een kleine dame met kort, rood haar en afgebeten, wijnrode nagels. Ze rookte terwijl ze het diafragma en de afstand instelde. Gelukkig dacht ze eraan de sigaret weg te leggen voordat ze onder de zwarte lap kroop. Er werd over haar gepraat. Dat ze graag een knoopje losmaakte zodat er een schouder, of twee, zichtbaar werden. En dat ze de voorkeur gaf aan het fotograferen van jonge meisjes met diepe decolletés. Maar bij mij viel er niets los te knopen. Een keurig jurkje met bescheiden V-hals.

Een serieuze foto en profil. En eentje schuin van voren waarop je duidelijk kunt zien dat ik mijn glimlach te lang heb moeten vasthouden.

Ik sta er verbluffend truttig op. Uitgerekend die foto liet mijn moeder inlijsten en ze zette hem boven op de boekenkast.

Mijn examenfeestje was een duffe en saaie bedoening. Veel goed-

bedoelende tantes, de collega's van mijn moeder. Buren uit hetzelfde portiek. De vrouw die een fournituurenzaak in het gebouw
had. Twee wereldvreemde, bijziende jongens, een paar jaar jonger
dan ik – zonen van een domineesweduwe, ook een kennis van mijn
moeder. Op het balkon een paar ballonnen. Er werd ferm gezongen
over 'de fijne studententijd, opdat de lente der jeugd ons ver-
blijdt…'

Maar later diezelfde week was ik uitgenodigd op een echt eindexamenfeest. Viola's ouders hadden een zaaltje gehuurd in een
restaurant in Gamla Uppsala. Hoewel ik niet tot Viola's vrienden-
club behoorde, was ik toch geïnviteerd.

Ik droeg een jurk van lichtblauwe organdie met donkerblauwe
stippen, boothals en pofmouwtjes, smalle taille en rimpelrok. Mijn
moeder trok mijn rok recht en strikte de ceintuur. Ik was sowieso
gespannen, maar ik was vooral bang dat ze met een zucht zou
herhalen wat ze ooit eerder tijdens een sessie voor de spiegel had
gezegd.

'O, er is niets mooier dan een rein jong meisje.'

Het kippenvel van onbehagen dat toen over mijn huid gleed.

Er werd aangebeld. Ik was gered. Het waren Margareta en haar
vader. Ik mocht met hen meerijden.

Margareta's haar onder haar studentenpet was pas gepermanent
en ze had donkerrode lippenstift op; ze zag er erg volwassen uit.

Het was een dansavondje. Ik wist al hoe het zou verlopen. De
meisjes links en rechts en tegenover me zouden ten dans gevraagd
worden en daar stond ik dan, eenzaam en alleen en niemand,
helemaal niemand wilde mij hebben.

Ik arriveerde dus transpirerend en paniekerig op het feestje. Er
was een lopend buffet met sandwiches, twee soorten taart, limonade
en zelfs wijn. Twee dames in zwart-wit hielpen met inschenken.
Dansmuziek galmde uit een grote radiogrammofoon. Het was het
nieuwste model, waar je tien platen tegelijk op kon leggen; een
beweegbare arm schoof de zojuist gedraaide plaat weg zodat de
volgende op de draaischijf kon vallen.

Margareta en haar vriendinnen stonden bij het apparaat te
giechelen terwijl ze platenhoezen draaiden en keerden om hun

favoriete nummers uit te kiezen. Er zat veel Amerikaans tussen, Duke Ellington en zwarte zangeressen, maar ook Ulla Billquist, Harry Brandelius en Sven-Olof Sandberg.

Toen het dansen serieus op gang kwam, moest ik naar de wc. De toiletruimte stond vol meisjes die hun neus poederden, hun lippen bijwerkten en hun haar kamden. Ze duwden het omhoog zodat het eruitzag als bij de kapper. Er waren twee wc's. De meisjes gingen twee aan twee naar binnen. Dat had ik nooit begrepen. Ik zou geen druppel te voorschijn weten te toveren als er iemand naast me stond te giechelen en smiespelen. Ik moest een flink poosje in de rij staan voordat het mijn beurt was.

Toen ik weer in het zaaltje kwam was het dansen in volle gang. Bij de grote, opengeslagen witte deuren stonden een paar rokende jongens te praten en te lachen. Ze stonden er zelfverzekerd bij, met hun ene hand in hun broekzak zodat het colbertje aan één kant uitstulpte. Ik hoorde dat een van de jongens Noors sprak.

In Uppsala zouden Noren nog lang een aura van moed en dapperheid om zich heen houden. De helden van het verzet. Naast hen leken de Zweedse jongens tam en een beetje kleurloos.

Ik zag de jongen die Noors sprak en profil. Hij maakte een avontuurlijke indruk. Hij had uitstaand haar en een krachtige kin.

En toen gebeurde het wonder. Uitgerekend híj draaide zich om en kreeg mij in de gaten; hij liet zijn vrienden staan en vroeg met een begerige blik in zijn ogen of ik wilde dansen. Ze draaiden net van Harry Brandelius 'Nee, geluk is niet wat je dacht/ wat je hoorde/ geen grote gevleugelde woorden…'

Nee, geluk is te mogen dansen.

We bevonden ons midden op de drukke dansvloer. Mijn eerste onzekerheid had hij rustig en zelfverzekerd overwonnen. Nu kon ik hem volgen zonder aan de danspassen te denken. Hij hield me stevig vast, maar niet té. Gewoon zo dat ik mee kon zwieren in zijn draaiingen en zijwaartse slingerbewegingen. Een nieuwe plaat viel op zijn plaats, 'In the Mood', die werd opgevolgd door iets van Louis Armstrong. Je kon horen hoe de naald met een licht gekraak inhaakte. En hij liet me niet los. Dat leek ook fysiek onmogelijk.

Wat ik voelde was onbeschrijflijk; het was exact zoals jij beschreef in je dans met Cedolf. Een zoetheid in je lichaam, een weekheid en dat gevoel van gelukzaligheid, vurigheid, eeuwigheid, en hoe langer we dansten, des te duidelijker werd het. Het was als een droom, maar toch zo ontzettend dichtbij en werkelijk.

Tussen de nummers hield hij me bij zich alsof we nog steeds dansten.

In een flits besefte ik dat ik nu een heel ander meisje was, nog niet eerder door iemand gezien; allerminst door mijzelf.

Harald, zo heette hij, wist niet dat zijn 'dame' eigenlijk een saai, verlegen studiehoofd was, zonder enige aantrekkingskracht op jongens. Iets wat niet onder woorden te brengen viel en eigenlijk niets met je uiterlijk te maken had maar met iets anders. Een geheimzinnige geur die een meisje uitstraalde die alleen door jongens opgevangen werd en hen onweerstaanbaar aantrok.

Harald had er geen idee van dat ik het eeuwige muurbloempje was. Het gevoel bekroop me, als een fluistering van binnenuit, dat Harald de eerste op de wereld was die de echte Signe had gezien. En het leek niet in zijn hoofd op te komen te buigen en me te bedanken voor deze dans en een ander meisje te vragen voor de volgende.

Soms veranderde hij de positie van zijn hand die stevig tegen mijn rug lag. Hij verplaatste hem iets naar boven of een stukje naar beneden en een zalige huivering sloeg door me heen, alsof ik buiten adem raakte terwijl ik helemaal niet moe was, o nee, integendeel. Af en toe zag ik, in een flits in de spiegel, dat mensen naar ons keken en dachten: wat is er met Signe aan de hand? Ze lijkt helemaal van de wereld.

Maar het kon me niets schelen.

Zijn krullen raken mijn haar, mijn bril zit in de weg en midden onder een dans glimlacht hij, pakt mijn bril en stopt hem in het borstzakje van zijn colbert. Nu kan hij zijn wang tegen de mijne leggen en me nog dichter tegen zich aan trekken; ik wist niet dat zoiets mogelijk was. Maar dat is het dus.

Diep vanbinnen moest ik lachen bij de gedachte dat het net was als in de film. Eerst zie je het liefdespaar dansen in een balzaal vol andere mensen en in de laatste scène zie je ze opeens samen op de grote, glanzende dansvloer.

Een nieuwe stapel van tien platen moest geïnstalleerd worden en dat gaf een wat langere pauze. Hij laat me los en ik begin onmiddellijk te rillen. Met zijn lippen tegen mijn voorhoofd fluistert hij: 'Zullen we ervandoor gaan en over de heuvels naar Uppsala lopen?'

Dat wandelgebied tussen oud en nieuw Uppsala was de meest geliefde 'lovers lane' van de streek. Op een juninacht was het er licht en dan met al die vogels en de dauw tegen je enkels, de geur van aarde en onsterfelijkheid...

Ik had het traject meer dan eens gelopen met Artur, zijn beste vriend Svante en diens vriendin Solbritt. Na een bezoek aan de kerk in Gamla Uppsala en koffie in Odinsborg. Het was telkens weer pijnlijk Svante en Solbritt innig gearmd te zien terwijl Artur en ik los liepen. Soms probeerde hij mijn hand te pakken, maar dan deed ik een stap opzij.

Dat beeld uit mijn echte werkelijkheid werkte ontnuchterend. Mijn rechterhand, die zo toegenegen in zijn nek had gelegen, trok zich terug. Hij pakte me bij de arm en nam me mee naar een open raam. Buiten waren de verlokkingen van de zomernacht.

'Wat is er?' vroeg hij bezorgd. 'Ben je niet lekker?'

Een groot verdriet borrelde in me omhoog. Mijn god, ik was bijna in tranen uitgebarsten.

'Het is niets', zei ik met stroeve, hese stem. Opeens was al mijn speeksel opgedroogd.

'Ik kan niet met je meegaan, ik bedoel, ik heb afgesproken met Margareta en haar vader...'

Een vlugge blik op mijn nieuwe polshorloge, een eindexamencadeau van oom Eskil.

'O, is het zó laat...'

Ik zweeg. Tranen drongen zich op, mijn neus begon te lopen en zonder een woord te zeggen griste ik mijn bril uit zijn borstzakje en rende weg, wrong me door de dansende massa, werd geduwd en op mijn tenen getrapt en inderdaad, bij de garderobe stond Margareta al te wachten. Er lag iets verbluffts in haar blik, een hoop vragen op het puntje van haar tong, maar ze moest ze binnen houden want op dat moment kwam haar vader de hal in. Geen van beiden zagen ze dat ik mijn studentenpet niet op had.

Dat was uiteraard het eerste wat mijn moeder zag.

'Maar Signe. Je STUDENTENPET?'

Meteen viel haar op hoe verhit en opgewonden ik was en daar was de hand op mijn voorhoofd; ik zat weer vast, terug in haar gevangenis. Een kopje warme melk met honing. Een halve slaaptablet. Signes slechte slapen en gevoelige maag waren altijd het middelpunt van haar moederlijke zorgen geweest.

Ik had mijn studentenpet vergeten. Dat overkomt je niet als je nuchter bent en bij je volle verstand en zojuist je diploma hebt behaald.

Met haar geoefende blik had mijn moeder meteen door dat dit niet haar dochter was die de hal binnenstapte. Verwarde haren, brandende wangen en glanzende ogen.

Nu was ik weer getemd en gedwee.

Dus kon ze zich wel iets opmonterends veroorloven: 'Heb je soms veel gedanst? Je zag er zo schattig uit in die jurk.'

Toen brak ik. Met de handen voor mijn gezicht vloog ik naar mijn kamer en deed de deur op slot.

Eindelijk gered, voor vannacht tenminste, en algauw droogden mijn tranen. Mijn lichaam herinnerde het zich weer, liet tintelingen en kippenvel over mijn huid gaan als getuigen van het ongelooflijke wat ik had meegemaakt. Ik wist niet dat dit alles veroorzaakt werd door seksuele opwinding. Ik begreep niet wat het was, maar ik voelde me zalig en was ongekend gelukkig.

Het laken wikkelde zich om me heen terwijl ik lag te woelen om een goede positie te vinden. Ik moet opstaan om mijn bed te fatsoeneren. Naar de badkamer sluipen en niet doortrekken. Anders komt zij eraan, vermoeid, met haar vlecht op de rug (het haar dat overdag vastgezet wordt in een knot). Het uitstapje bezorgt me hartkloppingen. Het bloed gonst in mijn slapen. Dit doet me denken aan de laatste keer dat hij me naar zich toe trok en ik mijn hart in mijn vingertoppen had voelen kloppen.

En dan, zonder overgang, mijn vertwijfeling over het feit dat ik niet samen met hem heb durven wegglippen.

Tranen in het kussen. Geen enkel ander meisje had zo'n kans voorbij laten gaan.

Ik hoor hoe de buren de ochtendwijding aanzetten voordat ik eindelijk in slaap val.

Dat het daar überhaupt van komt, is omdat ik bedacht heb dat Viola de studentenpet wel gevonden zal hebben en dat Harald bij hen te gast is. De volgende ochtend zou ik op mijn fiets naar hun huis sjezen om hem op te halen. Misschien deed Harald wel open als ik aanbelde?

Maar het was Viola's moeder. Vrolijk riep ze uit: 'Daar hebben we het meisje dat haar studentenpet vergeten is!'

Ze ging hem halen en gaf hem aan me met een veelbetekenend lachje.

'Was je maar een halfuurtje eerder gekomen! Nu zit Harald al in de sneltrein naar Oslo. Mijn man en Viola hebben hem weggebracht. Hij vroeg nog naar je, vanmorgen. Hij vond het jammer dat hij geen afscheid van je kon nemen.'

Hij had toch kunnen bellen, dacht ik vertwijfeld.

Volgende gedachte: als Viola en hij…? Maar in dat geval zou hij nooit zo lang met mij hebben gedanst en gevraagd of we niet samen…

Tranen brandden achter mijn oogleden. Ik maakte een kniebuiging als dank voor de studentenpet en haastte me naar mijn fiets.

Viola woonde in de chique villawijk Kåbo. Daar loerden ogen achter ieder raam.

Pas bij het Engelse park kon ik mijn fiets tegen een boom smijten en mezelf in het gras laten vallen om de tranen der ontroostbaren te huilen.

Ik wist niet eens hoe hij van zijn achternaam heette. Of waar hij woonde. Ik zou het nooit aan Viola durven vragen.

Ik besefte dat ik hem nooit meer zou zien.

Jij zag in ieder geval Cedolf terug.

Het is tijdens een van je rusteloze omzwervingen. Dit keer beland je bij de overdekte kade die aan één zijde open is. Je voetstappen klinken hol. Je bent alleen. Aan het einde brandt de zon. Je gaat op een bankje zitten. Dan duikt Cedolf dus op. Je verdenkt hem ervan dat hij zich in het halfduister heeft opgehouden om… Je staat op en rent weg. Al weet je hoe dom dat is. Hij kan je makkelijk inhalen.

Nu je in de gaten hebt dat er geen ontkomen aan is, blijf je staan en wacht. Je weet niet op wat. Maar je lichaam is gespannen alert. Hij is gekwetst. Maar dan blijkt hij iets belangrijks voor je te hebben. Een brief van Jakob. Je schaamt je over je gedrag. En nu je je angst laat varen komt dat andere naar boven. Je wordt je bewust van de dwingende macht die Cedolf uitstraalt. En de donkere klank in zijn stem wanneer hij juffrouw Selmer (zoals hij je de hele tijd beleefd noemt) vertelt dat hij, Cedolf, binnenkort zal aanmonsteren op de eerste boot naar Hamburg.

Je neemt het voor kennisgeving aan. Nu valt er niets meer te zeggen tussen jou en Cedolf – je loopt weg, maar plotseling blijf je staan. Je voelt je krachteloos en moe. Cedolf komt vlug dichterbij en je weet dat het een soort lotsbeschikking is en dat je hem niet zult tegenhouden. Zijn gezicht, zijn mond die de jouwe nadert. En je zakt hulpeloos tegen de muur en laat hem je kussen. Maar als hij probeert zijn arm tussen je middel en de muur te leggen, ruk je je los en rent weg…

Thuis in je kamer zie je in de spiegel een vlammend rood en ademloos meisje.

Vlug verberg je je gezicht in je handen. Je hoed is op de grond gevallen.

Mijn eerste kus was niet zoals ik me had voorgesteld.

De wereld verging niet. Er spoelde geen golf van gelukzaligheid door me heen. In plaats daarvan constateerde ik nuchter hoe enorm groot en vochtig zijn lippen waren en dat zelfs mijn neus nat werd. Daarover werd met geen woord gerept in de meisjesboeken of feuilletons in *Allers*.

Toch was het Lars-Ivar die me mijn eerste kus gaf. Dat was in Djurgården in Stockholm, onder het standbeeld van Jenny Lind. De heuvel waar het stond was bedekt met felblauwe wilde hyacinten.

Zoetjesaan zou Lars-Ivar me de kunst van het zoenen bijbrengen.

Maar het was in een heel andere situatie dat ik die lokroep in mijn lichaam en die wonderlijke weekheid die ik had gevoeld toen ik met Harald danste, weer mocht ervaren.

Het gebeurde op de dag dat het schoolseizoen werd afgesloten. Ik had een slechte beoordeling van Ava Rosenholm gekregen, maar een betere van de hoofddocent illustratie, Andreas Beckbom. Ik had een aantal opdrachten voor hem gedaan. Hij was blijkbaar grootmoedig genoeg die spuuglelijke schildersjas door de vingers te zien. Waarschijnlijk was hij verrast dat een meisje met zo'n slechte smaak wat kleding betreft en met de merkwaardige gewoonte te pas en te onpas psalmen te neuriën, in staat was zulke gevoelige en tegelijk gedurfde tekeningen te maken.

Lars-Ivar had natuurlijk een prachtig rapport. Hij had eerder les gehad bij Otte Sköld en Isaac Grünewald.

We zaten in de trein naar Uppsala. Onze tekenmappen lagen boven in het bagagerek. We hadden raamplaatsen tegenover elkaar. De trein kwam met een ruk in beweging. Ergens bij Häggvik begon het.

Onbeweeglijk, elkaar indringend aankijkend, voelde ik een soort trance over me komen. Het was dat gevoel weg te doezelen in een zoete verrukking, het gevoel te verdwijnen en tegelijk intens aanwezig te zijn.

Ik wilde vragen of hij dat ook voelde, maar mijn tong was als een slapend dier. Ik had ook een heel eigenaardige smaak in mijn mond.

Ook hij zat roerloos en zwijgend.

We konden geen van beiden een vin verroeren.

Verzonken in een betoverende droom.

Toen de trein met knarsende remmen Uppsala Centraal naderde, schrokken we allebei wakker als uit een verdoving.

Een soort verlegenheid maakte dat we elkaar niet durfden aankijken toen we onze spullen bij elkaar raapten. Hij streek zijn haar glad, keek door het raampje naar buiten en merkte op dat het waarschijnlijk zou gaan regenen.

Ik was duizelig en verloor de greep op mijn map, maar hij ving hem op en hield hem vast terwijl we het perron op stapten.

Ik stond weer met beide benen in de werkelijkheid en mijn lichaam wachtte op zijn omhelzing.

Maar in plaats daarvan deed hij een paar passen bij me vandaan.

'Daar', riep hij uit. 'Kijk eens! Daar heb je je moeder. Laat ik maar gauw gaan.'

En met een vlug 'dag hoor' beende hij weg over een spoor dat verboden was te betreden.

Hetgeen mijn moeder uiteraard opmerkte, hoofdschuddend en met samengeknepen lippen.

4

Er kwamen verder geen brieven meer van Lars-Ivar. Mijn moeder verraste me soms met een telegram. 'Gelezen over onlusten in Parijs. Bel meteen naar huis.'

Op de Rue Servandoni, waar de bewoners stoelen en tafeltjes op straat hadden gezet om van de permanente schaduw in de steeg te kunnen genieten, had niemand gehoord over onlusten. Was het misschien bij de Place de la République? Of de Place de la Bastille? In dat geval zouden we er hier in Saint Sulpice niets van merken.

Ik belde naar huis om dat te vertellen.

Achteraf besefte ik hoe weinig gewiekst ik was. Ik had moeten bellen en haar een verhaal op de mouw spelden over schoten bij l'Odéon. Grote bussen met politie, afzettingen, traangas... Ze zou het allemaal geloofd hebben. Ze was voortdurend voorbereid op catastrofes.

Ze zou me bevolen hebben onmiddellijk naar huis te komen.

Maar een meisje dat de waarheidsdrang met de paplepel had binnengekregen, kwam zelfs niet op het idee om tegen haar moeder te liegen.

Het was in het begin van de derde maand van mijn verbanning. Mijn vurige gebeden aan God of hij er niet voor kon zorgen dat Lars-Ivar meer brieven schreef, werden steeds matter.

Iets wat God noch ik, noch iemand anders wist, was dat Lars-Ivar woordblind was. Tegenwoordig is dat begrip beter bekend onder de term dyslexie.

Mensen met die handicap hebben moeite met spellen en vermijden uiteraard om brieven te schrijven.

En Veigård? Zijn reden om jouw brieven niet te beantwoorden was nog veel onbarmhartiger. Te laat, veel te laat, hoorde je toevallig een gesprek in een café tussen twee Deense dames. Het was altijd pijnlijk om zijn taal te horen. En nu hoorde je zelfs zijn naam vallen. Een auto-ongeluk, een paar jaar geleden. De man, die Veigård heette, was op weg van Parijs naar huis in Keulen aangereden en gedood door een vrachtauto. Een van de dames kende blijkbaar zijn echtgenote. Ze leefden weliswaar gescheiden, maar toch. Wat een schok voor haar.

We waren allebei niet op de hoogte, Alberte. In mijn geval was het eigenlijk een bagatel. Ook al heb ik dat toen niet zo ervaren.

Maar in jou werd voor altijd iets gedoofd.

Ik ging door met brieven schrijven. Maar ze werden korter.

Ik herinnerde me hoe makkelijk hij het nieuws dat ik drie maanden bij hem weg zou gaan had opgenomen. Hij had opbeurend geklonken: wat een kans voor mij om dingen te zien en me te ontwikkelen…

Lars-Ivar had wat men noemde een pokerface. Hij kon zijn gezicht afsluiten, zodat niemand kon zien wat hij eigenlijk dacht of voelde. Dat, Alberte, is een vermogen waar je met recht jaloers op kunt zijn.

Op een gegeven moment, in een veel latere fase van mijn leven, woonde ik een tijdje op een West-Indisch eiland. In een hoekje van mijn aanrecht hadden zich een paar roze kikkertjes geïnstalleerd. Het waren rustige, schuwe wezentjes. Hun huid was zo dun dat hij doorschijnend was; je zag de ingewanden, het hart, de longen…

Ik herinner me dat ik dacht dat ik in mijn jeugd ook zo geweest was.

Ik probeerde de hospita van Lars-Ivar in Solna te bellen. Ik was een keer op zijn kamer geweest om naar zijn schilderijen te kijken; we hadden de deur naar de gang wagenwijd openstaan. De vrouw van wie hij huurde was een jaar of vijftig, had geverfd haar en maakte een dubieuze indruk. De stem die de telefoon opnam was hees van het roken en klonk spottend toen ze zei dat meneer Palm er niet was.

Nee, ze wist niet wanneer hij thuis zou komen.

'Is het belangrijk?'

Alle kracht vloeide als het ware uit me weg.

Nou nee. Maar ik belde uit Parijs.

Klik. Lusteloosheid. Tranen die zich opdrongen. Ik stond in het hokje achter de keuken waar de bewoners konden bellen; een apparaatje telde de seconden.

Ik herinner me thuis. Hoe mijn moeder verstijfde als ik een nummer draaide, ophing en meteen een ander draaide waar wel werd opgenomen, maar ik durfde niets te zeggen als zij daar stond. Hing weer op.

'Wie belde je?' vroeg ze dan natuurlijk. De argwaan in haar stem. 'Niemand', snauwde ik.

En die keer dat ik razend werd van haar verwijtende blik en mijn regenjas aantrok en de trappen af vloog, met haar stem in mijn rug. Buiten viel de regen met bakken uit de hemel. Van mijn fiets was een band lek, dus moest ik te voet. Waarheen? Weg. Alleen maar weg van haar. Ik rende de Kyrkogårdsgata uit, langs de graven en het Lyceum, kriskras door de straten voorbij de universiteitsbibliotheek Carolina Rediviva, de heuvel op naar het slot; de regen spatte tegen mijn brillenglazen aan de buitenkant en van binnenuit besloegen ze door mijn eigen lichaamswarmte. Mijn neus liep, tranen lieten zich niet weg knipperen. Soms moest ik stoppen om met een zakdoek mijn bril droog te vegen, maar het was onbegonnen werk en ik holde halfblind verder, alsof iemand me op de hielen zat. Vaag zag ik dat er een of ander werk in uitvoering was bij het slot, maar ik zag de blootgelegde buizen niet, struikelde en viel pardoes voorover. Mijn linker scheenbeen knalde tegen iets hards en duns. De pijn was hels. Ik krabbelde overeind, nu totaal verblind door al het vocht op mijn bril. Ging zitten en probeerde een punt van mijn bloes te pakken om hem schoon te vegen.

Ik had schaafwonden op mijn handen. Mijn scheenbeen bloedde door mijn kous heen.

Later, toen de wond geheeld was, zou er een inkeping in het bot zichtbaar blijven. Die zit er nog steeds. Iedere keer als ik mij na een bad insmeer met bodylotion voel ik dat putje.

Zo'n gedenkteken zegt veel meer dan een foto. Je kunt het nooit kwijtraken, terugvinden bij de grote schoonmaak, in stukken scheuren en weggooien.

Als ik na mijn dood word opgegraven zal men zich afvragen waardoor die buts is veroorzaakt.

We zijn dus in augustus aangeland. De hitte is zo drukkend dat je niet anders kunt dan heel langzaam bewegen. Zelfs de koelte van de kerken heeft iets bedompts.

Bijna al je vrienden, Alberte, hebben genoeg geld om Parijs achter zich te kunnen laten en de trein naar zee te nemen. Eliel heeft Liesel meegenomen naar Bretagne en jou gevraagd op zijn atelier te passen. Met name op de grote bonken beeldhouwklei die voortdurend bevochtigd moeten worden met natte lappen om niet in stukken te barsten. Buiten het atelier is een benauwd binnenplaatsje met bloeiende planten die Liesel gepoot heeft en een zwarte kat.

De ateliers liggen achter een huurkazerne en de resten van een oude tuin. 's Avonds geuren de palmboompjes. Het is bijna of je buiten bent…

Je bent hier alleen. Iedere dag maak je mee hoe de hete dag overgaat in de avond. De zon verlaat het binnenplaatsje. De klimop lijkt blauw en je beseft dat je ook deze dag weer niets hebt uitgericht. Hoewel je weet dat je nu echt een leuk stukje moet schrijven om naar een Noorse krant te sturen. Vijftig kronen verdienen; die heb je nodig, dat spreekt voor zich.

Maar vanbinnen voel je je leeg en onwillig. Je hebt toch zo het een en ander te doen: de kat eten geven, aaien, een sigaret roken, Jakobs ingelijste foto oppakken en hem missen. Zijn magere gezicht staat dapper. Het is een doorzetter. Al negen jaar leeft hij aan de andere kant van de aardbol.

Toch is Jakob niet iemand zonder wortels. Hij steekt zijn handen uit de mouwen. Terwijl jij van de hand in de tand leeft. Je bedenkt dat niemand het zou merken wanneer je zou verdwijnen. Men zou het misschien als een voordeel zien.

Je familie in Christiania in ieder geval.

Die zin om te verdwijnen en onvindbaar te zijn heb ik ook gehad, maar toen was ik zestig en kon er met meer recht gezegd worden dat dat voor iedereen het beste zou zijn.

Voor volwassen kinderen is het uiteraard een opluchting als moeder uit zichzelf verdwijnt, voordat ze echt tot last wordt.

Maar dat is natuurlijk niet wat je in gedachten had. Het is eerder hetzelfde gevoel als wanneer je model staat. Dat je eigenlijk iets anders zou moeten doen.

Het is in deze periode, als bijna al je vrienden Parijs verlaten hebben, dat je meer met Veigård begint om te gaan.

Dus als je landgenoot Sivert Ness, die ook is achtergebleven in Parijs, onverwachts opduikt, heb je alle reden hem op afstand te houden. Af en toe komt hij langs, gaat zwijgend op een stoel zitten en houdt je vast met zijn ogen.

Hij wil iets. Maar wat? Of hij nu iets vertaald wil hebben in het Frans of hulp zoekt bij het kopen van een overhemd of nog erger, je wilt hem niet over de vloer.

Het is je noodlot dat mannen je beschouwen als bescheiden en niet te kieskeurig. Iemand bij wie ze wel een gokje kunnen wagen. Maar dan vergissen ze zich. Jij bent niet zomaar beschikbaar voor degenen die geen gewaagder dromen durven najagen.

Het is achtendertig graden in de schaduw.

Toen en nu is het asfalt als een oven. De lucht onder de zon brandt als vuur. De bomen langs de avenues gaan bijna dood, krullen hun blaadjes en laten ze met een droog geritsel op de grond vallen.

In de Seine drijven dode vissen aan de oppervlakte. Het dikke, rottende water stinkt.

In het Pension du Luxembourg zijn weinig gasten meer. Gilbert is overgebleven. Zijn vloer is mijn plafond. Gilbert heeft iets over zich wat verontrust en tegelijkertijd aantrekt. Vlak voor de vakantie hield hij een feestje op zijn kamer. Ik was zowaar uitgenodigd.

Het is een kleine zolderkamer, krap en blauw van de rook. Het tijdstip laat. Vanwege de hitte is het tien uur 's avonds als we ons eindelijk samenpersen op de schaarse zitplaatsen. Midden in de kamer regeert de gastheer, nonchalant achterovergeleund in de beste fauteuil. Het lijkt alsof hij in een toneelstuk zit. De manier waarop hij met zijn ene elleboog op de leuning steunt, zijn hand nadenkend onder de kin. Aan zijn voeten heeft zich een mooie jongen neergevlijd. De overeenkomst met een Grieks standbeeld is zo groot dat het bijna lachwekkend is. Op de achtergrond roken en

drinken de figuranten. Dan betreedt Lucille plotseling het toneel.
Ze had eerst aangeklopt, maar toen er niemand opendeed, stapte ze
toch maar binnen. Met ongekamde haren en pafferig gezicht.
Roodomrande ogen. Ze is gekleed in een dunne ochtendjas met
grote papegaaien erop. Ze houdt hem met haar ene hand dicht, met
de andere strijkt ze haar verwarde haren opzij. Ze zegt niets. Niemand zegt iets. Haar ogen fixeren een persoon in de kamer, waarschijnlijk Gilbert, maar het kan net zo goed Ole zijn die achter hem
staat met een fles wijn in de hand.

Nog steeds zwijgt iedereen. Het is eng en akelig. In de kriebelige
stilte is iets aan de gang wat ik niet begrijp. Niemand verroert zich.
Het is als in het oude spelletje 'Standbeeld'. Alle mensen in de
kamer bewegen doelloos door elkaar. Dan roept de spelleider 'sta'
en iedereen moet in de houding blijven staan waarin hij zich op dat
moment bevindt.

Ik zit tussen drie andere mensen ingeklemd op Gilberts bed. Ik
voel opeens hoe krap en ongemakkelijk het is. En benauwd.

Ik zie alleen Gilberts rug. Hij is opgestaan.

En dan, zonder dat er een woord gesproken is, loopt Lucille
achterwaarts de deur uit en slaat hem met een knal dicht.

Tegelijkertijd barst Gilbert in hoongelach uit, en nu draait hij
zich om zodat we hem allemaal kunnen zien.

'Did you see', proestte hij. 'She was all naked under, everybody
could see it.' Gilbert is Engelsman. Maar om niemand te laten
missen hoe leuk hij is, herhaalt hij het in het Frans.

Gegiechel, aanzwellend tot luid gelach, trekt door de kamer.

Een onverklaarbaar gevoel van loyaliteit aan die arme Lucille, die
zelden tegen mij sprak, maakte dat ik meteen wegging. Maar er
waren ook andere redenen. De vochtige hitte, de sigarettenrook die
brandde in mijn ogen.

Een paar dagen later zou Lucille met het ontbijt naast me komen
zitten en me op zachte, samenzweerderige toon informeren dat
Gilbert homoseksueel (un pédéraste) was. Met een heftige beweging zette ik mijn kopje neer en stamelde: 'Dat is hij niet. Absoluut
niet.'

Lucille stak een Gauloise op, nam een paar diepe trekken, tuurde door de rookwolk en zei zuur: 'En wat denk je dan dat hij met die mooie Jean-Claude doet?'

Ik bloosde, nam een aanloop.

'Jean-Claude is Gilberts kameraad, een vriend.'

'Un ami, c'est ça', riep Lucille uit. 'Maar wel een heel speciaal soort vriend.'

Ik voelde hoe het begon te borrelen in mijn hoofd.

'Dat zeg je alleen maar omdat je niet...' Ik durfde mijn zin niet af te maken.

Lucille maakte haar sigaret uit, stond op en zei: 'Beste Cecile, je bent echt heel jong. Je moet nog een hoop leren. Als ik je nu zeg dat Gilbert af en toe van twee walletjes eet, wat vind je daarvan?'

Niets. Ik was niet van plan daar überhaupt iets van te vinden. Ik vond Lucille weerzinwekkend en opdringerig.

Een week later hadden zij en veel andere gasten het pension verlaten. Ik was alleen over op de derde verdieping. Gilbert de enige op de verdieping boven mij.

Ik had resoluut verdrongen wat Lucille gezegd had.

Er zijn dingen die je absoluut niet wilt weten.

Maar ik had niet meer informatie nodig om te beseffen dat Gilbert een gevaarlijke jongen was.

Maar ongeacht zijn seksuele voorkeur of voorkeuren: hij had geen enkele invloed op mijn grote en eeuwige liefde voor Lars-Ivar Palm.

De augustushitte die drukte op Gilberts zolderdak zorgde ervoor dat we samen ontbeten in mijn kamer. Dat het vakantiemaand was betekende ook dat het pension de dienstverlening had teruggeschroefd.

We zitten met een katoenen kleed uitgespreid op de grond.

We zitten daar alsof het Le déjeuner sur l'herbe is, maar we zijn allebei aangekleed en Gilbert behandelt me strikt kameraadschappelijk. Hij heeft zijn spiritusbrander mee naar beneden genomen zodat we eieren kunnen koken en water voor de thee. De bakkerij aan de overkant is niet met vakantie. Verse baguette, Kavlis-smeerkaas uit de zending van mijn moeder, een potje bittere Franse sinaasappelmarmelade. We zitten vlak bij de open ramen, de gordijnen wapperen ondanks alles een soort frisse lucht naar binnen.

Het geeft een beetje een continentaal gevoel daar met Gilbert te zitten en Engels te praten. Hij heeft Lucilles bewering bevestigd. Ja, hij is homoseksueel. Jean-Claude is zijn minnaar. Hij zegt het zo kalm en zelfverzekerd dat het niet echt onaangenaam overkomt. Maar midden onder een hap kijkt hij me met tot spleetjes toegeknepen ogen aan en zegt: 'Als ik zou willen zou ik je makkelijk verliefd kunnen laten worden op mij.'

Mijn reactie is precies wat hij beoogt. Dat ik bloos, verontwaardigd met mijn haar zwaai en zeg: 'Nee hoor. No way. Ik hou van Lars-Ivar. Hij is de liefde van mijn leven.'

'Hebben jullie het gedaan?' gooit hij eruit.

En ik begrijp zowaar wat hij bedoelt: mijn kennis van zaken gaat erop vooruit.

'Nee', antwoord ik gehoorzaam. 'Nee, natuurlijk niet. Maar we hebben vaak gezoend.'

'Oh, indeed.' Gilbert proest in zijn theekop, zodat de thee alle kanten op spettert.

We eten verder. Schenken meer thee in. Hij steekt een sigaret op.

'En je rookt nog steeds niet?'

Ik schud van nee.

'Ach, neem toch een sigaretje.'

'Nee, ik wil niet.'

Hij lacht, schudt zijn hoofd zoals mensen doen wanneer ze iets niet begrijpen.

'Weet je', zegt hij dan. 'Heb je er wel aan gedacht dat je later allerlei vieze dingen met je echtgenoot moet doen?'

Ik doe alsof ik die opmerking niet gehoord heb.

Een andere ochtend vertelt hij zomaar dat hij een keer in Stockholm is geweest, kort voor de oorlog. Hij is immers verslaggever en had een opdracht voor zijn krant.

'Ik logeerde in het Grand Hotel, echt ontzettend gunstig gelegen. Met al die knappe jongens die langsliepen op weg van en naar Skeppsholmen. It was just to pick them up.'

Toen had ik opeens genoeg van hem. Hij verzon van alles en nog wat om mij te shockeren.

Het eerste wat hij ooit tegen me zei was: 'You are very innocent, aren't you?'

Probably. Vergeleken met Gilbert was dat niet zo moeilijk.

Tussen neus en lippen door probeerde ik me voor te stellen wat mijn moeder ervan zou vinden dat ik met zo'n verdorven jongeman ontbeet.

Maar hij was niet uit op mijn lichaam.

Hij wilde mijn ziel verleiden en bezoedelen.

Maar ik was tegen hem opgewassen. Je zou kunnen zeggen dat onze wedloop onbeslist bleef. Ook hij werd op een bepaalde manier beïnvloed.

Natuurlijk raakte hij mij; hij bezorgde me rillingen van afgrijzen en iets anders waar ik geen woorden voor heb. Misschien de lokroep van het verderf waar hij bewust op inspeelde?

'Als ik zou willen zou ik je makkelijk verliefd kunnen laten worden op mij.'

Een verleider was hij, maar voor Lars-Ivar was hij geen partij.

5

Op een dag verman ik mezelf. Haal de doos met tekeningen te voorschijn die ik uit Zweden heb meegenomen, spreid ze uit op de grond en maak een selectie. Ik koop een grote, groengemarmerde map met zwarte bandjes, en in mijn zondagse katoenen jurk — gewassen en gestreken in de blanchisserie in de steeg schuin tegenover — met de map onder de arm ga ik Parijs in, op zoek naar tekenopdrachten. De namen en adressen heb ik uit de lijvige Franse modebladen die ik voor veel geld had gekocht. Ik had besloten te beginnen bij *L'Art et la Mode*, 15 Avenue Matignon. De hoofdredacteur was een zekere monsieur Edouard Dupuy.

Doornat van het zweet en met verschrikkelijk droge mond, vroeg ik het hooghartige meisje bij de receptie of ik monsieur Dupuy kon spreken. Ze keek geschokt van verbazing, en voegde me vol afkeer toe: 'Heeft mademoiselle een afspraak met monsieur Dupuy?'

Ik schudde mijn hoofd.

'Heeft mademoiselle een aanbevelingsbrief? Op wiens naam, mademoiselle?'

De hoon in haar stem ging vergezeld van een ironisch lachje. Ik wist geen woord uit te brengen en voelde het zweet van mijn oksels naar mijn middel sijpelen en de bandjes van de map bevochtigen.

Op dat moment werd er op de achtergrond een dubbele deur opengeslagen en een oudere, wat dikbuikige heer met grijzend haar kreeg mij in de gaten. Zijn gezicht vertoonde direct een uitdrukking van welwillende interesse en hij richtte zich tot zijn secretaresse met de vraag wat die charmante jongedame voor boodschap had.

Ik zag de arrogante vrouw nerveus en onderdanig worden, terwijl ze verontschuldigend verklaarde dat de totaal onbekende mademoiselle dacht dat je zomaar onaangekondigd...

Haar chef snoerde haar met een ongeduldig gebaar de mond, maar naar mij toe was hij één en al vriendelijkheid en met fluwelen stem nodigde hij me uit binnen te komen om te laten zien wat ik in mijn grote map verborgen hield. Misschien wel iets net zo ravissant als de kunstenares zelf...?

(Wat zou Gilbert gegrijnsd hebben over mijn amechtige verrukking.)

En stralend, overlopend van warmte en geluk knoopte ik de bandjes los, pakte de stapel tekeningen en legde deze op zijn bureau. Bewonderende kreetjes slakend bekeek hij blad voor blad. Van sommige maakte hij een hoop werk: hield de tekening met uitgestrekte arm van zich af om het geheel beter te kunnen beoordelen. Hij was geïmponeerd, er was geen ander woord voor; die jonge, levendige lijn, die frisheid, iets heel nieuws, u bent een echt talent, mademoiselle...

Hij overdreef echt. Onvermijdelijk gleden mijn gedachten terug naar de Beckmanschool en Ava Rosenholm die steeds razender dikke rechte lijnen door mijn streken zette terwijl ze alsmaar herhaalde: 'Veel strakker, juffrouw Tornvall, u moet veel meer aan uw lijnen werken, niet zo gehaast, juffrouw Tornvall, een beetje discipline, juffrouw Tornvall, niet zomaar wat in het wilde weg.'

En ik wist dat het niet alleen sloeg op mijn lijnen op papier maar op mijn hele persoon, een Beckman-leerling die een schande was voor de school.

Weet je nog, Alberte, die keer dat je op je moeders naaitafel een brief zag liggen van je oom, de kolonel, en dat je die stiekem las? De inhoud kon nauwelijks een schok voor je zijn. Maar toch. Om het zwart op wit te zien staan aan je arme moeder.

De brief gaat over de zorgen die ze zich allemaal maken over Alberte, die niet alleen tegenstribbelt als het gaat om de roeping van de vrouw, zijnde die van echtgenote en moeder, maar die bovendien weigert een beetje charmant en innemend te doen. Uit de brief blijkt dat er plannen waren je naar Christiania te sturen, naar je oom en tante, zodat zij je daar in bepaalde kringen konden introduceren. De conclusies van je oom, de kolonel, moeten je moeder migraine en een natte zakdoek hebben bezorgd.

Ze krijgt te horen dat het een slecht idee is je voor te stellen op bepaalde gelegenheden, aangezien je 'de minder aangename rol van muurbloempje zou moeten spelen'.

Ze krijgt te horen dat het je ontbreekt aan l'apparition, zowel qua uiterlijk als qua optreden, die nodig is om deuren te openen en gegadigden te doen toestromen.

Op de Beckmanschool was l'apparition minstens zo belangrijk als in de salons van Christiania. Op de afdeling mode gingen de deuren open voor slanke, zelfverzekerde meisjes uit een sociale klasse waar de moeders zelf ook slank en zelfverzekerd waren en die hun kleren lieten naaien bij Leja, de Märthaschool of NK. Ze introduceerden een enigszins nasaal geluid en een hautaine manier van vlug en nonchalant spreken. Je zag hoe kindermeisjes, dienstmeisjes en werksters de oren moesten spitsen wanneer hun bazin het woord nam. Hun dochters op de Beckmanschool hoefden niet altijd zo goed te kunnen tekenen. Het ging er vooral om hoe ze klonken, eruitzagen en zich gedroegen.

Zulke meisjes waren de lievelingetjes van Ava Rosenholm. Ze waren wandelende reclame voor de school en konden als mannequin ingezet worden bij niet al te pretentieuze modeshows.

Sommigen werden ook gevraagd als fotomodel.

Via een docente had mijn moeder een onderkomen voor me gevonden in Vasastan. In de ruime woning aan Dalagatan huisden de gepensioneerde dominee Hupert Ödéen en zijn vrouw Fredrika. Als hulp in de huishouding hadden ze twee zogenaamde 'gevallen meisjes', op proefverlof uit een meisjestehuis.

De docente stond borg voor het meisje uit Uppsala, dat verontrustend genoeg modetekenen ging studeren, maar in feite een degelijk en serieus kind was. Daar getuigde de A voor religie van. De domineesvrouw hoefde niet bang te zijn voor jongens over de vloer.

Mijn kamer was gemeubileerd met fragiele witte meisjesmeubels. Een aardige secretaire met klep, waarvan het oppervlak net genoeg ruimte bood om een brief te schrijven of je dagboek bij te werken maar dat volkomen ongeschikt was om een tekenplank op te laten rusten.

Op de grond lagen witte en lichtblauwe lopers. Ik was ervoor gewaarschuwd in de kamer niet met verf te knoeien en te spetteren.

Wonder boven wonder was de school tot tien uur 's avonds open.

Die service was vooral bedoeld voor eindexamenleerlingen die aan hun examenopdrachten moesten werken. In de lokalen rook het sterk naar olieverf, krijt en houtskool, fixeermiddel en sigarettenrook.

Tussen dat alles zat ik in mijn schildersjas met mijn schetsblok en tekenplank rustend op een hoge kruk en voor mij, over een schildersezel gedrapeerd, een lap fluweel. We hadden de opdracht met penseel, water en Oost-Indische inkt het materiaal van verschillende stoffen weer te geven. Wol is droog en plat, chiffon is doorschijnend en moet daarom in dunne laagjes over elkaar geschilderd worden (die tussendoor moeten drogen) om het juiste effect te krijgen. Chiffon is een dun, soepel vallend weefsel. Tule is ook dun, maar stijf en de vouwen zijn hard en scherp.

Fluweel vereist een dikke penseel en veel water en een dunnere om rechtstreeks in de inktpot te dopen en het geconcentreerde zwart te laten uitvloeien in het natte. Maar kijk uit, in de vouw van de stof moet een lichte kant uitgespaard worden; zo breng je de glans en volheid van het fluweel naar voren. Bont, zoals bisam, schilder je op dezelfde manier.

Terwijl ik als in trance verzonken was in zo'n opdracht was ik volkomen gelukkig. Vrij en sterk.

De avond van dat fluweel kwam een van de oudere jongens achter me staan, hij had zeker schoon water gehaald en was blijkbaar nieuwsgierig naar waar dat aparte meisje mee bezig was. Ik ging zo op in mijn werk dat ik hem pas opmerkte toen hij zei: 'Goh, jij wordt hartstikke goed.'

In de twee jaar op die school was hij de enige die iets in die richting zei. En hij was niet zomaar iemand. Hij was een van de spannendste en aantrekkelijkste jongens. Bovendien zeer begaafd, werd er gezegd. Hij heette Gösta, droeg een vierkante bril, speelde saxofoon in zijn vrije tijd en zou later een zeer succesvol modefotograaf in de vs worden.

Hij vertrok zonder te vermoeden wat zijn haastige oordeel voor mij zou betekenen. Dat hij, uitgerekend híj, had gezegd dat het deugde wat ik deed, en dat niet alleen. Maar dat ik hartstikke goed zou worden. Dat haalde me erdoorheen.

Ik hoefde niet langer gebukt te gaan onder het misnoegen van mijn geïrriteerde docenten.

Gösta had gezegd dat ik goed zou worden.

Bij het prestigieuze blad *L'Art et la Mode* was het duidelijk dat monsieur Dupuy net zo'n hoge dunk van me had als Gösta, maar in een andere tempus. Ik zóú niet hartstikke goed worden, ik wás het: 'U bent een groot talent, mademoiselle.'

Het kwam nooit bij me op dat er in zijn enthousiasme over mijn portretten een verborgen interesse voor mijn jeugdige persoontje kon schuilgaan.

Gösta had geen bijbedoelingen gehad. Hij prees mijn fluweel-schildering. De meisjes met wie hij op zijn zwierige, lichtelijk brutale manier flirtte, waren van een ander ras. Soms zuchtte er eentje verontwaardigd tevreden: 'God, hij is niet goed wijs. Zoals hij doet!'

Monsieur Dupuy besloot de bijeenkomst door een tiental mode-tekeningen te bestellen voor het volgende nummer. De modehui-zen die getoond zouden worden waren Balmain en Balenciaga. Via de intercom gaf hij zijn secretaresse opdracht een aanbevelingsbrief te schrijven voor de persdames (les dames qui s'occupent de la presse) van beide firma's.

Het was alsof ik me midden in een Hollywoodfilm bevond, waar het onbeduidende meisje van het platteland, de vierde van links van de ballerina's, onverhoopt wordt ontdekt en door de schouwburg-directeur zelf in de schijnwerpers wordt gezet.

Vlak voordat ons gesprek beëindigd werd, gaf hij mij het tele-foonnummer van een zekere madame Rose Knöbelholz, een Zweedstalige Finse modeverslaggeefster, die al ver voor de oorlog in Parijs woonde en succesvolle contacten in de haute couture had opgebouwd.

Lieve hemel, het was echt als in een droom. Ik bloosde van innerlijke en uiterlijke verhitting. In gedachten was ik al bezig de brief aan Lars-Ivar te formuleren.

Monsieur liep met me mee tot de buitendeur, kuste me galant de hand en mompelde hoe hij ernaar uitkeek me weer te zien.

Madame Rose Knöbelholz was een voornaam magere dame met een enigszins getekend gelaat. Ze sprak met lage stem en rookte Gitanes door een lang mondstuk van ivoor.

Ze zei dat ze begreep dat Ava Rosenholm me gevraagd had contact met haar op te nemen.

'Ava stuurt altijd haar knapste leerlingetjes naar me toe.'

Ik bloosde zodat mijn brillenglazen besloegen. De hitte leek plotseling over te gaan in koude rillingen.

'O,' zei ik, 'ik ben helemaal niet een van haar knapste leerlingen. Monsieur Dupuy van *L'Art et la Mode* heeft me gestuurd.'

'Zijn dat uw tekeningen in die map?'

Met toegeknepen ogen keek ze door de tabaksrook heen naar mijn werk. Ze zei niet veel. Maar haar kleine hoofdknikjes leken te getuigen van goedkeuring.

'En wat heb je met monsieur Dupuy afgesproken?'

Ik vertelde het en merkte hoe onwaarschijnlijk het klonk. Alsof ik het zelf verzonnen had.

Ze doofde haar sigaret, peuterde de peuk uit het mondstuk en stak er langzaam een nieuwe in.

'Weet u, mademoiselle Tornvall, als u uw opdracht klaar hebt, zullen we dan samen naar monsieur Dupuy gaan? Hij is een goede vriend van me. Ik vermoed dat u er niet aan gedacht hebt een honorarium af te spreken?'

Ik boog beschaamd het hoofd. Zweet droop als tranen over mijn wangen en toch zaten we in de schaduw op een terras op de Place Saint André des Arts.

Midden onder de ergste windstilte in augustus begonnen dus de grote modeshows om de herfst- en wintermode te presenteren. Augustus 1947 in Parijs is een legendarisch tijdstip in de geschiedenis van de mode. De new look werd geïntroduceerd. Een van de meest revolutionaire veranderingen in het modesilhouet.

Vóór die tijd waren het brede schouders, colbertstijl, rechte rokken tot over de knie en daarvoor de smalle kokers uit de jaren twintig om de charleston in te dansen.

Nu zagen we voor het eerst sinds het begin van de eeuw wespentailles, enkellange, zeer wijde rokken met kanten onderjurken eronderuit. Ronde tengere schouders, korte getailleerde jasjes, diepe decolletés waarin de borsten opgeduwd werden door een taillekorset zodat ze daar lagen als op een presenteerblaadje, voor iedere man te bewonderen en te begeren (als ze tenminste niet waren zoals Gilbert).

Daar liep ik dan in het kielzog van madame Knöbelholz in mijn landelijk katoenen jurk en witte sokjes. Onopgemaakt, puberaal onhandig boog ik wat x-benig bij het hokje waar wachten erop toezagen dat er geen onbevoegden binnenkwamen. Ze stelde me voor als haar kleine nièce en het was vast geen probleem dat het meisje haar tante zou vergezellen...

Geen enkel probleem. Madame Rose Knöbelholz had blijkbaar een uitstekende reputatie en een vendeuse begeleidde ons naar een paar vergulde stoelen op een van de voorste rijen. Daar zat ik tussen dames die behoorden tot de voorname cliëntèle van het Huis, vrouwen dus, met een vermogen waarbij ik me geen enkel getal kon voorstellen. Maar al die kostbare sieraden, geraffineerde make-up en geverfde haren konden hun leeftijd niet verhullen. Met ontzetting bekeek ik hen. Ze hadden bij voorkeur kroezige poedeltjes op schoot en (of) een jonge, knappe man aan hun zijde. Klauwachtige vingers met wijnrode, lange nagels liefkoosden de hond of lagen op de dij van de escorterende jongeling.

Ik ontdekte dat het ouder worden vooral af te lezen is aan de hals en handen. Ik staarde naar deze dames alsof het apen in de dierentuin waren. En ik had het vreselijke visioen dat niemand, ook ik niet, de dans kon ontspringen en rimpelig en lelijk zou worden en dat kleren, hoe elegant en duur ook, daar niets aan konden veranderen.

Maar zij dachten blijkbaar van wel terwijl ze bepaalde modellen aankruisten. Soms bogen ze naar de jongeman om hem fluisterend iets toe te vertrouwen en met een steek in mijn hart nam ik me voor nooit ofte nimmer zelfs maar in de buurt van zo'n vernedering te zullen komen. Met of zonder geld zou ik waardig oud worden, discreet, wetend wanneer de tijd voor mouwloze jurken en decolletés voorgoed voorbij was.

Soms was mijn aandacht zo in beslag genomen door deze akelige creaturen, dat ik de snit van een kledingstuk miste. Rose Knöbel-holz wierp me dan een bestraffende blik toe die tot concentratie maande en me eraan herinnerde waarom ik me überhaupt in deze magnifieke salon bevond, met hoge Franse ramen die openstonden naar de Avenue Montaigne, in parfumgeuren van het Huis zelf, en vooral het grijsfluwelen gordijn op de achtergrond dat bewoog wanneer er een nieuwe mannequin in aantocht was.

Christian Dior was de grote ster. Hetzelfde kon gezegd worden van Jacques Fath. Zij tweeën creëerden de new look.

Pas achteraf zou ik begrijpen hoe onvoorstelbaar het was dat ik erbij was, die eerste keer dat deze getoond werd. Dat ik aanwezig was op de première van Jacques Fath.

Deze vond plaats in een prachtige tuin in het centrum, het was op een avond. De sterke geur van rozen en pas besproeid groen in het licht van de schijnwerpers waar mannequins in enkellange, nauwe rokken over het podium zwenkten. Hoge paraplu's hielpen hen hun evenwicht te bewaren en tout Paris zat in rijen te applaudisseren en bravo, bravo te roepen. Zij vertegenwoordigden alles wat Parijs bezat aan groótheden op het gebied van literatuur en kunst, film en theater, ballet en wetenschap. De rijke dames met hun poedeltjes en gigolo's waren hier niet uitgenodigd. Maar wel madame Knöbelholz en haar kleine nièce.

Ik was erbij.

Ik was overal bij die weken in augustus 1947.

Bovendien was ik een van de weinigen die na de modeshow de vijf achtertrappen op mochten om aan la dame qui s'occupe de la presse de nummers te laten zien van de drie modellen die madame Knöbelholz had uitgekozen en die ik de volgende ochtend wilde tekenen. Want niets, absoluut niets mocht geschetst worden tijdens de show.

De gelukkigste uren van mijn leven heb ik beleefd als die kleine tekenares met haar schetsblok onder de arm, etui en puntenslijper in haar handtasje, die werd binnengelaten door de portier, de toegangspoort van het huis en die voorbij de gewiekste vendeuses en andere bewaaksters de vergulde salons in glipte, leeg nu en een

67

beetje vaalbleek in het ochtendlicht. Een vrouw met schort en hoofddoek stofzuigt het fluweelgrijze tapijt. Ik ga op een van de vergulde stoeltjes zitten en wacht. Dan beweegt het gordijn en een spichtig meisje in een katoenen rokje komt te voorschijn; een van de meest opvallende mannequins, maar nu naturel. Gapend pakt ze mijn briefje met de gewenste nummers aan en komt even later op in de creatie, neemt een pose aan en is een kant en klare illustratie. Aan mij de taak het ook op papier te krijgen.

Ik zeg je nogmaals, Alberte, ik ken geen geluk dat zo zuiver is en onbezoedeld door angst, onzekerheid en vrees voor hoe het verder zal gaan; elementen die als onvermijdelijke schaduwen aanwezig zijn tijdens andere gelukzalige momenten.

*

De volgende tien jaar, tijdens een steeds hopelozer huwelijk en drie kraambedden, kon ik steeds wegvluchten in die couveuseachtige geborgenheid in het hart van een Parijs modehuis.

Ik zou in een hotel wonen een stukje verder dan waar jij een muis in je waskom vond. Kleine hotels waar de eerste twee verdiepingen vloerbedekking hebben en het steeds eenvoudiger wordt hoe hoger je komt. Snikheet in augustus. IJskoud in januari. (De twee maanden per jaar dat de kleding voor het komend seizoen gepresenteerd wordt.)

Een klein oppervlak, spaarzaam gemeubileerd. Er stond altijd wel een eenvoudige houten tafel. Die versleepte ik naar het midden van de kamer, onder de gloeilamp die zonder lampenkap aan een snoer aan het plafond bungelde.

Gekleed in vesten en geitenwollen sokken, of in een mouwloze zonnejurk, werkte ik mijn schetsen uit tot persklare prenten. Ik bleef hoogstens een week. Telkens waren het dagen in heerlijke rust en stilte. Het was natuurlijk niet écht stil op straat en in de modehuizen, maar er was niemand die schreeuwde, ruzidee, eiste, achtervolgde, me te voorschijn joeg wanneer ik me in een kast had opgesloten om even te kunnen huilen.

In Parijs ging ik met niemand om. Ik bestelde eten, deed boodschappen bij de épicerie, maakte afspraken met de persdame. De journaliste die over de modeshows zou schrijven en van wie ik de artikelen zou illustreren, logeerde op de Rive Droite in een comfortabele kamer, betaald door haar werkgever. Ze had contact met andere modeverslaggevers, ze aten in goede restaurants, zaten in bars en lieten zich bekijken en begeren door jonge mannen.

Als freelancer draaide ik zelf voor alle onkosten op.

Maar hoe armzalig ik ook woonde, er stond een breed bed en iedere ochtend werd er een ontbijt, helemaal voor mij alleen, geserveerd. Een kan zwarte koffie, melk, een halve, knapperige baguette, een lauw croissantje, boter en marmelade en niemand die over me heen kroop om te proeven of de kan melk omgooide, nee, ik was helemaal alleen met al die luxe.

De gedachte dat ik nooit had moeten trouwen en vooral niet zoveel kinderen had moeten nemen, durfde ik niet toe te laten. Kinderen waren er immers bij inbegrepen. De vruchten van de liefde. Godsgeschenken. De zin van het leven.

Het was mijn gebrek aan mate, Alberte. Verlegen en timide, en tegelijk geen enkele bescheidenheid. Ik wilde alles. Man en kinderen en geluk en succes in mijn beroep...

Je hoort het al: een volkomen onrealistisch zelfbeeld, een portret als van een vrouw van Picasso aan wie alles schots en scheef zit. De neus en profil, de mond in haar voorhoofd (nee, maar toch). Uiteenlopende eigenschappen, die niet met elkaar te verenigen waren.

En ik dacht dat het allemaal wel zou lukken.

Net zo eigenwijs als een van de stiefzusters uit *Assepoester* die in haar ijver om prinses te worden haar hiel afsneed zodat ze Assepoesters muiltje zou passen.

In 1947 in Parijs voelde ik voor het eerst dat ik geschikt was voor mijn beroep.

Was ik een man, dan was alles perfect geweest. Een succesvol man, die wil een vrouw wel aan haar zijde, nietwaar? Maar andersom: dat, Alberte, is een heel ander verhaal!

Rose Knöbelholz was meer dan tevreden met mijn eerste tekeningen en ze stuurde ze per expres naar *Bonniers Månadstidning*. Per telegram kreeg ze bericht dat het nieuwe mantelpakje bestaande uit een kort, getailleerd jasje met vrouwelijk ronde schouders en een enkellange plissérok op de omslag zou komen.

Men was überhaupt nogal onder de indruk van de tekeningen van deze nieuwe illustratrice en wilde graag samenwerken met juffrouw Tornvall.

6

Eind augustus kwam ik thuis. Mijn moeder was me tegemoet gereisd en haalde me op in Stockholm. Dat kwam mooi uit, want mijn bagage was behoorlijk uitgedijd. De groengemarmerde map was een heel probleem om te dragen als je ook nog koffers had. En in een tas had ik bovendien een grote Franse meloen.

Mama straalde van blijdschap en keek tevreden. Een nieuw chique hoedje maakte haar jonger. Ze deed net of ze niet merkte hoe ik verlangend om me heen keek, mijn hals rekte, draaide met mijn hoofd – het was altijd druk op het perron als de Nordexpress binnenliep. Dolgelukkige mensen kusten en omhelsden elkaar; juist op een station mag je je zo gedragen.

Goede God. Het sneed als een rauwe schreeuw door me heen. HIJ WAS ER NIET! Hij kon niet aankomen met de smoes dat hij het tijdstip niet wist. Ruim van tevoren had ik daarover een brief gepost.

Maar misschien stond hij op het perron in Uppsala?

Nee, ook daar niet.

Mama hoedde zich ervoor me beter te bekijken. In plaats daarvan liet ze me de bagage in de gaten houden terwijl zij achter een taxi aanging. Ik besefte dat het een doordeweekse dag was. Ze moest een vervanger genomen hebben om haar uit het buitenland terugkerende dochter op te kunnen halen.

Maar Lars-Ivar had geen vrij genomen. Wat had hij als reden moeten opgeven? Ik was niet eens zijn verloofde.

Wat dat betreft was het tussen jou en Veigård meer uitgesproken. Bij jullie nam hij het initiatief. Was hij niet verongelukt, dan had hij zeker geëist een eerbare vrouw van je te mogen maken en had je zijn was mogen doen.

Ik bedoel, van jullie twee was híj degene die het duidelijkst zijn gevoelens toonde. Zo hoort het toch eigenlijk ook. Of niet?

In onze portiek stond meer dan één deur op een kier. Iedereen was ervan op de hoogte dat Hilma Tornvalls dochter vandaag zou terugkeren uit Parijs. Het was toch wat dat die strenge, degelijke Hilma haar dochter drie hele maanden naar een stad had laten gaan met zo'n twijfelachtige reputatie.

Degenen die keken wilden zeker zien of het gezicht van het meisje veranderd was. Of de sporen van de Zonde soms nieuwe lijnen hadden gekerfd.

De hal was kleiner dan ik me herinnerde. Het rook muf in mijn kamer. Geen open Franse ramen met wapperende witte gordijnen voor het uitzicht op de kerktoren van de Saint Sulpice.

Mama hing haar jas op, zette haar hoed af, deed haar handschoenen uit en haastte zich de keuken in naar haar schort en potten en pannen. In een pan lagen geschilde aardappelen klaar om gekookt te worden. Het vlees in dillesaus hoefde alleen maar te worden opgewarmd. In de koelkast stonden compote van gedroogde pruimen en de kristallen schaal met stijfgeklopte room.

Ik keek om me heen en wat ik zag beviel me niet. Het gevangenisgevoel was sterker nu ik hier lang niet geweest was. Het hielp niet dat ze mooi gedekt had in de grote kamer. Een feestje voor twee.

'Je kunt nog gauw een bad nemen voordat ik het eten klaar heb', riep ze.

Gehoorzaam draaide ik de badkranen open en beschermd door het geklater sloop ik naar de telefoon om het nummer van Lars-Ivar in Solna te bellen. (Vanwege de walm was de keukendeur dicht.) Een slaperige vrouwenstem, hees van de sigaretten; gelukkig, die herkende ik.

'Nee, meneer Palm was niet thuis. Wie kan ik zeggen dat er gebeld heeft?'

Maar alsof ik de bof had, verstopten tranen mijn ogen, oren, neus en keel en mijn stem liet het afweten. Met ingehouden adem hing ik op en dankte de vooruitgang voor het feit dat je tegenwoordig niet meer hoefde 'af te bellen'.

Ik dook de badkamer in. Draaide de kraan dicht. Deed de deur op slot.

Na twee etmalen in een trein met een stoomlocomotief ben je zo smerig als een mijnwerker. Roet in al je poriën. Je haar voelt plakkerig en stroef.

Een zweetgeur sloeg me tegemoet toen ik me in het warme water liet zakken.

Ik zeepte me in. Ik bleef in het badwater zitten terwijl ik mijn haar met de handdouche waste, vuil schuim spoelde om me heen, de behoefte om te huilen verdween. Toen ik het ritueel afsloot met een koude douche, voelde ik het leven in me terugkeren.

Ja, ik voelde me bevrijd en vermoedde nieuwe mogelijkheden. En daarbij heerlijk schone kleren. Mijn haar geurde naar shampoo en het viel gelijk goed toen ik het uitkamde.

Onvermurwbaar drong ze me een tweede portie van het vlees op. Schepte een te grote lepel room over de compote. Ze zag me nog steeds als het kleine, ziekelijke meisje dat goed moest eten. Pas daarna kon ze de la opentrekken en de post pakken die de laatste twee weken voor me gekomen was.

Bovenop lagen de felicitatiekaarten. Ik was jarig geweest precies tijdens de moderush. Familie had aan me gedacht en Johannes, een speelkameraadje van langgeleden. Iedereen had het zo leuk gevonden dat we op dezelfde dag even oud werden. Krampachtig had Johannes' moeder, die ook weduwe was, onze verhuizingen en adressen bijgehouden. Ik denk dat allebei de moeders het aandoenlijk vonden dat Johannes nog steeds ieder jaar een kaart stuurde.

Ik bladerde vlug verder om te kijken of Lars-Ivar… maar nee. Nu begon het weer te prikken achter mijn ogen.

'Kijk eens hier, Signe!' hoorde ik mama zeggen. 'Deze brief. Die lijkt me belangrijk, *Bonniers Månadstidning* staat er op de achterkant. Voel eens wat een kwaliteit papier!'

O, lieve God, kunt u haar niet een beetje bij me uit de buurt houden?

Nee, natuurlijk niet. Ze schoof nog een beetje dichterbij. Las stiekem mee over mijn schouder.

De brief was van de hoofdredacteur, Jeanette Ahlén. Ze bevestigde de omslagillustratie, iedereen was er erg enthousiast over en er zouden ook andere modetekeningen van Signe Tornvall geplaatst worden. Er kwamen in totaal acht pagina's over de new look. Vijf pagina's met illustraties van mijn hand, voor de rest foto's. Jeanette Ahlén feliciteerde zowel mij als zichzelf en de rest dat ik een plaatsje had weten te bemachtigen bij deze opmerkelijke modeshows. Het was pas twee jaar na de oorlog. Niet veel bladen hadden verslaggevers gestuurd. Niemand had immers kunnen voorzien wat een omwenteling de new look met zich mee zou brengen (revolutie in de mode werd een gevleugelde uitdrukking).

Dat de achtergrond puur economisch was, wist niet iedereen. Een stoffenfabrikant uit Lyon had besloten geld te investeren in de nieuwe modeontwerper Christian Dior onder de voorwaarde dat hij kleding ontwierp waar veel stof voor nodig was.

De brief werd afgesloten met de mededeling dat ze mij zo spoedig mogelijk op de redactie wilden ontmoeten voor een gesprek over nieuwe opdrachten. Bovendien zou ik een honorarium krijgen voor wat nu al gedrukt werd.

De carroussel waarin ik geestelijk rondgeslingerd werd, zou het refrein van mijn leven worden. Hoe leuk en fantastisch het ging met mijn werk versus hoe slecht en hopeloos het was gesteld met mijn privé-leven. Het echte leven.

'Wat fijn dat het je zo goed gaat! Wat zul je gelukkig zijn!'

Zo geslaagd en tegelijkertijd zo mislukt, als je eens wist, Alberte, hoe vreselijk dat is.

Hier zou ik vaak over klagen. In alle tientallen jaren die verstreken, ben jij de enige die echt begreep wat ik bedoelde.

Mijn moeder zag zich genoodzaakt haar opvatting over mijn beroepskeuze vlug te herzien. Deze brief aan haar dochter, geschreven op kostbaar dik briefpapier, imponeerde haar. Zo'n chique tijdschrift, wat ze overigens nooit zelf zou kopen, daar was het veel te duur voor. Maar ze wist natuurlijk wel dat dit het toonaangevende modeblad van het land was, en dat zo'n blad tekeningen kocht van haar dochter...

Misschien dat het dan toch nog allemaal goed kwam, ondanks alles?

En als het nu ook eens uit was? Met die Lars-Ivar Palm.

Dan kon ze als moeder gerust ademhalen. God had haar gebeden toch verhoord en de begrotelijke verbanning naar Parijs was niet vergeefs geweest.

Opeens herinnerde ik me de meloen.

'O, de meloen, mama', riep ik. Ik rukte de stoffen tas open, rook aan de meloen – er leek niets mis mee – en legde hem in de koelkast.

Ik moest me op klaarlichte dag van haar uitkleden, een nachthemd aantrekken en in bed kruipen. De donkerblauwe rolgordijnen naar beneden. Ik was inderdaad verschrikkelijk moe. Twee dagen in een zitcoupé geven niet veel aaneengesloten uren slaap. Net als je weggedommeld was, bleek je weer bij een grens aangekomen. Nietsontziende stemmen van mannen die de coupédeuren openrukten en je paspoort wilden zien of nog erger, iemands bagage wilden doorzoeken; en daar zat je dan met je ogen te knipperen, gewekt uit een verwarde droom.

Ik weet niet hoelang ik geslapen had toen ik wakker werd van de telefoon. Maar in elk geval was ik in een fractie van een seconde klaarwakker en sprong uit bed.

Maar zij was er natuurlijk eerder bij.

Ik hoorde haar zeggen: 'Nee, Signe slaapt.'

Ik weet dat hij het is. Ik duw haar opzij, ruk de hoorn naar me toe. Hij belt vanaf Stockholm Centraal en zal over tien minuten op de trein naar Uppsala stappen.

'…en aangezien ik geen vrij kon krijgen om jou op te wachten, kun jij dan misschien mij komen ophalen?'

Machteloos moet ze toezien hoe ik ophang en met vuurrode wangen in mijn kamer verdwijn. En de deur op slot doe natuurlijk.

Hoe vaak zal ze spijt gehad hebben dat ze me die sleutel gegeven heeft? Wat een meisje daar niet allemaal kon verbergen! Gedachten, tranen en dagboeken. Nu hoort ze hangertjes op de grond kletteren, ja ja, de halve garderobe moet zeker uitgeprobeerd worden.

Signe komt te voorschijn in roze en wit, glanzend geborsteld haar, onbarmhartig stralend en met die geëxalteerde blik in haar ogen.

Haar moeder moet zich afwenden. Ze kan het niet aanzien.

Nee, erbarmen van die kant viel dus niet te verwachten. Van geen enkele kant, trouwens. Ineens stortte alles in. Drie maanden weggegooid. Ze durfde het zich niet in cijfers voor te stellen.

Ik zie haar weggetrokken op een keukenstoel toekijken terwijl haar dochter een kleine liefdesmaaltijd voorbereidt. Ze snijdt de meloen doormidden, wikkelt de ene helft in boterhampapier en legt deze voorzichtig in een zak. Verder twee lepels, papieren servetten en de rood-wit geruite handdoek.

In het ouderlijk huis van mijn moeder werd bij voorkeur niet uit het Hooglied geciteerd. Men geloofde liever dat dit per vergissing in de bijbel was terechtgekomen.

Maar ik had het gelezen. Als ik haar nog meer had willen kwellen, had ik hardop kunnen citeren: 'Ik bezweer u, dochters van Jeruzalem, bij de gazellen of bij de hinden des velds, wekt de liefde niet op en prikkelt haar niet, vóórdat het haar behaagt.'

Met de meloenzak in een tasje van zeildoek vloog ik de trappen af. In de kelder stond mijn fiets, met opgepompte banden; aan zulke dingen dacht ze.

Hij was nog knapper dan ik me herinnerde.

(Weer het Hooglied: 'Als een appelboom onder de bomen des wouds, zo is mijn geliefde onder de jonge mannen. In zijn schaduw begeer ik te zitten en zoet is zijn vrucht voor mijn verhemelte.')

Maar hij was een soort verlegen toen hij me vastpakte. Terwijl ik hem wild omhelsde, door zijn haar woelde en hem zelfs kuste, zodat de mensen glimlachten. Als ze tenminste niet geschokt waren.

Behoedzaam zette hij me neer en maakte mijn armen los, zette me een eindje bij zich vandaan zodat ik weer vaste grond onder de voeten kreeg, en met zijn arm onder de mijne wandelden we richting Svandammen en het Stadspark. Heerlijke rillingen joegen door me heen als hij zijn arm een beetje verplaatste, en wat we tegen elkaar zeiden ging over het weer en hoe de reis verlopen was.

We liepen een stukje langs de rivier, vonden een bankje in de schaduw en daar haalde ik de meloen te voorschijn en serveerde hem met de tas als presenteerblaadje. Hij keek me verontschuldigend aan.

'Ik hou eigenlijk niet van meloen.'

'Je kunt toch proeven.'

Dat deed hij. Zijn verbaasde blik.

'Maar dit smaakt helemaal niet zoals meloen altijd smaakt.'

'Nee', zei ik triomfantelijk. 'Dat is omdat hij Frans is. Franse meloenen zijn veel zoeter dan Zweedse.'

7

De hoofdredacteur van *Bonniers Månadstidning*, gewoonlijk aangesproken met madame Ahlén, was een vrouw van middelbare leeftijd met een verbazingwekkend moederlijk voorkomen. Volle boezem. Onderkin. Mollige, korte vingers.

Ze was enig in haar soort, zou later blijken. De vrouwen die ik verder in de branche zou tegenkomen waren zonder uitzondering van die neurotisch magere types en rookten als ketters. Tussen het inhaleren door gooiden ze er sarcastische opmerkingen uit. Ze hadden stuk voor stuk Dorothy Parker gelezen en de Amerikaanse filmkomedies met hun snelle, rake dialogen gezien.

Het honorarium dat ik kreeg aangeboden was duizelingwekkend. Ja, ik schaamde me er bijna voor. Dat je betaald kreeg voor iets wat zo leuk was. Ik had ook geen idee hoeveel andere tekenaressen kregen. Ik had niemand om mezelf mee te vergelijken, niemand die ik om raad kon vragen.

Opgewekt en overmoedig van dit succes ging ik langs bij de Beckmanschool, waar ik uiteraard Ava Rosenholm tegen het lijf liep die me niet bepaald met open armen ontving. Met één oogopslag had ze kunnen constateren dat negentig dagen in Parijs geen invloed hadden gehad op mijn uiterlijk. Ze had te weinig voorstellingsvermogen om te begrijpen dat als ik er had uitgezien als Dorothy, Gunilla of Christina – haar lievelingetjes, dun als potloden en perfect opgemaakt – ik nooit voor de kleine nièce van madame Knöbelholz had kunnen doorgaan en dus ook nooit bij een modeshow was binnengekomen.

'Zo, juffrouw Tornvall', zei ze op haar droge, hooghartige manier. 'Wat leuk dat *Bonniers Månadstidning* verscheidene tekeningen van u wil opnemen. Als ik het goed heb begrepen komt u zelfs op de omslag, is het niet?'

Ik knikte. Ik bloosde en straalde aan één stuk door.

Dat deed haar beheerste ergernis ontploffen: 'Maar, juffrouw Tornvall, is het misschien niet wat aanmatigend uw tekencarrière te beginnen bij een blad als *Bonniers Månadstidning...?*'

Ik was sprakeloos. Ik wist geen woord uit te brengen. Ik wilde zeggen dat het niet mijn idee was geweest, dat ik echt niet... zelf zou ik toch nooit...

Toen zei ze: 'Ik heb van Rose Knöbelholz begrepen dat er niemand anders voorhanden was in Parijs. Maar desalniettemin vind ik het...' De zin bleef onafgemaakt in de lucht hangen.

Ik weet dat ze het me nooit heeft kunnen vergeven. Dat een meisje dat zij, hoofddocente mode, had bestempeld als ongetalenteerd en dat absoluut niet paste in welke modecontext dan ook, zo'n succes zou krijgen als modetekenares. En dat op eigen kracht.

Die vernedering droeg ze mee tot aan haar dood.

Tegen die tijd had ze hele hordes geterroriseerd met haar 'strakke lijn'.

Toen ze dood en begraven was, belde de school mij met de vraag of ik hun nieuwe docente mode wilde worden.

De triomf om voor zoiets gevraagd te worden en vervolgens het aanbod af te wijzen.

Herfst 1947, die zo groots begon bij *Bonniers Månadstidning* en waarin Lars-Ivar verbaasd kennismaakte met een zoete Franse meloen waar ik als het ware bij inbegrepen was, zou overgaan in een regenachtig najaar met glibberige bladeren.

Lars-Ivar had opeens ontzettend veel te doen. Zelfs in de weekenden had hij geen tijd om naar Uppsala te komen.

Ik kon nergens anders wonen dan bij mijn moeder, die, bemoeizuchtig als ze was, alle brieven omdraaide om te kijken van wie ze afkomstig waren. Telefoongesprekken luisterde ze openlijk af.

Overdag was ze op school, maar dan was Lars-Ivar ook niet bereikbaar. Ik voelde gewoon dat haar hoop toenam. Misschien was de jongeman zich langzaam aan het terugtrekken?

Zoals je ziet, Alberte, twee moeders met ieder hun verwachtingen. Jouw moeder hoopte dat je ten slotte zou bezwijken voor de steeds indringender hofmakerij van de griffier.

Mijn moeder hoopte precies het tegenovergestelde.

Met de dochter viel niet te praten; op dat punt hadden beide

78

moeders hetzelfde probleem. Maar in mijn geval was het een on-gewenst heerschap dat tot inkeer leek te komen. Verstandig werd. (Ze wist niet dat er aan de andere kant ook een moeder zat die de verhouding niet bepaald aanmoedigde.)

Ik kreeg nog een opdracht van *Bonniers Månadstidning*. Op een onbelangrijke pagina achter in het blad. Ik moest vijf manieren tekenen waarop je een sjaaltje kon dragen.

In oktober kwam er onverwacht een verzoek van Widengrens Mantelfabriek in Vingåker. Ze zochten een vervanger voor hun kledingtekenares; dat wil zeggen voor degene die de modellen ontwierp. De vrouw die de afgelopen zeven jaar voor hen had gewerkt, had opgezegd om gezondheidsredenen. Ava Rosenholm had hun aangeraden contact op te nemen met mij. Ze had me van harte aanbevolen.

Achteraf is het natuurlijk simpel om in te zien dat het een complot was. Mijn kracht was het tékenen van kleding. Niet het ontwerpen. Ik kon überhaupt niet naaien. Een avondcursus knip-pen had voor mij bestaan uit onbegrijpelijke termen: pas, zelfkant, recht van draad, gerend, raglan- of ingezette mouw. Dat alles kon ik weergeven in een schets. Maar ik kon geen patroon tekenen dat op een stuk stof gelegd moest worden en uitgeknipt.

En dat wist Ava Rosenholm.

Ze wist dat ik niet geschikt was voor een mantelfabriek. Maar ze wilde me weg hebben uit Stockholm, weg bij die tijdschriftredacties en reclamebureaus die anders het risico liepen Signe Tornvall te ontdekken, dat nieuwe tekentalent.

Ava wist dat ik een gevaarlijke concurrente kon worden.

Dus weg met die Signe, naar Vingåker om langs de 'band' te lopen en een mantel te controleren die ze zelf ontworpen had. De voortgang van de kraag, de mouwen, de zakken, de drie rugbanen, de twee banen voor...

De betrekking was geknipt voor een opgeleide kledingontwerp-ster die het heerlijk vond haar eigen garderobe te naaien.

En zo'n meisje was ik nou net niet.

Maar mijn moeder was enthousiast. Het ging om een vaste baan met een maandelijks salaris. Echt werk dus.

Door al haar kennisjes uit het onderwijs had ze veel contacten. Iemand kende iemand die weer iemand kende die een familielid had die in een confectiefabriek werkte en die wist te vertellen dat het knippen niet de verantwoording van de kledingontwerpster was. Zij tekende hoe het model eruit moest zien. De coupeur knipte de stof op basis van de tekening en een derde zette het kledingstuk uit bij de naaisters aan de 'band'.

Ik slaagde erin Lars-Ivar te pakken te krijgen. Hij maakte een schuldbewuste indruk omdat hij zo lang niets had laten horen. Maar hij had het zo druk gehad... hij had veel met zijn eigen werk zitten klooien. Geschilderd dus.

We aten uitgebreid in restaurant Prinsen en hij was lief. Hield over het tafeltje heen mijn hand vast terwijl we op het nagerecht zaten te wachten, raakte met zijn knie de mijne aan en constateerde met een glimlach hoe roze vlammen over mijn gezicht vlogen.

Maar het was niet als die zalige zoetheid uit het Hooglied, zijn liefde voelde niet als een banier over mij. En toen deze schoonste der jongelingen begon te spreken, kwamen er geen romantische lief-desverklaringen maar zeer prozaïsche wijsheden.

Ze werkten als een koude douche en opeens herinnerde ik me de brievenrubriek uit een tijdschrift, waarin het verliefde meisje gewaarschuwd werd niet te veel met haar gevoelens te koop te lopen. Zeker niet voordat ze er zeker van was dat de jongeman haar gevoelens beantwoordde. 'Mannen zijn jagers. Ze kunnen hun belangstelling verliezen wanneer de prooi zich te gemakkelijk geeft.'

Wat hij zei, was in alle opzichten totaal ontmoedigend.

Ook al probeerde hij zijn woorden te verzachten door mijn vingertoppen te kussen.

Lars-Ivar vond dat ik de betrekking moest accepteren. Mijn zielsbeminde, mijn door God uitverkorene, sprak tot mij in mijn moeders en Ava Rosenholms tongen. Waarom zo'n kans weggooi-en? Zo kort na school zo'n baan aangeboden te krijgen, een váste betrekking. (Daar was het weer, Alberte.)

Alsof ik dat ooit gewild had!

Toen ik probeerde tegenwerpingen te maken, verhuisde hij zijn

hele persoon mijn kant op, ging dicht naast mij zitten op de wand-
bank en verklaarde dat ik 'beginnersgeluk' had gehad toen ik die
opdracht van *L'Art et la Mode* in Parijs had gekregen. En omdat ik
toevallig op het juiste moment op de juiste plek was had ik die new
look-tekeningen geplaatst kunnen krijgen in het meest prestigieuze
damesblad van Zweden.

Toevalstreffers, dat waren het.

Goede God, Alberte, ze zaten me allemaal op de nek, hij inbegrepen. Ik voelde hoe ze me insloten zodat er geen uitweg meer was.
Toch weerklonk ergens in mijn achterhoofd de echo van mijn
moeders vriendinnen die ik als kind al had horen zeuren over
vastigheid en een degelijke baan, vakantie en pensioen. Waar ik
toen om gelachen had (inwendig in ieder geval) en gedacht had dat
ik nooit van mijn leven…

En nu zat ik hier en voelde hoe alle kracht uit me wegvloeide.

Naast mij zat dus Lars-Ivar, die steeds minder gemeenschappelijk
had met mijn vriend tussen de jongelingen, voor wie ik gesterkt
moest worden met rozijnenkoeken, verkwikt met appels, want ik
bezwijm van liefde…

Ja, ik was ziek van liefde terwijl mijn zielsbeminde sprak over het
de tijd geven, je gevoelens niet de vrije loop laten; je verstand
gebruiken.

'En je hebt immers die cursus patroontekenen gedaan?'

Zo, dus dat wist hij nog. Maar dat was voordat we elkaar kenden.
Ik herinner me dat de tekendocent op de middelbare school mij een
A voor het vak wilde geven en daarom schaamteloos de geometri-
sche constructies voor me tekende die dat jaar op het programma
stonden.

Op de cursus patroontekenen hoefde je niet te rekenen op zo veel
barmhartigheid. Op grote vellen zijdepapier moesten we patroon-
delen tekenen van een opengelegde mouw, een kraag, een half
bovenstuk van een jurk… Een dood kledingstuk, ontleed in on-
derdelen.

De lerares had scherpe ogen en was ongehuwd. Je merkte het aan
haar stem. Aan de nerveuze manier waarop ze voortdurend contro-
leerde of haar haar wel goed zat. En je zag het vooral aan de

ontevreden, stuurse trek rond haar mondhoeken.

Er waren woorden voor zulke vrouwen. Woorden, gebezigd door mannen. Lars-Ivar betitelde hen als ouwe vrijsters met een bangelijk preutse houding, altijd ontevreden over iets: 'Wat die nodig hebben, is een kerel.'

Er waren bottere varianten, maar die gebruikte hij pas nadat we getrouwd waren.

Voor deze cursus patroontekenen haalde ik ternauwernood een voldoende.

Alberte, jij weet beter dan wie ook hoe het is als iedereen om je heen denkt te weten wat het beste voor je is. Hoe ze tegen je aan en op je in praten tot ze je helemaal murw gemaakt hebben.

Verschillende belangen in het project om Signe Tornvall naar een mantelfabriek in Vingåker te krijgen vonden elkaar hier.

Ze werkten effectief samen. De directie van Widengrens Mantelfabriek wilde binnen een maand antwoord. Daarna zou het aanbod naar een ander gaan.

Ze wonnen.

Van de zinderende hitte in Parijs naar het gure Zweedse novemberweer in Vingåker. Een vuilgroen laag fabrieksgebouw dat binnen zijn muren een complete klassenmaatschappij herbergde.

Eerst de heren, de hoogste bazen, twee stuks. Onder hen nog een paar chefs, maar van een andere orde. Zij vormden de bovenklasse. Dan volgden de hogere employés, waaronder enkele vrouwen. Ik, de kledingontwerpster, behoorde tot die groep. Ik erfde niet alleen de baan van mijn voorgangster, maar automatisch ook haar sociale contacten, bestaande uit de hoofdcaissière, Svetlana Wlodowitch, (een Poolse vluchtelinge wier echtgenoot nog in een Duits kamp zat. Of was het Russisch?), de directiesecretaresse Margareta Röhn en Solveig Petterson.

Op hetzelfde niveau bevond zich de coupeur, Gottfrid Kvarnström, en natuurlijk de heren vertegenwoordigers, degenen die rondreisden om de mantels te verkopen.

Het laagste in rang binnen onze groep waren de meisjes op kantoor.

Wij hadden een eigen eetzaal met een dame in zwart-wit die ons bediende, en eenieder had een eigen servetetui.

De meerderheid van het fabriekspersoneel nuttigde de maaltijd in een grote kantine in de kelder. Dat waren dus de arbeiders op de werkvloer, de naaisters aan de band, de mannen aan de dampende persen.

Zonder hen waren er geen mantels om aan de man te brengen.

De inbreng van de kledingontwerpster bleek algauw uiterst marginaal. Ze mocht zich een ongeluk tekenen, schetsen aan de chefs en souschefs, de coupeur en de vertegenwoordigers laten zien. Maar het waren laatstgenoemden die de werkelijke macht hadden. Zij wisten wat verkoopbaar was en wat niet. Een kledingstuk kon er nog zo leuk uitzien, als het de vertegenwoordigers niet aanstond, werd het meteen uit de proefcollectie gehaald met als motivering dat het slecht verkoopbaar was.

Mijn eerste kennismaking met deze joviale, tamelijk corpulente heren viel niet gelukkig uit.

Je moest natuurlijk proberen er het beste van te maken, ook al leek het hopeloos. Ik zat er nu eenmaal. Ik had een kamer met een naambordje op de deur. Ik moest de nieuwe collectie ontwerpen. Ze hadden nota bene een kledingontwerpster gekregen die de nieuwste mode in Parijs gezien had op het moment dat deze geboren werd. Ik bedacht dat ik hier een missie had. En met de fanatieke overtuiging van een jonge heilsoldate toonde ik hun dus de nieuwe lijn uit Parijs waarop ik de collectie van dit jaar wilde baseren. Ik schetste in een groot blok. Ronde schouders. Ingesnoerde tailles. Korte jasjes met ronde slippen. Enkellange klokrokken…

De vertegenwoordigers paften hun sigaren en waren eerst met stomheid geslagen tot ze in lachen uitbarstten, ja, sommigen lieten zelfs hun sigaar op de grond vallen.

Zoiets achterlijks hadden ze nog nooit gezien! Géén schoudervullingen! Maar m'n beste juffrouw, u weet blijkbaar niet waar u over praat! Je kunt een mouw niet mooi inzetten wanneer je geen schoudervullingen gebruikt.

'Maar in Parijs kunnen ze dat wel', zei ik onvoorzichtig.

Toen hielden ze op met lachen, staken een nieuwe sigaar op en trokken hun mond open. Nou nou, hierheen komen en zich aanstellen en bazelen over Parijs, 't zou wat. Maar, juffrouw Tornvall, hier zijn we in het oude Svedala en híér willen de dames schoudervullingen om hun brede kont te verdoezelen. Dáár gaat het om. Hier op Widengrens worden mantels gemaakt zoals de klanten ze willen hebben, dit draait om handel, niet om modeshows in Parijs...

Steeds geëxalteerder smeten ze mijn schetsen op tafel door elkaar, en de meest ervaren vertegenwoordiger zei dat als we model 407 namen en de zakken van nummer 402 erop zetten, dan hadden we een goed verkoopbare mantel. Daarmee was de discussie gesloten, er werd meer Vichy-water besteld, de asbakken moesten geleegd. De stemming was geanimeerd terwijl ze geïnspireerd in de catalogus van het afgelopen jaar bladerden.

Gottfrid Kvarnström stond laf vierkant achter hen.

Met als resultaat dat er van de hele collectie van vierenzestig mantelmodellen slechts drie van de hand van de nieuwe kledingontwerpster waren. Van veertien mantelpakjes was er één naar mijn idee. Het was een experiment, bestemd voor de jonge dochter des huizes. Een kort, ingesnoerd jasje en een gerende rok net over de knie, een halve maatregel dus. Het nieuwe modesilhouet vereiste een enkellange rok.

Mijn drie mantels werden stiefmoederlijk behandeld door onze vertegenwoordigers en kwamen algauw retour.

Tijdens het productieproces was het te doen gebruikelijk dat Gottfrid Kvarnström het half voltooide product uitprobeerde op de kledingontwerpster. Mijn collegaatjes hadden me gewaarschuwd dat Gottfrid de gewoonte had hier en daar te knijpen.

Ik kwam er ook achter dat mijn voorgangster, Gunhild Alm, zo abrupt had opgezegd omdat ze hopeloos verliefd was geworden op Gottfrid en dat hij daar misbruik van had gemaakt, en zij had zich laten gebruiken. Maar haar liefde was tevergeefs, hij was getrouwd en had twee opgroeiende kinderen. Ze was lastig en opdringerig geworden. Had een overdosis slaaptabletten genomen, maar was op tijd gevonden en ziek gemeld.

Op dat moment was men zelfs op de werkvloer van de situatie op de hoogte, en ze werd het mikpunt van hoongelach.

Om de verleider zelf, een donkerharige man van vijfenveertig met een brutale glans in zijn ogen, lachte niemand. Hij was een man en had dus het recht te nemen wat van zijn gading was.

Voor mij zou hij nooit een probleem zijn. Mijn liefde voor Lars-Ivar maakte mij ook in Vingåker totaal immuun voor avances. Ik was ook nog 'seksueel onontwaakt' en toen Gottfrid Kvarnström coupenaadjes begon te spelden, voelde ik daar absoluut niets bij en hij zei droog: 'Juffrouw Tornvall moet zien dat ze een betere bh aanschaft.'

Widengrens was een modern bedrijf. Aan de bosrand hadden ze drie gebouwen van twee verdiepingen laten neerzetten voor het personeel dat geen familie in Vingåker had.

(Trouwens, was het wel zo modern? Arbeiderswoningen, maar dan van een beter kaliber? Wij, bewoners, waren evenzeer eigendom van de fabriek.)

Wij woonden dus in dezelfde portiek, de drie vriendinnen die ik van Gunhild geërfd had en ik. Ze waren tussen de dertig en veertig en door hen werd ik ingewijd in de wereld van niet meer zo jonge, werkende vrouwen in een niet al te grote, Zweedse plaats.

Svetlana, van wie de echtgenoot in een gevangenkamp ergens in Europa zat, had een verhouding met de oudere en lelijkste van de heren Widengren, degene die mank liep. Ze waren al drie jaar met elkaar. Hij was weliswaar getrouwd, maar zijn vrouw had niet kunnen wennen in Vingåker en woonde daarom in Eskilstuna, waar hun kinderen naar de middelbare school gingen.

Solveigs liefde was ook verboden en stond op één lijn met Gunhilds bezetenheid. Lennart heette hij, meer wist ik niet. Hun ontmoetingen werden bepaald door Lennarts vrouw. Soms was ze op reis. Soms kon hij het op zijn werk gooien. Een derde variant was dat hij aangaf dat hij op woensdag misschien even met de auto kon aanwippen. Als zijn vrouw tenminste ging bridgen zoals ze had aangekondigd. Het was niet helemaal zeker. Ze had de laatste dagen last van keelpijn. Maar hij zou bellen!

Op zo'n avond nodigde Solveig ons uit met kaas en crackers en wijn. Onder het voorbehoud dat als hij belde, de visite was afgelopen.

Solveig had zich dan opgemaakt en haar haren gekruld. Ze kon niet stil blijven zitten en liep maar heen weer, kettingrokend met het wijnglas in de hand, te vlugge, kleine slokjes.

Haar wanhopige afwachten met opgewonden rode wangen bij een zwijgende telefoon waren voor mij een les in vrouwelijke vernedering.

Zelf zat ik weliswaar ook in doodsangst en onzekerheid, maar toch voelde ik me geborgen. Want ik twijfelde er nooit echt aan dat Lars-Ivar en ik een paar zouden worden. In mijn kamer op mijn bureautje stond hij in een lijstje achter glas.

De meisjes maakten weinig ophef over hem. Hun ervaring zei hun dat wanneer hij niet eens geprobeerd had Signe te verleiden, het ook niet veel voorstelde.

Ik had hier dus mijn eigen woning. Een eenkamerflat met keukenhoek. De firma had ook voor de meubels gezorgd. Roestrood was het meest gewild voor woninginrichting. Dus waren de bank en twee fauteuiltjes in die kleur bekleed.

Het bed stond in een alkoof met een gestreept (roest met beige) gordijn dat je dicht kon trekken wanneer je visite kreeg.

Een voor iedereen zichtbaar bed werd niet gepast geacht.

Het voelde vreemd en ongewoon om dit als mijn thuis te beschouwen. De keuken was volledig uitgerust met serviesgoed, pannen, een koekenpan en een snijplank. Je zou hier je hele leven kunnen wonen.

De woning werd goed verwarmd. Toch had ik het zo koud dat ik allebei mijn armen om me heen moest slaan terwijl ik voor het raam naar de spichtige dennen stond te kijken die het uitzicht belemmerden – als dat er al was. Dat de lucht egaal grijs was, zag je sowieso. De grond was ook grijs met vlekken van dunne sneeuw.

*

Uitzicht op ver uit elkaar staande dennenbomen in pas gevallen sneeuw wekten sindsdien altijd een gevoel van angst en verlatenheid bij me op.

Daar voor het raam in Vingåker durfde ik me niet echt te realiseren hoe vreselijk het allemaal was. Mijn verlangen projecteerde ik op Lars-Ivar. Net als in Parijs.

De mensen in Parijs kunnen deprimerend kortaf en onvriendelijk zijn, onafhankelijk van het tijdstip, maar de stad zelf heeft altijd die schoonheid die maakt dat je je gelukkig kunt voelen over het feit dat je er bent en door de straten mag lopen, op de bankjes in het park en in kerken mag zitten, de schatkamers van de musea mag binnenvluchten. Allemaal belevenissen die ervoor zorgen dat je niet helemaal ten onder gaat aan eenzaamheid.

(Ik spreek vanuit de bevoorrechte positie van een overbeschermd, thuiswonend meisje, op afstand verzorgd door de voedselpakketten van haar moeder en een betaald pension waarvan ik geen idee had wat het kostte.)

Ook in Vingåker ontbrak het mij in materieel opzicht aan niets. Maar toch zou ik daar mijn eerste grote angstaanval krijgen.

De angstaanvallen zouden niet van voorbijgaande aard zijn, maar een handicap die mij nog tientallen jaren zou kwellen. De angst om alleen te zijn. Niet te kunnen slikken, ademen, slapen. Het niet kunnen verdragen van allerlei dingen waar normale mensen niet eens over nadenken.

Maar ik was niet gek genoeg, zoals mijn vader, om opgenomen te worden. Ik had geen ziekte met een naam. Ik leed niet aan iets wat ik niet kon helpen, zodat de mensen medelijden met me konden hebben en met druiven en bloemen op bezoek konden komen. En waar ze tegelijkertijd een beetje bang voor waren.

Mijn angst was van dien aard dat de mensen dachten dat ik het zelf kon verhelpen. Gewoon jezelf vermannen, je rug rechten, jezelf bij elkaar rapen, want wat had ik eigenlijk te klagen?

Succes in mijn werk (na Vingåker). Een trouwe echtgenoot. Gezonde kinderen. Een leuk huis. Af en toe geldgebrek. Maar dan kon altijd het zilver uit de pastorie beleend worden.

Ik moest op eigen kracht mijn anti-angstmiddel vinden.

(Ja, ik ben jaloers op jouw blauwbekken en hongerlijden – in paniek zijn over zulke dingen wekt sympathie en medelijden.)

Ik ging de paniek te lijf met overhaaste kledingaankopen en

verliefdheden, op het oog onverstandige en onnodige affaires met catastrofale gevolgen.

Bij zulke uitspattingen ebde mijn doodsangst weg.

De drug waar ik afhankelijk van was kon geen gemeentelijke dienst of afkickprogramma bestrijden. Ook kon hij niet tegengehouden worden bij de grens. De douane stond machteloos.

Veel later in mijn leven beleefde ik een paar angstvrije jaren door seksueel bezeten te zijn van een man die ik niet liefhad (dat heb jij niet hoeven meemaken). De vernedering was groot. Maar ik heb het overleefd, verzorgde de kinderen, wist mijn hoofd boven water te houden. Zonder angstgevoelens.

Maar toen ik op mijn werkkamer in Vingåker zat en de sneltrein van Göteborg naar Stockholm voorbij zag razen en heftig leed onder het feit dat Lars-Ivar niets van zich liet horen, toen dacht ik dat dát angst was.

8

Op een dag kon ik het niet meer aanzien dat de treinen voorbijreden en had ik het vreselijke gevoel dat ik geïnterneerd was in een open inrichting maar met het verbod het terrein te verlaten. Of dat ik een vluchteling was met papieren die niet helemaal in orde waren waardoor ik een reisverbod had opgelegd gekregen.

Maar dat was allemaal niet het geval. Ik stond niet onder toezicht. Ik was vrij om te gaan en te staan waar ik wilde en ik had het geld ervoor. Als ik de acht overeengekomen uren maar op mijn werkplek was.

Er was een boemeltje, de melktrein zoals men zei, dat op zijn dooie akkertje goederen en mensen tussen Göteborg en Stockholm vervoerde. Het stopte op het station in Vingåker om 17.05 uur.

Dus op een donderdag stapte ik in. Mijn bagage bestond uit een reiskoffertje met benodigdheden voor een overnachting. Zittend bij het raam, leunend op het kozijn, staarde ik naar buiten de langzaam invallende schemering in, die volledig was tegen de tijd dat ik op Stockholm Centraal uitstapte.

Ik brandde vanbinnen, een onhoudbare hitte golfde over mijn gezicht telkens wanneer de trein stopte bij een rustig stationnetje, waar de stationschef samen met de conducteur een sigaretje rookte terwijl er een paar kisten uit de goederenwagon uitgeladen werden.

De hel is op vele manieren beschreven. Hier een versie om eraan toe te voegen. Jonge, verliefde vrouw met de snelheid van een slaapwandelaar op weg naar haar geliefde. Maar hij weet niet dat ze komt.

Ik zat met mijn jas aan. In de linkerzak had ik een papiertje met zijn adres in Solna. Ik was er een keer geweest.

Eindelijk bereikten we Södertälje-Zuid. Neem plaats. Sluit deuren en hekjes. De rode seinarm gaat de lucht in. Het hijgende gepuf voordat we op gang komen. Goede God, laat hij alstublieft thuis zijn. Goede God.

Nee, ook dit keer was hij er niet.

Het was dezelfde hospita als eerst; zondig roodharig, te dik opgemaakt en met een bloes die trok tussen de knoopjes. Triomfantelijk en met een ironisch lachje deelde ze mee dat de huurder niet thuis was.

'En wie kan ik zeggen dat er geweest is?'

Een vreselijk, niet tot het einde gedacht vermoeden schoot door mijn hoofd, maar vond geen houvast. Onmiddellijk nam een nieuwe, resolute gedachte de overhand. Het was donderdagavond, tekenavond op de Beckmanschool. Oud-leerlingen waren daarbij ook welkom.

En ja, daar was hij. Zijn donkere, verwarde haar, zijn rechterhand die het potlood ophield om de loodlijn te meten.

Ik kwam vlak voor de pauze binnen. Als altijd hing er in het tekenlokaal die geconcentreerde stilte. Iemand laat een potlood vallen. Het klinkt als een pistoolschot. Het zachte geschraap van een gummetje doet verscheidene mensen omkijken.

Zo kreeg Janne, die naast Lars-Ivar zat, mij in de gaten; ik stond naast de deur tegen de muur gedrukt. Hij stootte 'mijn vriend tussen de jongelingen' voorzichtig aan.

En hij draaide zich om.

Zijn gezicht weerspiegelde geen blije verrassing. Eerder het tegenovergestelde.

Op hetzelfde moment verliet het model haar positie, gaapte, sloeg een badjas om en stapte van het podium. Een hoorbare, collectieve zucht gleed als een briesje door het tekenlokaal. Voordat de krukjes over de grond schraapten of tegen elkaar stootten, mensen hun rug strekten, hun handen afveegden aan een lap en zochten naar een sigaret.

Lars-Ivar had zijn gifstokje nog niet aangestoken toen hij me met een hoofdgebaar te kennen gaf de gang op te gaan. Daar pas stak hij hem op, inhaleerde diep. Hij had nog steeds geen woord gezegd.

Met zeer zachte stem, maar zo dichtbij dat ik zijn geur kon ruiken, vroeg hij wat ik hier in godsnaam deed.

Pas toen ik begon te huilen, pakte hij me vast en kwam er een beetje schot in.

Zijn hand om mijn linkerbovenarm deed pijn, maar tranen in

mijn ogen-neus-mond maakten me sprakeloos. Als een grote lappenpop liep ik mee de trappen af (de lift was bezet en hij moest me koste wat het kost uit de buurt van nieuwsgierige blikken en zure glimlachjes zien te krijgen).

In Café Nybrogård bestelde hij thee en sandwiches terwijl ik snotterde in het papieren servetje.

'Kom, Signe, rustig maar, beheers je een beetje, zo, neem een slokje thee, je handen zijn ijskoud, ziezo, vertel nu eens rustig wat er gebeurd is.'

Goede God, wat zou hij denken dat er gebeurd is?

Tja, problemen op het werk of zo?

Het servetje viel uit elkaar. Nieuwe tranen stroomden te voorschijn. Zwijgend stond hij van zijn stoel op en vroeg om een nieuwe servet, of twee. Het meisje achter de toonbank gaf er minstens vijf.

Haar gevoel voor liefde en dramatiek maakte ons net zo spannend als een aflevering uit een feuilleton.

'Hou nu op, Signe, verdomme, zeg wat er aan de hand is.'

Met de nasnikken die ik onmogelijk kon bedwingen, wist ik uit te brengen dat het was omdat ik zo ontzettend naar hem verlangde.

'Je had kunnen bellen.'

'Je bent nooit thuis. En ik kan alleen vanuit de fabriek bellen. Waar ik woon heb ik geen telefoon. Er hangt een muntapparaat beneden maar dat is altijd bezet.'

Hij probeerde me niet langer tot rede te brengen. Hij betaalde, hielp me mijn jas dichtknopen, nam me onder de arm en nam me mee naar een andere gelegenheid waar hij niet het risico liep iemand van school tegen te komen.

Hij legde zijn arm over mijn schouders (*neem mijn arm, neem het verlangen van mijn tengere schouders…*). Nee, ik had nog niet warm gegeten. De melktrein had geen restauratiewagen.

'Straks zullen we het er in alle rust over hebben. Maar eerst eten.'

Hij kende me in ieder geval zo goed dat hij op de hoogte was van mijn huilneigingen in geval van honger.

In een hoekje van een restaurant aten we een Duitse biefstuk met vossebessencompote en aardappelpuree. Ik dronk melk. Hij had behoefte aan een pilsje. En nog een. Ik stond erop mijn eigen deel te betalen en dat mocht; mijn weggeslikte teleurstelling over het feit dat hij daar zonder meer mee akkoord ging.

Het eten maakte me slaperig en kalm. Hij werd ook kalmer en teerhartiger, hij kuste me zelfs in mijn nek en heerlijke huiveringen voeren door me heen.

'Het komt goed', fluisterde hij met zijn vochtige mond tegen mijn rechteroor.

Wát, kon je je afvragen, wat bedoelde hij daarmee?

Wat zou er goed komen?

Maar ik besefte dat het de stemming zou bederven als ik daarnaar vroeg.

Plotseling verwijderde hij zich zowel lichamelijk als geestelijk van me, keek op zijn horloge en vroeg hoe laat mijn trein terug ging.

'Morgenochtend om 05.23 uur', antwoordde ik luchtig, alsof het de normaalste zaak van de wereld was.

Hij stond op. Zijn haren leken te berge te rijzen.

'Ben je niet goed wijs? Waar had je gedacht de nacht door te brengen?'

'Bij jou, had ik gedacht.'

(Om deze vijf woorden te kunnen zeggen was ik met de boemeltrein gekomen.)

'Ben je helemaal gek? Dacht je soms dat ik je mee kon nemen…?'

'Nee, natuurlijk niet. Ik dacht aan een hotel. Ik heb genoeg geld bij me.'

'En je denkt dat ze ons binnenlaten? Zonder ringen?'

Dáár had ik niet aan gedacht. Ik had eigenlijk helemaal niet nagedacht. Andere zinnen hadden me geleid. Misschien kon je zeggen dat ik buiten mijn zinnen om gehandeld had. Als een slaapwandelaar.

Een beetje sjofel hotel nam het misschien niet zo nauw met onze burgerlijke stand?

Dat had Lars-Ivar goed bedacht. We troffen een portier die naar alcohol rook toen hij de sleutel overhandigde en niet eens keek toen we ons inschreven als Lars-Ivar Palm, decorateur, en echtgenote.

Een kamer die naar handelsreizigers ruikt. Een rood neonlicht dat knippert door de kier tussen de gordijnen. We liggen in bed. Naakt. Ik ben niet bang of verbaasd. Maar ik wist niet dat hij zo groot en hard zou aanvoelen terwijl hij zich tussen mijn dijen perste. Maar het gewicht van zijn lichaam op het mijne voelde vanzelfsprekend en vertrouwd. Ik had geleerd zijn grote, vochtige zoenen te beantwoorden en liep niet langer een natte neus op. Ik voelde de zoete verdoving. De drang nog dichterbij te komen.

Ik sluit mijn ogen en voel hem stoten en wroeten in mijn intiemste plekje. Ik bedenk dat nu we het eindelijk doen, ik ook in bijbelse zin zijn vrouw wordt. We worden nu één vlees, Lars-Ivar en ik.

Maar opeens houdt hij op. Zonder een woord te zeggen staat hij op, verlaat mij en o, wat wordt het koud. Koude rillingen volgen de eerder zo heerlijke en vurige huiveringen op.

Ik hoor dat hij op het toilet is. Maar waarom duurt het zo lang? De versleten deken is niet in staat enige warmte af te geven. Mijn voeten zijn ijskoud, het is alsof de Dood zelf bezig is bezit van me te nemen. Eindelijk hoor ik hem doortrekken. Ik ga rechtop zitten. Hij is terug. Omarmt me, wiegt me zachtjes en ik zeg, gelukkig aan zijn warme borstkas: 'Nu hebben we het gedaan.'

'Nee', zegt hij en hij laat me weer los. 'Dat hebben we niet.'

'Maar', werp ik tegen. 'Maar?'

'Nee', zegt hij weer; zijn stem klinkt vermoeid. 'We hebben het níét gedaan. Je maagdenvlies is zo dik dat ik bang was je pijn te doen.'

Ik ben zo geschokt, in tranen bijna, dat ik op de koude grond stap en met gevouwen handen voor hem sta.

'Maar dan kunnen we het toch nog een keer proberen? Het geeft niet als het pijn doet.'

Ik voel hoe ik vanbinnen beef. Vooral in mijn dijen.

Hij trekt me op bed, pakt me vast alsof ik een ongehoorzaam kind ben.

'Nee, we gaan slapen. Ik in ieder geval.'

En met die woorden draait hij me de rug toe, trekt het laken en de deken over zich heen en is onmiddellijk vertrokken.

Er staat nog een bed. Tussen de twee bedden staat een nacht-kastje, daarop liggen een bijbel en mijn bril. Bibberend pak ik het beddengoed van het onbeslapen bed en ga achter hem liggen. Ik moet dicht bij hem zijn, misschien dat hij in zijn slaap mijn verlangen voelt en zich omdraait.

Maar dat doet hij niet. Ik heb een horloge met lichtgevende wijzers in het donker, maar het is hier nauwelijks donker te noemen. Het rode, knipperende neonlicht verlicht de kamer als een vuurtoren met regelmatige intervallen. Ik sta op om te plassen. Ik heb het zo koud dat ik klappertand. Maar het is natuurlijk ook vermoeidheid. Ik zie dat het kwart over drie is. Mijn trein gaat over twee uur. Ik kleed me aan, ook mijn jas en handschoenen, pak mijn deken en ga op het lege bed liggen. Achter mijn brillen-glazen schrijnt het en iedere knippering voelt als zand in mijn ogen.

Om vijf uur sluip ik voorbij de slapende nachtportier.

De kamer was van tevoren betaald. Voordat we naar binnen gingen, op straat, had ik Lars-Ivar het geld gegeven, want de man hoort te betalen.

Ik zat alleen in de coupé en zorgde ervoor wakker te blijven totdat de conducteur mijn kaartje kwam knippen. Mocht hij een extra blik werpen op deze jonge reizigster, alleen zo midden in de nacht, het viel mij niet op. Ik vroeg hem mij wakker te maken in Katrineholm, zodat ik Vingåker niet zou missen.

Maar ik sliep niet. Met mijn zere ogen staarde ik naar mijn eigen gezicht in het raam. Je ziet echt enge schaduwen in zo'n spiegel-beeld.

Wanneer we stopten, lichtte het op en hoefde ik mezelf even niet te zien. Ik las een stationsnaam, Stjärnhov waarschijnlijk, en het bord dat informeerde over de afstand tot Stockholm en de hoogte boven de zeespiegel.

Ik huilde niet. Zelfs niet toen ik eenmaal 'thuis' in elkaar ge-doken tot mijn kin in het hete water van mijn badkuip voor alleen-staanden zat.

Al vroeg in mijn leven had ik begrepen dat je bij extreme wan-hoop en een sterk gevoel van verlatenheid beter niet kunt gaan huilen. Wie wist hoe dat zou eindigen? Of niet alle ongehuilde tranen zich naar buiten zouden persen en net als een kapotte kraan een overstroming veroorzaken? Of de tranen konden het spoor bijster raken, steeds onbeheerster worden en overgaan in een epileptische aanval. Of dat ik alleen maar schreeuwde en schreeuwde en dat ze me zouden komen halen en zo'n dwangbuis aantrekken met van die lange mouwen die ze op je rug vastknopen.

Je weet wel wat ik bedoel. En dat ze zich zouden herinneren dat ik de dochter van een ongeneeslijk geesteszieke man was.

Erfelijkheid.

Halfnegen was ik op mijn werk, schoon en heel, geurend naar shampoo en mijn nieuwe deodorant. Op weg naar mijn kamer liep ik Svetlana tegen het lijf.

Ik zei gedag alsof er niets aan de hand was, maar ze stokte midden in een stap en riep uit: 'Maar lieve kind, wat is er gebeurd?'

Ik moest een paar keer mijn keel schrapen voordat ik mijn stem te pakken kreeg. Daarmee fluisterde ik dat ik de hele nacht geen oog had dicht gedaan.

Het bijzondere van Svetlana was dat ze deed alsof ze het voor zoete koek aannam en niet informeerde naar de reden. Waarom kon je dan niet slapen?

In plaats daarvan zei ze dat ik maar eens moest gaan praten met Helga Andersson, de maatschappelijk werkster.

Het personeelsbeleid van deze mantelfabriek was zo modern dat ze zo iemand in dienst hadden, opgeleid als verpleegster en met ervaring in de geestelijke gezondheidszorg. Ze nam crisissen en tijdelijke instortingen van de meer dan honderd werknemers voor haar rekening.

Helga Andersson was een vrouw van middelbare leeftijd met iets diaconessenachtigs over zich; een geharde beroepsgroep die zich zelden ergens over verbaasde.

En in haar antiseptisch ruikende spreekkamer durfde ik eindelijk te huilen, en ze liet me uithuilen zonder met de gebruikelijke vermaningen te komen, zoals lieve kind, hou toch op, het wordt er niet beter van als je huilt…

Nee, ze wist wel beter. Ze wist dat er een rustgevend enzym in de tranen zelf zat. Ze probeerde ook niet uit me te persen wat er gebeurd was.

In plaats daarvan opende Helga Andersson het medicijnkastje – de sleutel hing aan een koord om haar nek – en pakte een bruin flesje met witte tabletten, hield het schuin en schudde er twee in haar gekromde hand.

'Neem deze in en ga naar huis om te slapen. Vandaag ben je vrij en morgen zie ik je weer. Loop even binnen tussen negen en elf.'

Later deed ik alsof ik me dat niet meer kon herinneren. De volgende dag zou ik namelijk met Gottfrid Kvarnström in de fabriek kijken hoe de naaisters aan de band het ervan af brachten met de nieuwe, ronde mantelkraag. Maar vooral met het inzetten van de mouw, zo zonder schoudervulling. (Het betrof dus een van de drie modellen die ik had ontworpen.)

Ik was een beetje draaierig en mijn tong kleefde aan mijn gehemelte, dat zou wel van de medicijnen komen, maar verder was ik rustig en als het ware buiten mezelf. Mijn hoofd voelde zwaar en licht tegelijk. Ik hoorde mezelf praten en lachen.

Wanneer de collectie in productie was en het nog te vroeg was om aan de nieuwe te beginnen, had ik in principe niets te doen. Toch moest ik iedere dag van halfnegen tot halfvijf op mijn kantoor zitten en op zaterdag van halfnegen tot twee. De firma had een abonnement op *Vogue* en *Harper's Bazaar* en het idee was dat ik daar ideeën uit zou opdoen.

Niemand zou iets gemerkt hebben als ik in plaats daarvan romans of gewone Zweedse tijdschriften had zitten lezen.

Maar voor een meisje met een christelijke achtergrond was zoiets ondenkbaar. Stel je voor dat er iemand binnenkwam en ik zat verdiept in een aflevering van de feuilleton in *Vecko-Revyn*. Een sensationeel verhaal over een blanke vrouw die gekidnapt was door een sjeik.

Wordt vervolgd.

Ik herinner me deze periode als een vacuüm; het leven stond stil en er was geen toekomst om naar uit te kijken.

Hoe dan ook, drie weken na mijn bezoek aan Stockholm was er telefoon voor me. De telefoniste zei: een privé-gesprek uit Stockholm voor juffrouw Signe Tornvall. Dat soort gesprekken kwam anders altijd uit Uppsala, van mijn moeder. Maar nu belde Lars-Ivar, die kort en bondig vroeg of hij volgend weekend bij me langs kon komen en in dat geval bij mij kon overnachten.

O, Alberte, je kunt je de schok voorstellen! Dit totaal onver-wachte bericht dat op een wensdroom leek waarvan je dacht dat hij nooit bewaarheid zou worden. Hoe deze snelle, onromantische woorden me deden duizelen van geluk.

Ik stond toen ik het gesprek kreeg.

Je moet weten dat mijn benen slap werden en mijn knieën knikten en dat ik me aan de tafelrand moest vastgrijpen om niet naast mijn stoel te belanden. Stel je voor dat Cedolf plotseling voor je had gestaan, bruinverbrand met zijn pet in de hand, en iets had gezegd in de trant van dat ze in Brest voor anker lagen en dat hij drie dagen verlof had en de trein naar het Gare Montparnasse had ge-nomen om te kijken hoe juffrouw Selmer het maakte.

Ja, zo verrast was ik. Sprakeloos en in de war.

Met donkere haren en wilde ogen als Cedolf ooit had, stapte mijn teerbeminde uit de trein op het station in Vingåker en kuste me zo dat de mensen die zich zaten te warmen in de wachtkamer en die altijd naar buiten keken als er een trein kwam, het konden zien, en ook anderen die misschien net een brief kwamen posten. Iedereen kon zien dat de jonge, verlegen vrouw die bij Widengrens werkte herenbezoek kreeg. Echt waar.

Dit keer deden we het en het deed helemaal niet zo'n pijn als hij gevreesd had. We hadden een handdoek neergelegd voor het bloe-den.

Zijn vocht werd opgevangen in een slap, rubberen zakje. Voordat we serieus aan de slag gingen had hij dat omgedaan. Ik geloof dat ik toen net mijn ogen dichtkneep.

De gelukzaligheid die ik ervoer was niet zozeer van seksuele aard. Het was meer genegenheid. Dat ik de zijne mocht zijn, Lars-Ivars vrouw. Dat hij dicht bij me was, de smaak van zijn huid, zijn lichaam dat zacht en tegelijk hard was. Zijn handen, o, zijn handen, wanneer ze over mijn lichaam zwierven en die wonderlijke rillingen opriepen die leken op de rimpeling van het wateroppervlak op een kalme avond. Want midden onder alle verrukking was er ook verstilling, een toestand van rust en eeuwigheid.

Ik vroeg niet wat hem ertoe gebracht had over zijn aarzelingen heen te stappen. Hij had het opgegeven zich te blijven verzetten, zou je kunnen zeggen.

Maar liever zag ik het zo dat mijn liefde had overwonnen. En dat hij had moeten toegeven dat die liefde wederzijds was. Hij hield van mij.

We deden het dat weekend nog drie keer, en mijn dijen beefden, het deed pijn in spieren die er niet aan gewend waren met gespreide benen en naar buiten gedraaide knieën te liggen, en mijn tepels, waarvan de bestaansreden me nooit erg duidelijk was geweest, waren plotseling ontzettend aanwezig. Op allerlei plekjes vanbinnen klonk een lokroep, maar niet speciaal dáár, want daar was het vooral gevoelig.

Hij ging terug met dezelfde trein die ik tóén had genomen. We praatten nooit meer over die keer. Die behoorde nu tot ons verleden.

Daarna duurde het niet lang voordat er een telegram kwam waarin hij me vroeg. De maat van zijn ringvinger volgde per brief, samen met het verzoek of ik een stukje hout wilde opsturen van de omvang van mijn ringvinger.

In de winkel van Einar Carlsson, goudsmid te Vingåker, bestelde ik de verlovingsring voor mijn aanstaande.

Hij stapte weer uit de trein. In de rechterzak van zijn colbertje had hij een met fluweel bekleed etuitje met mijn ring. We liepen innig gearmd naar Eklöfs tearoom en bestelden koffie, wienerbröd en voor allebei een taartpunt. Hier wisselden we ook de ringen uit, nieuwsgierig bekeken door twee andere gasten en juffrouw Majken achter de toonbank.

Hij had er ook voor gezorgd dat er een verlovingsadvertentie werd geplaatst in de *Dagens Nyheter* van vandaag. Hij had de krant bij zich in zijn aktetas. Het was een onbeschrijflijke ervaring onze namen gedrukt te zien, Lars-Ivar Palm/Signe Tornvall in de rubriek 'Verloofd'. Datum, 12 april 1948.

Hij, ja, allebei, maakten we ons vrolijk over hoe beteuterd onze oude studiegenoten van de Beckmanschool zouden kijken wanneer ze de advertentie onder ogen kregen.

Stel je voor. Dat hij uitgerekend aan haar was blijven hangen! De Pastorale!

Op mijn werk was mijn eerste actie ontslag nemen. In juni zouden we trouwen. Mijn plaats was bij mijn man, niemand die dat in twijfel trok.

Het halfjaar in vaste betrekking bij de mantelfabriek zou de enige loondienst in mijn hele leven zijn.

Mijn niet meer zo jonge collegaatjes trokken een beetje ongelukkig met hun neus toen ze me feliciteerden en de verlovingsring bewonderden, achttienkaraats, niet erg bijzonder.

Dat die naïeve meid het voor mekaar had gekregen bij die jongeman met die mooie haardos van de foto zodat er verloofd werd, nee, dat hadden ze echt niet verwacht.

Aangezien ik nog steeds een christelijke jonge vrouw was, ging ik op zondag naar de kerk en werd uitgenodigd op de koffie in de pastorie. Een overvloedige koffietafel met zeven soorten koekjes, gevlochten kransen van gezoet tarwebrood met kardamom en twee taarten, marsepein- en sachertaart.

Bij een gelegenheid waar de gasten zelf mochten pakken, was de rangorde strikt vastgelegd. Eerste de oudere mevrouwen, dan de jongere, de oudere juffrouwen voor de jongere en als laatste de schaarse mannen. Daarbinnen was er ook nog een volgorde die alleen de ingewijden kenden.

Ik wachtte rustig af in de juffrouwengroep, maar toen pakte een van de oudere dames mij zacht bij de bovenarm en wees erop dat ik nu, met blinkend goud aan mijn ringvinger, als eerste achter de mevrouwen mocht. Zo, juffrouw Tornvall, ga uw gang...

De oude juffrouw Von Strassenstoltz glimlachte bemoedigend.

De maandag daarop moest ik op audiëntie komen bij directeur Widengren, de oudere.

Het gaf een zonnig, triomfantelijk gevoel dat over twee maanden mijn verbanning zou eindigen.

Gottfrid Kvarnström had een nieuwe blik in zijn ogen, een

asjemenou-blik, en hij bood aan om model 172, het mantelpakje dat ik zelf getekend had, te knippen. Hij zou het laten naaien in een dunne gabardine, voor op de huwelijksreis. Ja, zo zei hij het. In zijn wereld kwamen geen bruidsparen voor die geen geld hadden voor zo'n reisje.

Ik dacht er geen seconde over na wat die indiscrete blikken van verschillende kanten eigenlijk betekenden. Dat men wilde zien of het al zo ver was dat het 'zichtbaar' was.

Maar ik was juist slanker geworden. Verliefdheid kan dat effect hebben.

De romance tussen Lars-Ivar en mij kon in deze fase makkelijk figureren in een feuilleton, bij voorkeur in het ziekenhuismilieu. De jonge zuster Ulla in de armen van dokter Gerhard Sparvebo.

'Wil je mijn vrouw worden?'

Haar blozende ja, uitgebracht in een fluistering.

'O, mijn liefste Ulla, je maakt me de gelukkigste man van de wereld.'

Nja, dat klopte niet helemaal met de werkelijkheid; zoiets zou Lars-Ivar nooit zeggen.

Maar de onderdanige dankbaarheid van zuster Ulla over het feit dat zíj de uitverkorene was, klopte wel met de mijne. Stel je voor, terwijl zuster Evelyn veel knapper is en uit een gegoede familie.

Maar tussen de ontmaagding en het aanzoek was er in mijn geval iets gebeurd wat nooit zou voorkomen in een romantische liefdesroman.

9

Op de derde dag viel er namelijk een duisternis over Vingåker, afgronden openden zich. Een dochter die gehoereerd had hoefde hier geen genade te verwachten.

Ik had een van die breedsprakige en geëxalteerde brieven geschreven die als een rode draad van rampspoed door mijn leven lopen. Het spreekt vanzelf dat zo'n brief onmiddellijk gepost moest worden. Er kon geen sprake van zijn hem tot de volgende dag te laten liggen en er nog eens over na te denken, of hem misschien überhaupt niet te versturen. Nee, nu meteen moest hij weg.

De voorjaarsavond was koud. Op ijzige voetpaadjes lag vers gevallen sneeuw die overdag ontdooide, maar nu opgevroren was.

Ongeduldig glibber ik in het schemerdonker de heuvel af naar de weg. Ik weet heus wel hoe overbodig deze missie is. De brievenbus is al geleegd. De volgende lichting is morgen om 17.00 uur. Maar zulke logische overwegingen hebben geen grip op mij. Als een kip zonder kop glibber ik haastig naar Vingåker. Er valt inmiddels natte sneeuw. Ik ben de enige in heel Vingåker die op straat is. Maar de opluchting als ik de brief aan Lars-Ivar op de bodem van de brievenbus hoor ploffen en de klep hoor dichtslaan! Ziezo, die is onderweg.

Dan pas merk ik hoe koud ik het heb. In elkaar gedoken met mijn blote handen diep in mijn zakken haast ik me terug. Ik merk nu ook pas hoe glad het is. Ik moet aan de uiterste rand van de weg lopen, in de graspollen van vorig jaar.

Eindelijk kom ik bij het smalle pad naar ons huis. Daar val ik. Ik weet er nog net voor te zorgen dat ik niet plat op mijn rug val maar op mijn zij, en de hand waarmee ik steun zoek glijdt zonder weerstand het ijswater in. Ik schrik me een ongeluk. Het lukt me op mijn knieën te komen, maar niet om op te staan. Dan probeer ik naar de deur te kruipen waar een raam geel verlicht wordt, maar waar ik zelf ben is het donker en plotseling besef ik dat ik niet vooruit kom. Het is eerder zo dat ik achteruit glijd.

En dan begin ik te huilen.

Ik kan me niet herinneren dat het ergens pijn deed. Maar de enorme schrik herinner ik me nog als de dag van gisteren. Ik huilde onafgebroken terwijl paniek zich van me meester maakte en het huilen overging in dierlijk gejank.

Eén raam, twee ramen gingen open; in de donkere stilte moet ik geklonken hebben als een gewond dier van onbekende herkomst, angstaanjagend, misschien zelfs gevaarlijk.

De vrouw van de Italiaanse familie Baretti riep haar man, een sterke kerel van de persafdeling in de fabriek. Een klein meisje verdringt zich naast haar moeder om te kunnen zien hoe haar vader naar de kledingontwerpster juffrouw Tornvall loopt die op haar knieën in het donker zit te schreeuwen. Het klinkt zo afschuwelijk dat het meisje ook begint te huilen en door haar moeder mee de kamer in wordt genomen. Ik hoor het raam dichtslaan. Ondertussen heeft haar vader me stevig vastgepakt en zeult hij me het trapje op, door de deur die iemand openhoudt en daar lig ik dan, in de gang op de grond.

Mijn schreeuwen is overgegaan in eentonig gejammer, hortend en stotend doordat mijn lichaam zo schokt.

Mevrouw Baretti legt een deken over me. Er staan meerdere mensen om me heen, ik zie ze niet, mijn bril is weg. Ik ben blind en verlamd. Maar mijn gehoor doet het nog. Ik hoor gesnater in twee talen. Ik begrijp dat iemand om tien öre vraagt voor de munttelefoon. Een vrouw zit op haar hurken naast me en probeert me mijn bril op te zetten. Wonderlijk genoeg is hij nog heel, vertelt iemand me opgewekt.

Ik klink niet meer zo afschuwelijk, in plaats daarvan klappertand ik; mijn bril beslaat alsof ik het warm heb.

Ik voel snot op mijn bovenlip, een zakdoek. Gebruik deze maar. Ik ben er niet toe in staat.

Ze hebben Helga Andersson gebeld en als ze komt, heeft ze haar verloofde Eddie Olsson bij zich, de bedrijfsleider van de Kooperativa.

De zesenveertigjarige Helga had zich al bij haar vrijgezellenbestaan neergelegd; ze was een gelovige vrouw en blij dat ze door haar ongehuwde staat meer tijd had andere mensen te helpen.

Ze waren nu een halfjaar verloofd en het huwelijk zou op midzomer plaatsvinden in de kerk van Vingåker.

Eddie was lang en sterk, een geschikte hulp om me de trap op te zeulen. Ik kon nog steeds niet praten of bewegen. Het schokken ging maar door. De helft van de warme melk met honing die ze me probeerden te laten drinken werd vermorst, liep over mijn kin mijn hals in. Ik hoorde Helga Eddie gedag zeggen. Dan kon ze me helpen mijn natte kleren uit te doen en me in bad zetten. Het hete water ontdooide me. Maar het schokken in me was niet ontvankelijk voor warm water, wollen sokken, een vest over mijn nachthemd, dubbele dekens...

Helga was thuis toen ze haar belden. En hoewel Eddie een auto had, waren ze niet langs de medicijnkast in de fabriek gereden. Maar aspirines had ze in haar handtas. Ik moest er twee van haar innemen. Ze had ook gedecideerd besloten dat ze bij me zou blijven slapen. De bank kon uitgeklapt worden tot een bed.

Ze praatte kalmerend, noemde het een shock en als ik nu maar sliep, dan zou ik me morgen wel beter voelen.

Toen ik de volgende ochtend badend in het zweet wakker werd, was ik alleen. De paniek sloeg onmiddellijk toe.

Trillend stond ik midden in de kamer. Mijn keel werd dichtgeknepen door de angst. Ik zag een briefje op het bureau liggen. De bevingen hadden weer bezit van me genomen, maar ik kon lezen dat ik om 13.00 uur een afspraak bij dokter Blomgren had en dat hij me vanzelfsprekend een paar dagen ziek zou verklaren. Ik keek op de klok. Het was kwart over negen; nog bijna vier uur voordat ik naar de dokter moest.

Ik begreep er helemaal niets van, maar ik was niet in staat mezelf tot rede te brengen. De angst om alleen in die kleine woning te zijn was zo groot dat ik bijna geen lucht kon krijgen. Alsof er brand was en zonder een enkele keer adem te halen (zo voelde het in ieder geval) schoot ik in mijn kleren, knoopte mijn jas dicht en strikte mijn wandelschoenen. Met mijn muts, sjaal en wanten in mijn armen vloog ik de trap af. Pas toen ik buiten was, waar ik andere mensen zag, kon ik mezelf verder aankleden.

Mijn rechterknie en heup en zelfs mijn ene pols waren gevoelig, maar ik had graag heviger pijnen gehad. Die hadden misschien afgeleid van dat andere.

Alberte, heel mijn leven heb ik lichamelijke pijn als het ware verwelkomd. Daar kun je over praten, klagen, begrip voor verwachten. Dat geldt ook voor angst die ergens mee samenhangt. Geldzorgen, de wanhoop wanneer je in de steek gelaten wordt, de vernedering wanneer je het slachtoffer bent van spot, pesterij, wanneer er op je gespuugd wordt. Ja, zulk soort dingen kun je benoemen zodat de mensen het begrijpen. Maar van alle categorieën werkt pijn het best. Zelfs bij de dokter is het makkelijker. Redeloze angst kan niet op hetzelfde begrip rekenen. Je verkeert in een gezelschap en krijgt plotseling ademnood. Iemand merkt het en biedt behulpzaam aan het raam open te zetten: 'Het is inderdaad ontzettend benauwd hier.' Met als resultaat dat je ademnood verergert. Secundaire angst over het feit dat ze het gemerkt hebben.

Buiten voelde ik me weer helemaal normaal. In de stationskiosk kocht ik een tijdschrift en ging ermee in de wachtkamer zitten. Nu was mijn enige angst dat de mensen die hier rondhingen, vooral gepensioneerden en die man in zijn rolstoel, zich zouden afvragen waarom de kledingontwerpster van Widengren hier midden op de dag een weekblad zat te lezen in plaats van op de fabriek te zijn.

Ik stond op en wandelde langzaam naar Eklöfs tearoom. Een broodje kaas en een warme chocolademelk. In een hoek lagen oude tijdschriften op tafel. Daarmee verstreken veertig minuten. Nog ruim een uur voordat ik bij dokter Blomgren moest zijn. Ik ging er toch maar vast heen en nam plaats tussen de hoestjes en ontroostbaar huilende kinderen die zaten te trappelen op hun moeders schoot. Het klonk erbarmelijk, maar het riep geen angst op. Het begon belachelijk te voelen om hier te zitten. Het was inmiddels over.

Ik weet niet hoe Helga mijn toestand had beschreven, maar dokter Blomgren liet zich niet om de tuin leiden door de vrijmoedige en beheerste manier waarop ik over de gebeurtenissen van gisteren vertelde.

'...maar nu voel ik me weer helemaal de oude.'

Daar ging hij verder niet op in. Een receptje Neurol, driemaal daags plus één extra voor de nacht was het medicijn tegen mijn kwaal. In een klein envelopje lagen tabletten voor twee dagen.

'Ik stel voor dat u een paar dagen vrij neemt en een bezoek brengt aan uw moeder in Uppsala.'

Ik vond het geen geweldig idee. Maar dat zei ik natuurlijk niet.

Ik voelde me sterk en vrij toen ik naar de Kooperativa liep en worst en een pak macaroni bij Eddie kocht.

Hij zei dat hij blij was dat ik weer was opgeknapt. Ik stemde met hem in. Dokter Blomgren had iets kalmerends voorgeschreven, maar misschien had ik dat helemaal niet nodig.

Thuis hing ik kalm en zelfverzekerd mijn jas op en liep met mijn tasje boodschappen naar de keukenhoek.

Toen kwam het terug.

O, het was zo onverwacht en vreselijk! Zoals wanneer je nietsvermoedend de hoek om gaat en plotseling wordt overvallen door een valwind met kleine stukjes ijs die in je gezicht slaan.

Koude rillingen. Dichtgeknepen keel. Zulke hevige schokken dat toen ik wilde plassen, moest plassen, er niets kwam.

Als een opgejaagde prooi gooide ik toiletgerei, ondergoed en een nachthemd lukraak in mijn reiskoffertje en vloog 'klepperdeklep' de zes halve trappen af, de buitenlucht in. Het was weer spekglad, maar ik wist mezelf op de been te houden en bereikte half hollend met kleine pasjes de weg waar andere mensen waren.

Toen ik het station binnen liep, kon niemand vermoeden dat er iets mis was met de jonge vrouw die rustig een retourtje Vingåker-Uppsala kocht en vroeg om de sleutel van het toilet. (Alleen als je een geldig vervoersbewijs had mocht je daar gebruik van maken.) Het was er bepaald niet aangenaam en ijskoud, maar ik had geen probleem te 'wateren'.

Ik kocht een *Bildjournalen* en chocoladekaakjes in de kiosk. Gebogen over het fonteintje slaagde ik er met enige moeite in een tabletje in te nemen.

Ik zou met dezelfde trein reizen die ik een keer eerder in paniek naar Stockholm had genomen. Ik had nog ruim een uur voor vertrek. Terwijl ik daar rustig op een chocoladebiscuitje zat te knabbelen en de kruimels in mijn schoot vielen, voelde ik me volkomen normaal en net als de anderen die daar op de banken in die knusse wachtruimte zaten. Even dacht ik dat het misschien helemaal niet nodig was om naar Uppsala te gaan. De medicijnen zouden zo gaan 'werken'. Dan ging het vanzelf beter. Maar ik voelde nog een kleine beving vanbinnen en ik ging naar het loket om beleefd te vragen of ik de telefoon mocht gebruiken voor een interlokaal gesprek naar Uppsala.

Bezorgdheid, bij haar altijd als eerste paraat, vonkte meteen door het hele telefoonnet.

'Het is niets bijzonders', kalmeerde ik haar.

Ik beschreef mijn glijpartij en de daaropvolgende shock. Aangezien ze mijn moeder was, nam ze de lichamelijke klachten licht op. Maar de zenuwtabletjes, dat de dokter die had moeten voorschrijven, dan was het toch…

Hier onderbrak ze zichzelf abrupt. Ze herinnerde zich dat het interlokaal was en zei dat ik vooral niet moest vergeten te betalen.

In de trein kreeg ik een ingeving.

Ik begreep waar de angst vandaan kwam. *Mama wist het niet.* Ze wist niet dat haar dochter het ergste had gedaan wat de enige dochter van een weduwe kon doen.

Ze had 'zich gegeven' aan een man zonder zelfs verloofd te zijn. Het meisje op wie ze zo trots was. Een degelijke en reine jonge vrouw, betrouwbaar en van goede zeden.

Meer nog dan de meeste moeders had ze gerust kunnen zijn. Tot het kind zich aan die man had verslingerd.

Altijd, mijn hele leven lang, heb ik haar en Gods ogen op me gevoeld. Als vijfjarige had ik een theologisch gesprek met een paar speelkameraadjes op de binnenplaats. Er stond een schuurtje van golfplaat waarvan we niet wisten waar het toe diende. Er zaten geen ramen in zodat een van de jongens omhoog kon klimmen om naar binnen te kijken.

We hadden het over God. Ik beweerde dat God alles zag. Altijd.

'Maar niet als je in zo'n schuur zit', meende Ove. 'Dan ziet hij je echt niet!'

'Wel waar', zei ik geestdriftig. 'Wel waar, daar ook. Hij ziet je overal.'

Waar ter wereld ik ook ging, ze zagen mij, mijn moeder en God. Later zouden daar mijn man en kinderen nog bij komen.

Weinig mensen werden zo in de gaten gehouden als ik. Daardoor had ik algauw begrepen dat je net zo goed gelijk kunt bekennen. Ze komen er toch achter.

De blik waarmee ze me opnam op het perron probeerde ze zakelijk en beheerst te houden.

Ze constateerde dat ik bleekjes zag: 'Je eet toch wel goed, je moet eten anders worden je zenuwen je de baas.'

Ik bloosde en de bleekheid verdween.

'Maar je ziet er toch beter uit dan ik had verwacht', vervolgde ze op gespannen, vrolijke toon.

Ze dacht zeker dat ze daarmee haar snelle, angstige blikken in mijn richting kon bezweren die zochten naar een teken. Een teken dat, als het er zou zijn, ook haar in paniek zou brengen.

Bijvoorbeeld als ik geëxalteerd leek, in een te hoge versnelling zat, want dat zou erop kunnen duiden…

De erfelijkheid.

Maar zulke signalen zag ze niet. Ik was een beetje duf van de medicijnen.

Ze had vlees in dillesaus en rijst à la Malta gemaakt; het rook vertrouwd, het smaakte naar jeugd uit een prentenboek. En dat was niet zoals mijn jeugd in werkelijkheid geweest was.

Die nacht sliep ik in mijn oude meisjeskamer.

Misschien kwam het door de medicijnen dat alle angst overgewaaid leek. Voordat ik wegdommelde, bedacht ik dat het misschien toch niet nodig was om het aan haar te vertellen.

Toen ik wakker werd, was ze al weg. In de keuken stond het ontbijt klaar, dat wil zeggen: de kaas stond in de koelkast, het brood lag in de blauwe broodtrommel, maar er was gedekt en mijn servet lag klaar in mijn servetetui. Op het kopje lag een schoteltje om te voorkomen dat er stof in kwam.

Ik ging naar de badkamer, plaste, poetste mijn tanden, waste me, liep voorbij de open keukendeur naar mijn kamer en begon met aankleden, toen de angst zegevierend losbarstte.

Ik meende hoongelach te horen. Hahahaha, wat dacht je? Ik was alleen. Ik was alleen. De muren golfden. De vloer helde. Mijn hart stond stil. Ik kon niet slikken. Met koude, bevende handen kleedde ik me aan, schoot met een arm in mijn jas en vloog de trap af naar beneden.

Het was stil op de Ringgata, maar op de Börjegata liepen mensen en het lukte me diep in te ademen, mezelf bijeen te rapen en bijna kalm naar de school van mijn moeder te lopen.

Ze zat in haar klas en was bezig blauwe schriften op een stapel te leggen. Het liep tegen het einde van de lunchpauze.

'Nee maar, Signe', zei ze ongerust. 'Is er iets gebeurd?'

Struikelend vlug zei ik het.

En ze greep naar haar keel. Ik zag haar nog mooie gezicht loslaten aan de randen en als het ware afzakken. En dat zou voor altijd zo blijven.

'Nee', fluisterde ze hijgend. 'Dat kan niet waar zijn.'

Vlammend van verontwaardiging keek ze me aan.

'Dit is het ergste wat me ooit is overkomen.'

Ik dacht het niet onmiddellijk, maar kort daarna. Dat zij onwetend naar het altaar was gevoerd met een geesteszieke man die haar in de huwelijksnacht had verkracht en mishandeld. De politie moest eraan te pas komen en personeel van de Stora Sundbykliniek om de gestoorde man met behulp van een dwangbuis te overmannen terwijl een andere arts zich over haar ontfermde en ze, bloedend en in shock, het aanbod van onmiddellijke echtscheiding afwees, haar kruis op zich nam, tegenover God en zijn gemeente in voor- en tegenspoed tot de dood ons scheidt. Wat God samenvoegt, zal de mens niet scheiden. En na drie maanden werd hij ontslagen uit het gekkenhuis en moest zij zich onderwerpen aan zijn dierlijke driften, want dat zegt de wet. En het kind dat niet verwekt had mogen worden – op de ziekte van de man rust een huwelijksverbod – kwam er en moest gebaard worden en het was lastig, huilerig, onmogelijk te beteugelen, maar uiteindelijk werd het getemd. Ze was een beetje ziekelijk, maar zo'n snoezig en lief meisje, de oogappel van haar vader. En hoe de moeder hen had betrapt en schreeuwde, schreeuwde en hij weer opgenomen werd. Van zijn derde opname keerde hij nooit terug. Een hartinfarct beëindigde zijn leven en zij werd jong weduwe met een dochter in de prepuberteit...

Maar dat haar bijna drieëntwintigjarige dochter naar bed was geweest met de enige man die ze liefhad en van wie ze haar hele leven zou houden, dát was het ergste wat haar ooit was overkomen.

De haat voor die vrouw die mijn moeder was laaide op, ging als een bosbrand door me heen en nam gelijk mijn angst mee.

De schoolbel ging. Mijn moeder rechtte haar rug. Beheerst en correct opende ze de deur van de klas en liet de kinderen binnen. Ik voelde ze tegen mijn lichaam als een troep vogels die je moeilijk weg kon sturen. Maar het was niet iets om bang voor te zijn.

Ik voelde me geradbraakt, de pijn na de val op het verijsde pad was heftiger dan voorheen. Maar zoals gezegd, lichamelijke ongemakken zijn makkelijk te verdragen.

Woede is ook een zuiver antipaniekmiddel.

Een gezonde honger deed me twee eieren bakken, die ik opat met vier boterhammen en drie koppen thee zonder dat ik me een seconde angstig voelde.

Het had gewerkt. Mijn voodoogedachte dat kwaad met kwaad verdreven moest worden, had me genezen.

Toch nam ik de medicijnen van de dokter in, ging op het onopgemaakte bed liggen en sliep.

Ik werd met een schok wakker en voelde een reflex van angst. Daarom haastte ik me naar buiten en wandelde vlug langs de rivier het Stadspark in. Vlug lopen is ook goed, en dan bezweet op het eerste voorjaarsbankje plaatsnemen met een reep chocola.

Ik was blij te merken hoe bang ze was dat ik mezelf 'iets had aangedaan'.

Nee, niet dat ze dat met zoveel woorden zei en haar nerveuze opluchting was gauw over om gevolgd te worden door barse resoluutheid.

Tijdens mijn afwezigheid had ze de verleider te pakken gekregen.

Ze had geluk, hij was toevallig een paar dagen in Uppsala.

Lars-Ivar deed dienst als portier in het hotel en daar trof ze hem toen ze belde en haar moederhysterie over hem uitstortte. Ze was nooit bang aangelegd geweest en tegen haar enorme wilskracht was geen kruid gewassen. Hij bevond zich in een positie waarin hij moeilijk een weerwoord kon geven. Dus ging hij ermee akkoord de volgende dag om drie uur bij ons langs te komen om verantwoording af te leggen.

(Zijn moed imponeert me tot op de dag van vandaag.)

Ze moest die dag het laatste uur een vervanger nemen om de man terecht te wijzen die in ongebreidelde passie gewetenloos haar dochter had verleid en bedorven.

Het werd een klein drama met twee acteurs. Zelf was ik een figurant zonder tekst, gezeten op de stoel bij het raam.

Lars-Ivar gaf er de voorkeur aan te staan terwijl hij gekwetst en met een koele arrogantie antwoordde dat hij geen speciale plannen met haar dochter had en dat hij geen beloftes of toezeggingen had gedaan.

Hier onderbrak ze hem om hem te verpletteren met oudtestamentische vervloekingen, maar tegen die tijd had ik mezelf vermand en mijn stem teruggekregen, en ik stapte het toneel op met furieuze konen en samengebalde vuisten en riep: 'Hij was het niet. Ik was het. Ik was het de hele tijd, hoor je dat, ík wilde het.'

De eindeloze minuten dit het duurde was ik volkomen vrij van angst. Ja, ik kon me zelfs niet herinneren waarom ik zo halsoverkop naar Uppsala was gekomen zodat zij deze inquisitie had moeten instellen.

Het was mijn schuld en nu wilde hij me misschien wel nooit meer zien.

Dat had echt angst moeten oproepen en dat deed het ook. Maar niet díé angst.

Ik gooide het beetje reisgoed in het koffertje en verliet tegelijk met Lars-Ivar mijn moeder en de Ringgata.

De stemming tussen ons kan ik niet beschrijven, want die herinner ik me niet. Maar hij stak ongetwijfeld een sigaret op en nam lange, mannelijke passen zodat ik hem nauwelijks kon bijhouden.

Ik had ook die koffer nog. Op de hoek van de Börjegata en de Skolgata stopte een bus. Ik wist dat die naar het Centraal Station ging en stapte in. Zonder naar hem te kijken. Ook in de bus draaide ik me niet om. Ik had het vreemde gevoel dat mijn hoofd ergens los boven mijn lichaam zweefde. Het was niet direct onbehaaglijk, maar het nam al mijn aandacht in beslag.

Ik had geluk. Over zeven minuten vertrok er een trein naar Stockholm. Het was ongelooflijk druk. De coupé was tot de laatste plaats bezet. Dat was mooi. Het gaf afleiding om naar de twee dames te luisteren die het over ziektes hadden. Over hun vriendin, Agnes, die opgenomen was in het ziekenhuis en waarschijnlijk de gevreesde ziekte had. (Ze waren van de leeftijd waarop het woord 'kanker' vermeden werd.) Een jongen stoeide met zijn zusje, hij plaagde haar zo dat ze begon te huilen en zijn moeder dreigde met samengeknepen lippen 'wacht maar tot je vader het hoort…'

De man tegenover mij in het hoekje was in slaap gevallen. Uit zijn snurken een walm van alcohol.

In Stockholm werd ik vindingrijk. Ik ging naar de Informatie en kreeg te horen dat ik zo meteen de trein naar Göteborg kon nemen, moest uitstappen in Katrineholm en dan met de bus verder kon naar Vingåker. Ik slaagde erin de reis te maken zonder ergens over na te denken. Ik las twee tijdschriften, van de rubriek 'Geef raad' tot de kleine advertenties over hygiënische artikelen, breukbanden, discrete verzendingen en een oproep contact op te nemen met de dichtstbijzijnde vertegenwoordiger van Spirella. Ook hier ging het er discreet aan toe, maatneming en passen bij u thuis. Een Zweedse familie vroeg een Zweeds kindermeisje in Parijs. Daar bleef ik even bij stilstaan.

Als het helemaal onhoudbaar werd, was dat altijd nog een mogelijkheid.

Toen ik uit de trein stapte voelde ik mijn benen beven. Ik had ook steken in mijn rechterknie. Een lichte zeurende hoofdpijn diende zich aan. Mijn lichaam had een herinnering die ik zelf miste.

Deze lichamelijke verschijnselen waren misschien te vergelijken met de reactie na een aardbeving. De schok was weggeëbd maar er was nog kans op naschokken.

Mevrouw Baretti klopte een tafellaken uit toen ik de heuvel op kwam lopen.

'Welkom thuis', riep ze opgewekt voordat ze het raam dichtdeed.

Mijn woning rook onbewoond. Ik opende het grote raam en de geur van aarde en vroeg voorjaar sloeg me tegemoet. Een merel vulde de lucht met zijn gejubel. Ik bedacht hoe prachtig het klonk. Een minuut lang kon ik dat alles in me opzuigen.

Voordat het terugkwam, maar nu in een hogere versnelling. Ik slaagde erin het raam dicht te doen en op de haak te zetten terwijl ik bibberde alsof ik malaria had.

Wat er in mij omging was met geen pen te beschrijven. (Daarom nam ik steeds mijn toevlucht tot vergelijkingen met fenomenen waar ik geen ervaring mee had.)

Met mijn jas achter me aan fladderend rende ik naar het huis waar Helga Andersson woonde. Ze was alleen. Ik hoefde niets te zeggen. Ze gaf me een glas water en drukte me in de stoel in de hal, waar ook de telefoon hing.

Dokter Blomgren nam op en hij zei dat de dosis Neurol verhoogd diende te worden.

We konden een recept bij hem ophalen.

Twee nachten logeerde Helga bij mij terwijl ik overdag naar de fabriek ging en volkomen normaal functioneerde.

Ik zat op mijn kantoor en begon zachtjesaan aan de volgende collectie te werken. Mijn deur stond op een kier; dat was afdoende. Het werk was ook een betrouwbaar antipaniekmiddel en zou me nooit in de steek laten. Vooral niet als ik zoals nu met iets bezig was wat mijn tegenstanders ervan moest overtuigen dat ik gelijk had. Eén seizoen was verstreken. Ook de conservatieve vertegenwoordigers zouden inmiddels begrepen moeten hebben dat een nieuw modesilhouet zich had aangediend. Misschien dat ze dit keer niet in hoongelach zouden uitbarsten?

Op het werk was ik een enthousiaste en doelbewuste jonge vakvrouw. Alleen Helga en Eddie hadden door hoe slecht het met me gesteld was.

Toen Helga een huisgenootje voor me regelde, kon dat gezien worden als een oefening in sociale betrokkenheid van mijn kant.

Een meisje met de naam Rosita Andersson, op proefverlof uit een meisjestehuis, zou een maand bij mij ingekwartierd worden als tussenstation naar een fatsoenlijk leven.

Mijn levenswandel was niet meer zo onbesproken als voorheen – ik had immers herenbezoek ontvangen – maar dat kon worden beschouwd als een eenmalig verschijnsel. Lichtzinnigheid was geen eigenschap die bij juffrouw Tornvall hoorde.

Rosita was zeventien en ondanks haar exotische naam een mollig, blond meisje met lichte huid dat makkelijk bloosde.

Het politierapport mocht ik niet inzien. Misschien stond er iets over kleine vergrijpen, maar meer voor de hand liggend was een onzedig leven. Een meisje dat zich niet kon beheersen, een al te makkelijk slachtoffer wanneer jongens iets wilden.

'Slet' werd zo iemand door fatsoenlijke burgers genoemd.

(Net als de jonge vrouwen die zich nuttig maakten in de keuken van domineesvrouw Ödéen terwijl ze onder tucht en orde gehouden werden.)

Rosita had iemand die officieel toezicht op haar hield. Maar doordat ze bij mij woonde, was ik de direct verantwoordelijke. Mijn beschermelinge was stil en teruggetrokken. Er was ook weinig waar we met elkaar over konden praten. Ik was onhandig in zulk soort dingen. Wilde me niet opdringen.

Ze verzorgde ons kleine huishouden. Ging naar de Kooperativa voor boodschappen en de aardappels stonden op als ik thuiskwam uit mijn werk.

Verder las ze weekbladen, snoepte en luisterde naar de radio. Ze ging alleen naar buiten om eten te kopen. Ik herinner me dat er een personeelsfeest was met dans na afloop en ik stelde voor dat ze mee zou gaan. Maar o nee, bloosde ze, daar was ze veel te verlegen voor.

We waren dus elkaars oppasser. Als zij in mijn buurt was, hoefde ik niet bang te zijn. En ik stond ervoor garant dat ze zich zou gedragen...

Toen bleef ze op een vrijdag weg. Ik kon zien dat ze boodschappen had gedaan, maar ze was de deur weer uit gegaan. Het was over negenen toen ze opdook. Ze stonk naar sigarettenrook en misschien naar bier. Met neergeslagen ogen verontschuldigde ze zich dat ze zo lang was weggebleven, maar ze was onverwacht haar neef Bertil tegen het lijf gelopen die bij een benzinestation in Gnesta werkte.

Toen ik de volgende zondag wakker werd, was ze verdwenen. Ze had haar luttele bagage ingepakt, de sleutel netjes op het bureau gelegd en was vertrokken.

Angst is een onberekenbare vijand. Ik verwachtte dat het weer mis zou gaan. Maar dat ging het niet. Niet met mij in ieder geval. Mijn protégé werd gezocht en zwaar beschonken aangetroffen op het station in Katrineholm en teruggebracht naar het meisjestehuis. Dat was alles wat ik ervan hoorde.

Het gaf een enorm gevoel van bevrijding niet meer te hoeven kiezen tussen panische angst en een huisgenoot met sociale problemen.

Psalmzingend poetste ik haar sporen weg. Waste de gordijnen, lakens en sprei in de gemeenschappelijke wasruimte. De loper schrobde ik op de hand op de vloer van het washok. Ik kocht tulpen en maakte schuimgebak voor mezelf.

En een week later kwam dus het telegram met het aanzoek.

10

Geheel tegen mijn aard in om alles te bekennen, vertelde ik niet aan Lars-Ivar over mijn paniekaanvallen in Vingåker.

Hij kon afgeschrikt worden of zich bedenken. Nee, dat mocht niet gebeuren. Net nu alles zo verrassend snel in orde gekomen was.

Voor mijzelf kon ik de overspannen periode vlak voor mijn verloving als iets uitzonderlijks zien. Iets wat niet weer zou gebeuren. Het was toch gewoon overgegaan? Ik had geen uurtje angst meer gehad sinds we ringen hadden gewisseld in Eklöfs tearoom.

Maar achter die geruststellende gedachte school mijn geesteszieke vader over wie ik moest zwijgen.

Lars-Ivar haastte zich van nature niet. Maar als hij eenmaal iets besloten had, stond het vast en daarmee basta.

Hij had zijn verliefdheid op dat geëxalteerde meisje bevestigd.

Waar hij bij haar het meest van hield was dat ze hem aanbad, ja, verafgoodde. Niet alle mannen vallen daarvoor. Maar sommigen wel. Mannen van wie het zelfvertrouwen niet je dát is, bijvoorbeeld.

Lars-Ivar had een manier van lopen, praten en zich gedragen alsof hij zeker van zichzelf was. En hoe meer ik van hem hield, des te meer hij de held in een of andere avonturenfilm werd. Onverschrokken en daadkrachtig.

In tegenstelling tot het vrouwtje aan zijn zij. Zonder hem was zij niets.

Op zijn laatste bezoek aan mijn tweekamerwoning in het Widengrense huis was hij zo toegenegen en beschermend dat ik tegen hem aan kroop en over mijn vader vertelde.

Ik herinner me dat hij 'het goed opnam'. Hij kuste me, woelde door mijn haar, legde zijn wang tegen de mijne en zei dat iedere familie wel een lijk in de kast had. Zelf had hij bijvoorbeeld een oom van moederszijde die zichzelf had opgehangen en een oom van vaderszijde die zwaar aan de drank was. Maar zulke dingen waren niet direct erfelijk.

Misschien was de ziekte van mijn vader dat ook niet? Maar er was een kleine kans... Aan de andere kant kwam mijn moeder uit een robuust geslacht van houthakkers en keuterboeren, die hun mannetje stonden, hardwerkende en eerzame mensen. Sommigen zo doortastend dat ze naar Amerika waren geëmigreerd en zich daar hadden opgewerkt.

Mijn moeder op haar beurt had mij ook niet de hele waarheid verteld over de ziekte van mijn vader. Namelijk dat het ongeneeslijk was en dat er in een tijd waarin men veel waarde hechtte aan erfelijk materiaal en zuiver bloed, een huwelijksverbod op rustte. Maar toch was er een huwelijk gesloten. Ze had zich laten steriliseren nadat ze mij gekregen had.

Ik was een vergissing. Verwekt op de dag dat mijn vader was thuisgekomen na drie maanden in een kliniek.

Enige tijd geleden, vierenvijftig jaar na de bruiloft, kreeg ik bericht dat ik een pakje kon ophalen op het postkantoor. Het bleek een grote bruine envelop van Lars-Ivar Palm te zijn. Hij had laatjes en kasten uitgemest en sporen uit het verleden gevonden.

Lars-Ivar is iemand die nooit iets weggooit. Ik ben juist het tegenovergestelde. Bij iedere verhuizing heb ik verscheurd en weggegooid, verbrand en as verstrooid. Ik heb het zover doorgedreven dat mijn volwassen kinderen me verweten dat ik hun wortels had vernietigd.

Ik heb het ook altijd moeilijk gevonden naar oude en nieuwe foto's te kijken. Ik word niet goed van die gekleurde strookjes papier die pretenderen de werkelijkheid weer te geven. Dat doen ze namelijk nooit...

Voor de zekerheid bezit ik geen camera.

Scènes van een bruiloft. We zien het bruidspaar de Gamla Uppsala kyrka uit komen. De korte sluier wappert rond de waanzinnig stralende bruid. De bruidegom kijkt trouwens ook gelukkig. Maar meer beheerst. Deze foto is duidelijk genomen door een professionele fotograaf. Gevolgd door een stapeltje onscherpe amateurkiekjes van de bruiloftsgasten: alleen naaste familieleden. Een kleine schare mensen van wie niemand echt blij kijkt. Er hangt bijna iets schandelijks over een kerkelijke bruiloft met zo weinig gasten.

Kwam dat soms door de korte periode tussen de verlovingsadvertentie en de ondertrouw?

De bruiloft was in allerijl tot stand gekomen (net als bij mijn moeder, trouwens). Maar niet vanwege de gebruikelijke reden. De bruid verkeerde niet in gezegende toestand. Het schootje van het getailleerde jasje puilde niet uit onder haar middel.

Mijn moeder had zo halsstarrig geprobeerd het bestaan van Lars-Ivar te verdringen dat ze zelfs met haar vriendinnen niet over Signes verloving had gepraat. Tot op het allerlaatst hoopte ze dat deze verbintenis zou afketsen. Van de kant van Lars-Ivars familie was ook weinig enthousiasme getoond.

Toen Lars-Ivar in de koffiepauze tegen zijn collega's vertelde dat hij eind volgende week een paar dagen vrij zou nemen om te gaan trouwen, stootten de jongens elkaar vrolijk aan en knipoogden veelbetekenend.

Maar toen ze hoorden dat zijn verloofde niet zwanger was, zetten ze van verbazing hun koffiekoppen neer.

'Bedoel je dat je zómaar met haar trouwt?'

'Ja, inderdaad', zei Lars-Ivar.

'Jemig, horen jullie dat, jongens?'

'Is het soms echte liefde?' grapte een ander.

'Ja, misschien wel', zei Lars-Ivar. 'Zij houdt van mij. Ik hou van haar. We houden van elkaar.'

Je kunt je de grijnzende koppen en gênante stilte voorstellen en de opluchting toen de scherpe fabrieksfluit aangaf dat de pauze voorbij was.

En die man heb ik bedrogen.

Lars-Ivar, atheïst en socialist, was zo aangedaan dat hij dat schattige, naïeve meisje mocht trouwen die in hem de meest volmaakte mens zag, dat hij zelfs ingestemd had met een kerkelijke inzegening. Maar geen kroontje, daar was ik precies in. Alleen een bruid die in bijbelse betekenis ongerept was, had het recht dat te dragen.

In Griekenland zouden we genoodzaakt geweest zijn een duif te doden om het bruidslaken te bevlekken dat in de vroege ochtend na de bruiloft uit het slaapkamerraam werd gehangen, zodat de wakkere en steeds lavelozer bruiloftsgasten konden zien dat het jonge stel nu man en vrouw was.

Een trouwfoto van de portretfotograaf laat nog een keer de gelukzalige glimlach van de bruid zien, en hoe knap de bruidegom was; een echt filmsterrentype, met spannende wenkbrauwen en die glimlach.

Ook nu vind ik hem de mooiste man die je je kunt voorstellen, en de verbazing dat hij uitgerekend mij gekozen had, weerklinkt binnenin me als een oud refrein.

De envelop bevatte ook een mapje met de toespraken die tijdens de lunch in restaurant Flustret werden gehouden. Veel woorden waren speciaal voor de bruid bestemd: Inschikkelijk, Volgzaam, Begripvol, Vergevingsgezind, Ootmoedig, Trouw. Terwijl de man moest zijn: De vaste rots, Doortastend en Sterk.

Ik liet de foto's aan onze inmiddels zeer volwassen kinderen zien. Ze keken met niet-ziende ogen en riepen zoiets als: 'Lieve hemel!'

II

Aangezien ik hem verafgoodde en behoorlijk lang in dankbare verbazing leefde dat hij mij gekozen had, was het voor hem een gelopen race. Vanuit die overwinnaarspositie kon hij het zich veroorloven tolerant begripvol te zijn, radicaal inzake emancipatievragen, een man van de nieuwe tijd. We zouden zowel minnaars als maatjes zijn in een relatie waarin we alle taken verdeelden. Van kostwinnerschap tot de huishouding.

De familie van beide kanten keek handenwringend toe. Want waar moest dat heen? Ze hadden niet eens een woning.

Maar dat hadden we wel. Geen eigen appartement; de woningnood na de malaise in de bouw tijdens de oorlog had geleid tot een huisvestingsbeleid gekenmerkt door het opnemen van vluchtelingen en hopeloosheid. Maar er waren ongemeubileerde kamers te huur. We kozen voor inwoning in de wijk Hägerstensåsen, een van de nieuwe voorsteden ten zuiden van Stockholm, bij een kinderloos echtpaar van middelbare leeftijd, de Nilssons. Ze werkten allebei bij Ericsson. De kamer was negen vierkante meter, de kleinste in het tweekamerappartement. We mochten de keuken gebruiken als mevrouw Nilsson hem niet nodig had. Er werd een schema gemaakt. In de koelkast hadden we de onderste plank, in de keukenkast de bovenste. In de badkamer kregen we twee kale spijkers toegewezen waaraan we ons eigen badkamerkastje konden ophangen. Toiletpapier, afwasmiddel en borstels, schoonmaakmiddelen en vaatdoeken waren niet bij de huur inbegrepen.

Mevrouw Nilsson was erg schoon en bijzonder pietepeuterig wat betreft de badkamer. De stofzuiger in de schoonmaakkast mochten we één keer per week lenen.

Maar de telefoon mochten we niet gebruiken, zelfs niet om gebeld te worden. Op het pleintje waar de Konsum, de tabakswinkel en de fourniturenzaak zaten, stond een telefooncel. Je moest ervoor zorgen dat je een apart potje had met muntjes van tien öre.

Mijn opvoeding had weinig oefening op huishoudelijk gebied ingehouden. Dat lag niet alleen aan gebrek aan belangstelling van mijn kant. Mijn moeder wilde me ook niet om zich heen hebben in de keuken.

'Het gaat veel vlugger als ik het zelf doe', was haar steeds terugkerende antwoord.

Mijn onhandigheid met praktische dingen, mijn gestuntel en slechte coördinatie in alles, behalve dan in met mijn rechterhand lijnen op papier zetten, konden daardoor zorgeloos voortbestaan zonder door de buitenwereld gecorrigeerd te worden.

Zoals ik je al eerder vertelde, Alberte, was ik vooral een gevoelvol en begaafd meisje met te veel aan lichaam.

Daar viel Lars-Ivar dan ook niet op.

Het was mijn ziel van blauwe druifjes en lelietjes-van-dalen, de naïviteit en onervarenheid, het onbeschreven blad dat hij zou kunnen vullen met de eigenschappen en uitdrukkingen die hij voor me uitkoos.

In het begin was er vertedering voor mijn onbeholpenheid. 'Nooit eerder', zei hij lachend, 'had hij een volwassen vrouw het gat van de deur zien missen en tegen de deurpost op knallen, als een puber.'

Maar toen we naar de Inteckningsväg verhuisden, moest zijn gesleutel aan mijn persoontje tijdelijk stilgelegd worden om voorrang te verlenen aan de dagelijkse, praktische beslommeringen. Want Lars-Ivar was natuurlijk net zomin keukenprinses als ik.

Het is belachelijk hoe vermoeiend zelfs zo'n klein huishouden kon zijn, wat nog werd verergerd door de rol van controleur die mevrouw Nilsson zich had aangemeten. Kijk eens hier, kijk eens daar. Vergeten vaat op het aanrecht, een vuile rand in het bad en een paar vuile herensokken op de grond. De wc, de bril en het deksel moesten altijd blinkend schoon zijn. Afval worden weggegooid voordat het echtpaar thuiskwam.

De gemeenschappelijke bad- en toiletruimte werd meteen een neurose voor mij. Mijn moeizame stoelgang kwam nooit op 'een goed moment'. De klonters menstruatiebloed, niet vergeten gelijk poeder in de pot te gooien, met de borstel schrobben en doortrekken; ja, al die walgelijke dingen die mijn moeder altijd deed (in Parijs waren er werksters).

Lars-Ivar werkte nog steeds op de drukkerij.

Het toppunt van mijn gelukzalige onderwerping was dat ik in het ochtendgrauwen op de kamer pap kookte op ons eigen elektrische kookplaatje, de pan in krantenpapier wikkelde zodat de inhoud niet zou afkoelen terwijl ik vervolgens het theewater kookte. Ondertussen was Lars-Ivar in de badkamer.

Ik, die 's ochtends nooit uit bed kon komen, deed het met trots en enthousiasme.

Ik had een echtgenoot. Lars-Ivar was mijn man. Ik was zijn vrouw.

Het was de bedoeling dat Lars-Ivar af en toe een dag vrij zou nemen om bij reclamebureaus en uitgeverijen zijn werk te gaan tonen. Maar hij was kunstenaar. Het kon vernederend zijn compromissen te sluiten en de directeur ter wille te zijn. Dan kon je maar beter arbeider zijn.

Ik daarentegen, had er nooit een seconde van gedroomd kunstenaar te worden. Ik verkeerde in euforie omdat mijn droom in vervulling was gegaan. Ik had nog wel contact met *Bonniers Månadstidning*, maar het was geen regelmatige bron van inkomsten. Ava Rosenholm was immers hun belangrijkste illustratrice. Mijn Parijse avontuur was meer een intermezzo geweest voor de modepresentaties in het maandblad. Maar ik was beter in het tekenen van jonge meisjes dan mijn oude lerares, en we stonden net aan de vooravond van het ontstaan van de tienermode.

Hoe het ook zij, ik ging op zoek naar namen en adressen in het telefoonboek, vulde mijn groengemarmerde Franse tekenmap met werkstukken, klemde hem onder mijn linkeroksel en ging op pad. Koket op het achterhoofd rustte mijn studentenpet op mijn halflange, licht krullende haar.

Soms werd ik al bij de receptie gevraagd te bellen om een afspraak te maken met de hoofdredacteur of het hoofd van de reclameafdeling. Met het zweet op mijn bovenlip, halfblind door de beslagen brillenglazen fluisterde ik dat we geen telefoon hadden. Maar misschien dat ik gelijk een afspraak kon maken, nu ik er toch was?

Soms moest ik in de gang wachten.

Een zogenoemde art director van een kleine krantenmaatschappij was blij verrast over mijn werk en plaatste gelijk een bestelling. Ik moest een bloes tekenen waar de lezers het patroon van konden bestellen. Een vrij onbeduidend klusje, maar het was een begin. En er zouden meer opdrachten volgen.

Het was nog steeds zomer en broeierig warm, en dan die knikkende knieën als ik in een kamertje zat te wachten tot ik werd binnengelaten.

Bij *Kvinnans Värld*, het meest toonaangevende damesblad van Zweden, waren de vrouwen slank en hooghartig elegant, hun kille stemmen schel. Ik moest lang wachten voordat er iemand tijd voor me had. De hoofdredacteur kreeg ik niet te zien, maar een hautaine, knappe vrouw met een bekende naam, Estelle Karr, berucht om haar meedogenloosheid, vatte sympathie voor me op. Dat blozende, angstige meisje met haar studentenpet, was het om te lachen of om te huilen? Maar wat ze in haar map had, was nieuw en verfrissend. Estelle Karr kon moeilijk plaatsen dat ik van de Beckmanschool kwam, maar dat vond ze juist wel grappig.

Estelle Karr was dus bemoedigend. Niet dat ze op het moment iets voor me had. Maar ze beloofde te bellen zodra er zich iets voordeed. 'Wat is uw telefoonnummer?'

Het duizelde in mijn hoofd en weer besloeg mijn bril toen ik moest bekennen dat we geen telefoon hadden.

'Maar er is een telefooncel op het pleintje.'

Bij die mededeling kreeg Estelle Karr bijna tranen in haar ogen.

'Bel me donderdagmiddag. Zullen we dat afspreken, dat u iedere donderdag belt?'

Op de derde donderdag stapte er een ongelukkige immigrant uit de telefooncel en verklaarde: 'Kaputt. Telefon, kaputt.'

Ik haastte me naar de tabakswinkel, kocht een paar kranten en vroeg toen of ik de telefoon mocht gebruiken.

Liever niet, begreep ik. Hij hing namelijk aan de muur achter het gordijn dat de winkel van het woongedeelte scheidde.

Maar vooruit dan. Als ik het kort hield.

'Kunt u kinderen tekenen?' vroeg Estelle Karr.

Ik voelde mijn gezicht warm worden.

'Ik weet het niet. Ik heb nooit...'

'Kletspraat, natuurlijk kunt u dat. Kom morgen het materiaal ophalen. Voordat het nieuwe schoolseizoen van start gaat willen we een rubriek met kleding voor jonge kinderen die voor het eerste jaar naar school gaan.'

'Maar', onderbrak ik buiten adem.

'Dit zal u uitstekend afgaan, dat weet ik gewoon. Zullen we zeggen morgen om halfdrie, schikt dat?'

Het norse gezicht van de winkeleigenaar kwam om de hoek van het gordijn.

'Ja, prima. Ontzettend bedankt.'

Het eerste wat ik vervolgens deed, was op zoek gaan naar de dichtstbijzijnde bibliotheek en me inschrijven. Van de zenuwen gaf ik mijn meisjesnaam op. Nieuw formulier, alstublieft.

Signe Palm, mevrouw. Modetekenares.

Ik ging naar huis met vier boeken met hoofdzakelijk foto's van kinderen. In de keuken was Lars-Ivar bezig met de aardappelen. In de koelkast wachtte de kalfszult, in de keukenkast de pot bietjes. Ik besefte hoe enorm bevoorrecht mijn bestaan was. En tegelijkertijd bekroop me het verontrustende gevoel dat het niet eeuwig zo goed kon blijven.

*

Lars-Ivar en ik hadden allebei de ambitie de diverse verantwoordelijkheden eerlijk te verdelen. Bij ons kon er geen sprake van zijn dat de man neuriënd tussen schildersezel en object heen en weer liep tot het licht minderde en de schaduwen anders werden, terwijl ik in de rol van huisvrouw het eten op tafel toverde.

Zoals tussen Sivert en jou, Alberte, zou het tussen Lars-Ivar en mij nooit worden.

Sivert redde letterlijk je leven toen hij je toevallig op die armzalige hotelkamer aantrof, zwaar ziek van de griep, en mee naar huis nam. Hij verzorgde je, voerde je, zorgde ervoor dat je er warm en droog bij lag terwijl je langzaam terugkeerde tot de werkelijkheid, die ook Siverts werkelijkheid was.

Het minste wat je uit dankbaarheid kon doen, was bij hem blijven. Een huishouden voor twee was per definitie goedkoper. Per persoon, dan.

Hij was verbazingwekkend zachtaardig en geduldig. Drong zich niet aan je op maar wachtte tot jij zelf de eerste stap zette.

Ja, het was toch een ervaring die bij het Leven hoorde en de vier woorden ontglipten je: 'Ik hou van je.'

Je ziet hem artisjokken schilderen en andere groente; tot het uiterste gebruikmakend van het karige daglicht. Terwijl jij eten kookt, zijn sokken stopt, het huis zo'n beetje schoonhoudt. Al is hij niet de ware. Af en toe helpt hij je met de afwas. Soms zit je model voor hem.

Je leeft. Je leeft verder, met brokstukken van herinneringen: een glimp van een gezicht, de intonatie van een woord, de aanraking van een hand; zulke beelden kunnen je overrompelen als vanuit een hinderlaag. Ondertussen hoor je hoe Sivert zich scheert, het klinkt alsof er aardappels geschrapt worden. Het snijdt je door de ziel. Maar alles gaat over. Je kunt niet constant lijden en verlangen.

Ja, zo is je leven. Ik ken je lijden, maar meer terloops. Want zelf heb ik immers mijn Geluk. Ik heb de Prins gekregen – de man die op Cedolf leek – en hij is de eerste die mij tot vrouw heeft genomen. Hij is ook de Bevrijder in ander opzicht. Doordat mijn moeder hem niet mag, is hij een weg bij haar vandaan.

Jouw moeder liet je los door dood te gaan.

Jij had niet de hulp van een ongeschikte passie nodig.

Maar bij ons allebei hielden onze moeders nog lang hun greep met die hoe-kun-je-me-dit-aandoen-blik.

Lars-Ivar zwoegde voor het dagelijks brood op de drukkerij. Ik kon datgene doen wat ik het liefst wilde. Alberte, hier zie je het verschil in onze omstandigheden. De opdrachten stroomden binnen. Ik had de hele dag om eraan te werken. De werktafel stond voor het ene raam. Licht van links. Aangezien ik werkte met de tekenplank op schoot, was er voldoende plek.

Lars-Ivar kon alleen 's avonds en 's nachts schilderen en daar ontstond een probleem dat we niet voorzien hadden.

Zoals mijn prinses-op-de-erwt-behoefte aan een stille, donkere kamer om te kunnen slapen.

En toen Lars-Ivar, volkomen in zijn recht, een daglichtlamp kocht die hij 's avonds en 's nachts in de armatuur aan het plafond draaide, werd ik gek. Hoe moest ik in 's hemelsnaam slapen met dat felle, blauwwitte licht in de kamer?

Lars-Ivar begreep er niets van. Het was toch gewoon een kwestie van je ogen dichtdoen, op je zij gaan liggen en slapen? Als je echt moe was sliep je heus wel, of het nu donker was of licht, stil of met de radio aan. Zo was het namelijk bij Lars-Ivar. Hij had het ongeëvenaarde vermogen te slapen wanneer hij daartoe besloot. (Later zou blijken dat de slaap zijn manier was om dingen uit de weg te gaan. Als er problemen opgelost moesten worden. Besluiten genomen. Het geld op was. Dan werd hij bevangen door een enorme slaapbehoefte. Binnen drie minuten was hij van de wereld.)

Ik beklaagde me huilend, vertelde hoe in het lichte jaargetijde zelfs de kieren rondom het rolgordijn met een lap afgedicht moesten worden…

Maar Lars-Ivar kende geen pardon. Hij lachte spottend om zulk overspannen gedoe.

Mijn burgerlijke verwendheid in een notendop. Maar nu waren het andere tijden. Ik woonde niet meer bij mijn moeder die op haar tenen rondsloop met een extra lap. Ik was een volwassen vrouw. Die getrouwd was en werkte.

Maar als ik niet kon slapen kreeg ik last van een nerveuze blaas en moest om de haverklap mijn bed uit. De derde keer struikelde ik, stootte tegen de ezel en het olieverfschilderij viel op de grond. Met de natte kant naar beneden.

Hij brulde, pakte mijn bovenarm vast zodat het pijn deed. Ik begon luid te huilen. Het was halfeen 's nachts. Het bed van de Nilssons stond tegen de muur waar ons ladekastje stond. We wisten hoe gehorig het was. Iedere zondagochtend konden we ze bezig horen met gebonk en dierlijke geluiden.

Dus nu greep Lars-Ivar ook mijn andere bovenarm en schudde me heen en weer.

'Hou je kop. Begrepen? Nu hou je verdomme je kop, anders...'

Verder ging het niet.

Tegen die tijd schokte ik als een klein kind van het huilen en moest getroost worden.

Maar kort voor zo'n omslag was zijn gezicht dat van een vreemde, boosaardig, met haat vervuld zelfs.

Het was allemaal zo ellendig onoplosbaar. Lars-Ivar met zijn grote talent hoorde niet in een fabriek te werken en daarbij nog een vrouw te hebben die scènes schopte als hij probeerde wat vrije tijd voor zichzelf te besteden.

Als het goed was tussen ons kon ik buitengewoon optimistisch zijn en manieren bedenken waarop we dingen konden veranderen: 'En als ik nou steeds meer opdrachten krijg. Ik heb gisteren toch mijn tekeningen bij Anders Anderssons reclamebureau laten zien en ze hebben er een paar gehouden om aan een klant te laten zien, een kledingzaak die iedere vrijdag een advertentie met afbeelding plaatst. De tekenaar die ze nu hebben houdt ermee op.'

Irma Sundbom, zoals de eigenares van de zaak heette, zou het werk van mij en nog iemand anders beoordelen.

Veel wees erop dat ik de opdracht zou krijgen. Er zat meer vaart in mijn tekeningen. Een jeugdiger sfeer.

En al was hun collectie niet opvallend jeugdig, er was een tendens naar het 'jongere'. Ook hun klanten voelden dat zo.

Áls ik die opdracht kreeg, was het voor langere tijd. Een vast bedrag iedere week. Plus nog opdrachten van *Kvinnans Värld* of *Bonniers Månadstidning*.

En Estelle Karr had positieve reacties gehad op mijn bijdrage voor kindermode. Ik had inmiddels ook de hoofdredacteur, Louise Svenzén, mogen ontmoeten, een blonde, potloodscherpe vrouw van onbestemde leeftijd. Ze nam me met toegeknepen ogen op door de sigarettenrook.

'Nietwaar, Louise', zei Estelle Karr en ze zette haar zwarte, rechthoekige montuur goed. 'Is juffrouw Palm geen interessante aanvulling op Inez Klint? Signe Palm voor de jongere lezers. We moeten ons meer gaan richten op de groep die *Bildjournalen* leest. Als we duidelijk op de jongere mode mikken, kunnen we hen binnen-halen.'

Louise Svenzén stak opnieuw een lange sigaret op die ze uit een elegante zilveren etui had gevist. Nam een paar stevige trekken terwijl ze mijn map doorbladerde.

'Daar zit misschien iets in', moest ze toegeven. 'Maar we moeten het op de volgende vergadering eerst met de heren bespreken.'

De heren waren de bazen. De eigenaars. Die alles bezaten. Zowel de bladen als de elegantste dames van de redactie.

Hier leefde het feodale systeem nog voort tot op de dag van vandaag.

Hoe dan ook, als het mij voor de wind ging, kon ook Lars-Ivar zich vrijmaken, opzeggen bij de drukkerij, een map maken met eigen werk en langsgaan bij reclamebureaus en boeken- en tijd-schriftenuitgeverijen.

In mijn praatzieke roes vergat ik helemaal dat als we allebei thuis zouden werken, we allereerst naar een eigen appartement moesten verhuizen. Want in deze woning, een overvolle kamer die drie functies had – slaapkamer, werkkamer en woonkamer – kon je slechts in ploegendienst werken. Ik tekende overdag en Lars-Ivar schilderde 's nachts.

Het viel zelfs niet mee een plek te vinden voor de liefde in deze huurkamer. Een uitklapbare bedbank. Een vaste boekenkast. Werk-tafel met ladeblok. Twee krukken. Een scheve, zelfgetimmerde kast voor serviesgoed en zo. Een doek ervoor, vastgezet met punaises. Onze kledingkast stond in de hal. Een ladekastje in boerenstijl tegen de muur tegenover de bank. Tussen het ladeblok en het ladekastje stond de schildersezel van Lars-Ivar weggepropt. Als de ezel uit-stond en de slaapbank was uitgetrokken kon je er alleen nog langs door je adem en buik in te houden.

Wanneer ik mijn fantasie zo op hol liet slaan, had Lars-Ivar op de onmogelijkheden moeten wijzen. Maar dat deed hij niet. Hij schoot in de lach, lief en verliefd, want het was immers juist dat naïeve, goddelijk onverstandige meisje door wie hij zich had laten verlei-den.

'Je bent niet goed wijs', mompelde hij terwijl hij me naar zich toe trok en me begon te kussen.

Tijd om het bed uit te trekken was er niet.

Terwijl we bezig waren hoorde ik Eric en Majlis Nilsson het slot van de buitendeur opendraaien, al pratend hun jas ophangen en toen vielen ze stil en leken roerloos te blijven staan.

Maar daar hadden we lak aan. Ook ik.

Toch schoot midden in alle opwinding door me heen dat er nog vuile vaat in de keuken stond.

12

Jij kunt je bij tijden tevreden voelen met je leventje bij Sivert. Soms als hij je aanraakt en er hete golven door je heen slaan die hij met zijn handen heeft bewerkstelligd, ben je bijna dankbaar.

Jullie zijn twee eenzame en verkilde mensen die zich oprollen bij een vuur en elkaar hebben. Je voelt grote genegenheid voor hem. Sivert, die jou warmte en geborgenheid geeft, fungeert als een buffer tussen de wereld en de kou.

Op een dag besef je hoelang het geleden is dat je iets van Liesel en Eliel hebt gehoord. Je bent een paar keer onverrichter zake bij hen langs geweest. Als je er tegen Sivert over begint kijkt hij niet op van het schilderij waar hij mee bezig is. Mompelt enkel iets over dat Eliel het zo druk heeft.

De derde keer doet er weer niemand open. Je staat op het punt een briefje te schrijven en onder de deur door te schuiven als je toevallig omhoog kijkt en Liesels gezicht ontdekt, bleek en met grote ogen, achter het kleine raampje helemaal boven.

Je ziet het in een flits, dan verdwijnt het.

Je wordt gegrepen door een overweldigende angst. 'Liesel', roep je.

Je roept het steeds weer. Je hebt het begrepen. Je weet het. Voor Liesel is het gegaan als met zo velen voor haar. En het kan ook jou overkomen.

Ze hebben dingen in haar gestoken, een arts die Eliel toevallig kende, heeft het gedaan. Ze hebben haar op een tafel gelegd, Eliel hield haar vast terwijl de ander een instrument naar binnen duwde. Ze noemden het een eendenbek. De pijn was ondraaglijk, maar meer nog de vernedering. Daar te liggen en hen hun gang te moeten laten gaan.

Liesel was bijna vijf maanden geweest. Het was... een klein kindje, een bloederig, levend lichaampje met armpjes en beentjes en alles erop en eraan. 'Albertchen! Doe het nóóit, wat er ook gebeurt!' had ze geroepen.

Liesel werd beter, ze genas vanbinnen. Maar ze zou nooit meer kinderen kunnen krijgen. Liesel had vooral over Eliel gepraat. Dat het niet zijn schuld was. Hij had immers zijn stipendium, zijn kunst om aan te denken. En collega's, een koper misschien die naar het atelier kwam. Daarom moest Liesel zich hierboven verborgen houden.

Nu vertoont Liesel zich weer onder de mensen. Ziet eruit als vroeger. Praat zoals altijd. Maar ze lijkt wel uitgedoofd. En is niet in staat te schilderen.

Met jou gaat het onrustbarend goed. Je staat model en Sivert merkt op dat je bent aangekomen, en dat het je flatteert.

Op een dag zit je bij je koffer met alle volgeschreven blaadjes. Je begint te lezen, corrigeert hier en daar iets, het is de eerste warme februaridag, je leunt tegen de vensterbank waar de zon op schijnt. Je voelt hoe moe je bent. En tegelijk is daar de wetenschap dat nu, na al het moeilijke, na alle mislukkingen en vergeefse inspanningen, alles misschien op zijn plaats zal vallen. En in een soort milde extase fluister je tegen de zon: 'Doe met me, Leven, wat je wilt, maar laat me begrijpen, zien en tot inzicht komen.'

Met dat gevoel van rust en welbehagen ga je op de divan liggen.

Dan komt Liesel. Ze stelt vragen. Neemt je nauwlettend op. Ze vindt dat je er moe uitziet. Die blik van herkenning in Liesels ogen en als een bliksem word je getroffen door de zekerheid.

Je vroeg het leven met je te doen wat het wilde. Dat was niet nodig geweest. Het leven overdrijft altijd zo.

Met mij weet je het nooit. De menstruaties zijn altijd onregelmatig. Het is niet dat we geen kinderen willen, integendeel, maar op dit moment is het onmogelijk. Lars-Ivar is erg secuur met die vervelende condooms en ik weiger te kijken wanneer hij er eentje omdoet. Als hij in ochtendjas de badkamer in gaat, kruip ik in elkaar met mijn gezicht naar de muur. Totdat het mijn beurt is om me op te sluiten en te wassen.

Voorzichtig is hij tegen me begonnen over een 'voorbehoedmiddel' dat bij een vrouw wordt ingebracht. Pessarium heet het en het zit daar als een schild zodat het sperma er niet door kan.

Met een pessarium zou ons samenzijn intiemer en natuurlijker zijn, volgens Lars-Ivar.

Een condoom is effectief (behalve als de liefdesdaad zo heftig is dat het scheurt). Maar met een pessarium zou zijn naakte huid de vochtige wanden van mijn vagina raken. Dat zou een heel andere ervaring zijn, verzekerde hij, 'voor ons allebei'.

Dus ging hij met me mee en zat in de wachtkamer terwijl een gynaecoloog me er eentje aanmat. Van de vernederende houding in een gynaecologenstoel kan een man zich geen voorstelling maken.

Bij het pessarium kreeg je een gebruiksaanwijzing. Daar stond in hoe je ermee om moest gaan. Maar ook dat je darmen goed leeg moesten zijn voordat het ingebracht werd. Anders sloot het mogelijk niet goed aan.

Deze simpele informatie veroorzaakte de eerste zenuwcrisis bij de jonge echtgenote. Het probleem met de daglichtlamp was een bagatel vergeleken met wat er nu volgde.

Ik kreeg last van obstipatie. De ene dag na de andere verstreek zonder ontlasting. Buikpijn en krampen dreven me telkens naar het toilet, maar nee. Alsof ik stopverf in mijn darmen had. De tweede week begon Lars-Ivar zich zorgen te maken. Voor mijn slapeloosheid had hij geen begrip kunnen opbrengen. Maar als je niet naar de wc kon, dat kon nooit goed zijn.

Dus gingen we naar het eerstvolgende spreekuur. Lars-Ivar zat weer in de wachtkamer

Ik zat in een benauwd kamertje, wijdbeens, een lamp op mijn endeldarm terwijl de dokter verwijderde wat er 'in de weg' zat.

Ik kon me niet voorstellen dat iemand ooit zoiets had meegemaakt. Maar de dokter bleek het eerder bij de hand te hebben gehad. Vooral bij jonge vrouwen. Zowel gehuwde als ongehuwde. Nadat ik een klysma had gekregen en daarvan was bijgekomen mocht ik me aankleden en de spreekkamer in gaan.

Daar begon de dokter zonder inleiding over het huwelijkse samenleven. Of er soms een verandering was ingetreden.

Blozend mompelde ik iets over de aanschaf van een pessarium en dat we het nooit hadden kunnen gebruiken 'omdat je darmen geleegd dienden te zijn...'

Verder kwam ik niet want toen stroomden de tranen te voorschijn alsof er een waterkraan werd opengezet.

Verblind snotterend zocht ik in mijn handtas naar een zakdoek.

De dokter belde een verpleegster die mij een handdoek overhandigde met de naam van de provincie erop.

Ik huilde van opluchting over het feit dat ik van mijn obstipatie af was, maar ook uit vertwijfeling omdat ik zo'n hopeloos geval was. Lars-Ivar zou teleurgesteld zijn. Hij had zich er zo op verheugd niet langer 'toffees te hoeven eten met het papiertje erom'.

De dokter liet me uitsnuiten voordat hij zei dat hij een gynaecoloog naar me zou laten kijken, nu ik toch in het ziekenhuis was. Misschien waren er andere redenen waarom een pessarium niet geschikt voor mij was.

Lars-Ivar, die een ochtend had vrij genomen om met me mee te gaan, moest me nu alleen laten en zich naar zijn werk haasten. Het belangrijkste was achter de rug. Dus liep ik alleen trappen op en gangen door en duwde klapdeuren open tot ik bij de Vrouwenkliniek arriveerde.

Ik had een vrouwelijke gynaecoloog. Dat zou minder onbehaaglijk moeten zijn, maar dat was het niet. Toch had ze een bericht voor me dat als troost beschouwd kon worden.

Mijn inwendige geslachtsorgaan was zo gebouwd dat een pessarium niet goed zou aansluiten.

Ik kon daar niets aan doen. Het waren geen zenuwen of bangigheid. Het was een lichamelijke onregelmatigheid. Maar wel pech natuurlijk. Als je het vanuit Lars-Ivars optiek bekeek.

We moesten dus op dezelfde voet verdergaan als voor die tijd. Op het werk was Lars-Ivar bevriend geraakt met Carlo, een Italiaanse immigrant. Van hem kreeg hij de tip over 'de veilige dagen'. Binnen de Katholieke Kerk was iedere vorm van geboortebeperking verboden door zowel God als de wereldlijke overheid. De veilige dagen daarentegen, die kon God accepteren. Die zaten namelijk al in het systeem van de vrouw zelf, maakten deel uit van de cyclus. Enkele dagen na de eisprong, dus ergens midden tussen twee menstruaties in, bevond zich een steriele periode.

Carlo had uitstekende ervaringen met deze methode en Lars-Ivar vond dat we het moesten proberen, ook al kwamen mijn menstruaties vaak laat en begonnen ze zelden op dezelfde datum.

Het werd steeds duidelijker dat ik lastiger was dan andere meisjes.

Bij zijn liefkozingen tijdens het voorspel had Lars-Ivar iets aangeraakt dat daar beneden aan de buitenkant zat, vlak voor de plek waar hij naar binnen drong. Precies daar brandde een intens, duizelingwekkend genot. Ik onderdrukte het onmiddellijk. Het leek me erg gevaarlijk daaraan toe te geven.

Ik had een naar vermoeden dat het ergens daar in de buurt was dat lesbische vrouwen iets deden.

Dat besef maakte me doodsbang. Zou er dan toch iets met me mis zijn? Het was nog maar een paar jaar geleden dat ik mijn lerares Zweeds adoreerde, ja, ik hield van haar. Toen wist ik niet hoe abnormaal dat was. Ik had ook gemerkt dat jongens nooit iets bij me 'probeerden', zoals ze bij andere meisjes wel deden. Hoeveel zelfkritiek ik ook had, ik begreep dat het niet kwam omdat ik zoveel lelijker was dan zij. Het moest gewoon iets anders zijn. Ik was niet normaal. Dat moesten ze merken. Ik scheidde een onbehaaglijke geur af die jongens deed terugdeinzen.

Mijn moeder had een keer gesuggereerd dat het mijn *reinheid* was, en dat ze uit respect daarvoor...

Goede God. Ik wil als de anderen zijn, goede God, verander me in een normaal meisje. Dat had Lars-Ivar dus gedaan.

Hij was gekomen en had me inderdaad van het kwaad bekeerd. En niet alleen dat. Hij zou me ook bekeren van mijn aangeleerde 'kindergeloof', dat alles voor zoete koek had geslikt.

Plichtsgetrouw, maar met tegenzin, had ik voor het altaar geknield om Zijn lichaam te eten en Zijn bloed te drinken. Ik had tevergeefs gewacht op de devotie, het licht. Het hele ritueel heb ik altijd naar gevonden; afschuwelijk zelfs.

Een meisje dat actief lid was van de christelijke jongelingenvereniging en één keer in de week naar bijbelbijeenkomsten ging...

Maar dat hielp dus niet. Ik heb nooit kunnen accepteren dat dat bloed voor mij vergoten was, dat lichaam gestorven voor mijn zonden. Daar hing hij met bloedend hoofd, spijkers door zijn handen en voeten, huilende vrouwen aan de voet van het kruis.

Dat was allemaal mijn schuld.

We maakten een uitstapje met een plaid, sap en koffiebroodjes naar een stuk bos achter onze wijk. Ik had stiekem mijn bijbeltje meegenomen. Ik wilde iets voorlezen aan Lars-Ivar dat in ieder geval móói was. De zaligsprekingen, Mattheüs 5.

Ik las duidelijk en gevoelvol. Ik kende het immers bijna vanbuiten.

Plotseling onderbrak hij mij.

'Hé, stop daar. Wacht. Wat staat daar nou feitelijk?'

'Feitelijk?'

'Ja.'

Toen was het alsof ik een witte vlek in mijn hoofd had. Of was het een radertje dat haperde? Het was leeg en stil daarbinnen.

Ja, wat stond daar nou feitelijk?

Deze tekst behoorde tot het standaardrepertoire van gelovige meisjes. Daar stond de Boodschap van het Evangelie. We hadden het keer op keer gelezen en vroom gezucht tijdens de analyses. Maar we hadden het nooit in twijfel getrokken. Natuurlijk niet.

We hadden ook de Opstanding geaccepteerd en de Heilige Geest die als vurige tongen boven de hoofden van de apostelen hing.

Nee. Ik kon niet verklaren wat ik zojuist gelezen had.

Zo overwon Lars-Ivar.

Mijn religieuze overtuiging verdween als sneeuw voor de zon.

O, Alberte, je zult begrijpen wat een opluchting dat was. Lars-Ivar trakteerde me op nog een bevrijding.

Toen ging hij aan de slag met 'de kleine lettertjes'.

Uit de bibliotheek bracht hij de nummer één uit de arbeidersliteratuur mee naar huis: *Pelle de veroveraar* van Nexø. De serie over Lars Hård van Fridegård. *Rya-Rya* van Ivar Lo-Johansson. Eigenlijk vond ik alleen dat laatste boek echt goed.

Lars-Ivar schonk mij de sociaal-democratische overtuiging van mijn vader, die mijn moeder angstvallig buiten de deur had gehouden.

De houthakkersdochter wilde een dochter van goed christelijke burgerklasse. Zoals mijn opa en oma van vaderskant zeker. Of die vrome tante Dagmar.

O, wat was ik bang geweest voor God. Voor hem en voor mijn moeder.

Daar stond Lars-Ivar als een overtuigde antichrist en keek met welwillende ogen op me neer.

We zouden in het vervolg op dezelfde partij stemmen. Onze kinderen zouden ons navolgen.

Lars-Ivar was een praktische en vindingrijke gids. Hij hield van mijn kinderlijke onschuld, waardoor ik een vreemde eend in de bijt was geweest op de Beckmanschool.

Maar nu was ik beroepsmatig verbonden met mode en reclame en in die wereld weet men onschuld zelden te waarderen. (Estelle Karr was zo'n zeldzaamheid.)

Lars-Ivar vroeg mij uitgerekend haar te vragen naar een goede kapsalon. Ik zat thuis op de bank en Lars-Ivar zat voor me op een krukje terwijl hij aan mijn haar frunnikte. Hij tilde het op, hield het naar verschillende kanten en kwam op een idee dat hij uitschetste. Hij zette mijn bril af en zei dat ik eens een ander montuur moest proberen.

Ons verhaal was een klassieke Pygmalion-variant met een slot geschreven door Strindberg.

Tientallen jaren voordat het woord 'stylist' werd uitgevonden, werd ik door mijn man 'gestyled'. Mijn dankbaarheid viel niet in woorden uit te drukken. Lars-Ivar maakte echt een heel ander meisje van me. Hij zag mogelijkheden die niemand ooit had gezien. Op dezelfde manier als Gösta, toen die zag hoe ik fluweel schilderde: dit is iemand die hartstikke goed kan worden.

Het werd allemaal mogelijk gemaakt door een flink honorarium van *Kvinnans Värld*, dat ik had ontvangen voor een opdracht voor feestkleding voor de 'jonge dame'.

In salon Noblesse vlak bij Stureplan werd ik geknipt door monsieur Karl. Lars-Ivar hield toezicht. Kortgeknipt, puntjes voor mijn oren, een pony. Met daarbij: een schuin oplopend, rood brilmontuur, de nieuwe cat look. Voilà. Nagellak in dezelfde kleur rood.

Estelle Karr moest toegeven dat het erg geslaagd was. Maar toch ook een beetje zonde.

Mijn moeder was geschokt, en dat zou nooit meer overgaan.

Lars-Ivar had blootgelegd wat mijn moeder op allerlei manieren had geprobeerd weg te werken tijdens de opvoeding. Zij en haar vriendinnen kregen nu dus de schrik van hun leven. Telkens als mijn moeder mij zag, verscheen er een gepijnigde blik in haar ogen en met een diepe zucht tilde ze haar hand op om mijn pony opzij te schuiven.

'Dat mooie, zuivere voorhoofd', klaagde ze.

En ik reageerde door woedend mijn pony weer naar voren te duwen.

Ik bedoel dat ze letterlijk iedere keer als we elkaar zagen dat gebaar maakte. En dat ik mijn hoofd wegtrok en razend mijn pony goed deed.

En over de rode nagels: 'Bah, het lijkt wel alsof ze in bloed gedoopt zijn.'

Inderdaad. Tralala.

Estelle Karr deed me ook een goede thuisnaaister aan de hand, 'een juweel' zoals de dames uit de burgerklasse dat plachten uit te drukken.

Inga Lind op de Rörstrandsgata tweehoog was een stevige vrouw van middelbare leeftijd met geblondeerd haar en een zweem van een snorretje op haar bovenlip. In haar woning hing een atmosfeer verzadigd van parfum, sigarettenrook en bodempjes wijn. In de verte rook het naar herenpommade – mevrouw Lind had een groot driekamerappartement en de hoekkamer werd verhuurd.

'Altijd heren', verklaarde ze. 'Dat is wel zo simpel. Dames geven zoveel rompslomp. Dan moeten ze weer ondergoed wassen of iets opwarmen in de keuken. Heren doen hun was de deur uit en eten buiten de deur. Ze zetten zelfs geen thee, het enige wat ze willen is een hoekje in de koelkast voor hun bier.'

Inga Lind was een kunstenaar op de naaimachine. Daar kwam ik met mijn tekeningen, de new look, de hele mikmak, en ze begreep het meteen. We wisten allebei dat deze mode paste bij een meisje met smalle schouders, slanke taille en brede heupen.

Lars-Ivar, Inga Lind en ik waren meer dan tevreden. Het enige probleem was dat de kleren zoveel plaats innamen in de kast.

Er kwam nu regelmatig geld binnen. Ik had de advertentieopdracht voor Irma Sundboms Damesconfectie gekregen.

Als ik in de stad was – de chique driehoek tussen Nordiska Kompaniet, Sidenhuset, Norrmalmstorg, Leja, Biblioteksgatan, Stureplan en Märthaskolan – liep ik vaak een van de meisjes van de Beckmanschool tegen het lijf. De zoete triomf wanneer ze me nauwelijks herkenden! Maar ze hadden mijn werk in de bladen gezien en menigeen vroeg naar mijn contacten. Was het Ava die…?

Ik verstrakte. Antwoordde droog dat niemand mij geholpen had. Ik was zelf met mijn werk langsgegaan.

'Dat je zoiets durft', verzuchtte een meisje van betere stand, een van Ava's lievelingetjes die haar ambities inmiddels had laten varen en verloofd was met een luitenant van de luchtmacht. Over drie weken zou hun huwelijk in de Hedvig Eleonorakerk afgekondigd worden. Mams en paps hadden besloten dat de bruiloft daar ook zou plaatsvinden.

Ik kreeg voorgespiegeld hoe prachtig het allemaal zou worden. Birgers kameraden van het garnizoen met gekruiste degens voor de uitgang, het strooien van rijstkorrels en de camera van haar vader. Vijf bruidsmeisjes en twee bruidsjonkers.

Het deed me allemaal niets. Ik was pacifist en links. In zulke kringen hebben uniformen en gekruiste zwaarden een negatieve lading.

Ik begon me te realiseren dat ik geen vrienden had. Mijn oude boezemvriendin uit Skåne was getrouwd en woonde in Hörby en had al een kind. Ik had niet net als jij, Alberte, een kring vrouwen om me heen die me na stonden. Zoals Liesel, Marusjka en Alphonsine.

Met name Liesel.

Lars-Ivar daarentegen was een charmeur die ook bij mannen populair was. Masculiene uitstraling, rap van tong. Voldoende cynisch.

Maar mensen ontvangen kon niet. Zoals wij woonden.

Op een avond werden we thuis uitgenodigd bij de bekende

kunstenaar Erik Frantz, tevens een van de meest gevraagde illustra-
toren van literaire boeken en tijdschriften.

Er waren in totaal vier gasten. De andere twee waren ook kunstenaar. Hij was beeldhouwer en zij textielontwerper. Ze had een paar
opmerkelijke dessins vervaardigd. De gastheer zelf had geen vaste
vriendin, had Lars-Ivar me verteld. Opdat ik de vrouw die erbij was
niet met mevrouw Frantz zou aanspreken. Ze was ondertussen wel
degene die de haring had ingelegd, een voortreffelijke Janssons
frestelse had klaargemaakt en de gehaktballetjes had gedraaid. Verder werd de eettafel vooral gedomineerd door drank: een beslagen
borrelkaraf en een hele batterij flesjes bier.

De spitse glaasjes werden tot de rand gevuld. Ze moesten zo vol
zijn dat ze net niet overliepen als ze opgetild werden en het 'ad
fundum' uit de droge kelen klonk.

Maar dit heilige ritueel werd afgebroken nog voordat het begonnen was.

Lars-Ivar wees erop dat zijn vrouw niet dronk.

Erik Frantz' gezicht betrok, hij opende een bierflesje en zei dat ik
daar dan maar mee moest proosten.

Lars-Ivar stak nog een keer afwerend zijn hand op.

De gastheer, die snakte naar zijn eerste borrel, raakte ontstemd.

'Waar moet ik zo'n verwend nest dan op trakteren? Champagne
zeker?'

'Geef me maar een glaasje water', fluisterde ik.

'WATER! Wat krijgen we nou? Zeg, Lars-Ivar, wat heb jij nou
voor trut aan de haak geslagen, die niet eens tegen een borrel kan?'

Lars-Ivar werd wit rond zijn neus.

Zwijgend stond hij op, gebaarde met zijn hoofd dat ik hetzelfde
moest doen, legde zijn arm om mijn schouder en zei: 'Weet je wel
dat je over mijn vrouw praat, Erik?'

Het gezelschap zat als versteend. Opengevallen monden. Vissen-
bekken.

'Kom', zei hij tegen mij.

Op hetzelfde moment legde hij zijn hand in mijn nek, dat
fantastische gebaar waarmee je laat zien van wie je houdt en wie
bij je hoort.

'Mijn vrouw en ik gaan ervandoor, met uw welnemen', zei hij met de intonatie van een toneelspeler.

'In godsnaam, Lars-Ivar...' begon Erik Frantz.

Maar we vertrokken.

Dat was de eerste keer dat Lars-Ivar 'mijn vrouw' zei. Het deed me huiveren van vervoering. Wat was de vervoering van Pinksteren daarmee vergeleken?

Arme apostelen – en Jezus zelf niet te vergeten...

13

De weken regen zich aaneen. Een geknapt condoom bracht onrust met zich mee. Maar ik werd ongesteld, minder dan gebruikelijk en een week te laat, maar dat gebeurde wel vaker. Daarna werden we wat zorgelozer. Ik was blijkbaar toch niet zo'n 'zaaddoos' die al zwanger raakt als een man zijn broek uitschudt.

Inmiddels had ik aangeleerd te slapen met een donkere sjaal over mijn ogen. Lars-Ivar had een productieve periode. Met zijn schetsblok had hij door de buitenwijk gedwaald en de rechthoeken van de torenflats getekend, de armetierige dennen en de glimp van een rots. Hij werkte deze schetsen uit in kubistische vormen. We waren allebei verrast over het resultaat.

Ik werkte op dezelfde voet voort en was daar intens gelukkig mee. Af en toe voelde ik me beschaamd dat ik betaald kreeg voor iets wat zo leuk was. In mijn genen zat nog het idee dat werk zwaar en moeizaam moest zijn. Geld verdienen deed je in het zweet des aanschijns en op de zevende dag kon de uitgeputte arbeider herstellen.

In de christelijke leer ontbreken woorden voor de vreugde en het plezier dat werken kan geven.

Lars-Ivar kreeg het aanbod te exposeren op een groepstentoonstelling in een galerie in Gamla Stan. Er kwamen veel mensen naar de opening. Een bekende uitgever, een rondbuikige heer met ringbaardje, toonde belangstelling voor uitgerekend het werk van Lars-Ivar.

'Hebt u nog meer in deze stijl?'

Lars-Ivar, die zijn gezicht weliswaar in de plooi wist te houden, werd overvallen door een blos. Ja, natuurlijk had hij dat.

'Kom volgende week een keer bij me langs. Hier is mijn kaartje. Ik wil graag meer van uw werk zien.'

We waren dartel als kalfjes die op de eerste warme dag van het jaar de wei in mochten.

Die avond bedreven we wild en lachend de liefde. Triomfantelijk bereed hij me. Ik voelde meer dan anders, een wilde jubel, gesteun en een schreeuw die vanbuiten leek te komen. Maar ik was het zelf.

Na afloop een grote natte plek op het laken. Hij lachte.

'Je begint geloof ik de smaak te pakken te krijgen, hè?'

Hij sloop naar de badkamer, spoelde het gebruikte condoom uit, kwam terug, ging weer boven op me liggen en we deden het nog een keer.

Ja, ik was de gelukkigste vrouw ter wereld.

Dinsdag pakte Lars-Ivar een paar doeken, wikkelde ze in papier, nam ze onder de arm en begaf zich naar het adres op het visitekaartje.

Hij moest behoorlijk lang wachten voordat hij werd ontvangen.

Het was een gereserveerde, gejaagde man die hem de hand schudde. Een heel andere dan degene die Lars-Ivars werk in de galerie zo luidruchtig geroemd had en hem gevraagd had 'langs te komen'.

Ten eerste had Lars-Ivar moeten bellen om een afspraak te maken. Ten tweede had de uitgeverij op dit moment geen plannen werk aan te kopen van een nog niet gevestigde kunstenaar.

Zelfs de doorgewinterde, sceptische Lars-Ivar had niet doorgehad dat de bombastische uitlatingen ingegeven waren door flinke inname van bowl op de opening (stiekem op sterkte gebracht met medicinale alcohol). In nuchtere toestand was de uitgever alles vergeten.

Korte tijd later waren we toevallig samen met een paar vrienden van Lars-Ivar van de Beckmanschool. Er werden foto's gemaakt. Ik zie een pittig meisje met een modern kort kapsel en cat lookmontuur naar de camera lachen. Maar waar de foto me vooral aan herinnert, is aan hoe het gesprek kwam op de joodse dominantie in allerlei branches en dat Lars-Ivar, onder invloed van sterkedrank, zich agressief in de discussie had gemengd en woorden had gebruikt als die vervloekte jodenneuzen en graaimentaliteit. Hij was nota bene zelf geflest door...

Ik weet nog hoe ik schreeuwde en mijn glas, nog halfvol frisdrank, in zijn gezicht gooide.

Het duurde even voordat de gevallen stilte doorbroken werd.

We vertrokken voordat het gesprek weer goed en wel op gang kwam.

Eén ding is zeker, na dat voorval werd Lars-Ivar voorzichtiger met alcohol.

Deze gebeurtenis had absoluut niets te maken met de heftige bloeding die ik een paar dagen later kreeg. Eerst dacht ik dat het een normale menstruatie was, maar het werd steeds heftiger. Er was geen maandverband tegen bestand. Het sijpelde door handdoeken en dikke lagen vette watten heen.

Met dubbelgevouwen handdoeken tussen mijn benen ging ik met een taxi naar de eerste hulp. Weer werd ik van mijn man gescheiden en moest ik alleen in die afschuwelijke gynaecologen-stoel klimmen. Een kordate zuster breekt mijn benen open, mijn knieën beven, mijn hele lichaam schokt, een lamp recht op mij gericht, een vermoeide jonge dokter die in mij wroet en vervolgens iets onverstaanbaars tegen de zuster zegt.

Hij trekt zijn bebloede slagershandschoenen uit, wast zijn handen, droogt ze af aan een handdoek die de zuster voorhoudt en stopt ze vervolgens in de zakken van zijn witte jas.

Ik lag nog steeds in dezelfde houding. Toen ik een onhandige poging deed mijn benen uit de beugels te halen, hield de zuster me tegen; achter mijn opengeslagen knieën dook de dokter op.

'En', zei hij, 'hoe hebt u dit voor elkaar gekregen?'

Ik staarde hem aan. Mijn dijen schokten, ik voelde een golf van misselijkheid opkomen.

'Wat bedoelt u?'

Hij lachte hard en droog.

'Dat trucje hoeft u bij mij niet te proberen, jongedame. Het is niet voor het eerst dat ik zoiets zie.'

'Ik begrijp niet waar u het over hebt. Wat bedoelt de dokter? Wat hebt u gezien?'

Hij negeerde mijn vragen.

'Vertel op. Hoe hebt u het gedaan? Of moet ik misschien vragen: wie heeft u geholpen? Namen wil ik.'

Toen kreeg ik bovenmenselijke krachten, schopte mezelf los, schopte naar de zuster die probeerde me tegen te houden.

Ik belandde op de grond, greep een pluk watten die naast de schaal op het tafeltje met instrumenten lag. De misselijkheid sloeg door me heen. Al mijn speeksel was verdwenen.

Opeens werd ik draaierig in mijn hoofd en ik greep me vast aan een arm van de dokter.

Vlug legden ze me op een brancard. Aangezien ik klappertandde en het blijkbaar koud had, werd er een deken over me heen gelegd.

'Tja, beste…' hij keek in zijn papieren, 'beste mevrouw Palm, kunnen we dan nu misschien horen hoe het in zijn werk is gegaan?'

Met tranen in mijn stem zei ik dat de dokter het bij het verkeerde eind had. Waarom zou ik zoiets doen? Ik was ruim een halfjaar getrouwd. Ik wist niet eens dat ik zwanger was. Ik ben altijd zo onregelmatig…

Dat laatste fluisterde ik nog voordat de tranen eindelijk kwamen.

De diagnose moest bijgesteld worden. Onwillig liet de dokter het vermoeden van een illegale abortuspoging varen. Kwakzalverij en huisvlijt met breinaalden.

In plaats daarvan had ik een dreigende miskraam.

Lars-Ivar, grauw van ongerustheid over zowel mij als over zijn verzuim zonder permissie, kon ternauwernood mijn handen drukken en me een kus op de wang geven terwijl ik op de brancard naar een ambulance buiten werd gereden.

Ik stond nog steeds ingeschreven in Uppsala en 'viel' dus onder het Academisch Ziekenhuis.

Ik weet niet wie mijn moeder op de hoogte heeft gesteld, maar ze was dus op de afdeling toen ik werd overgeheveld in een bed en uitgekleed. Ik kreeg een gesteven wit jasje aan, open op de rug. Nee, toiletbezoek was niet toegestaan. Er was volledige bedrust voorgeschreven. Het bed werd omhoog gezet zodat ik kon zitten. Een po werd onder me geschoven. Mama hield me vast. Het huilen hield even op tijdens het plassen. Daarna stroomden de tranen weer over mijn wangen en in mijn oren.

De volgende dag kwam de misselijkheid terug. Ik had een kommetje nodig om in te braken. Ik was 'in gezegende toestand', dat stond buiten kijf.

Dat ben jij ook. En je weet dat leven en dood nu in Siverts handen liggen.

Jullie zitten buiten in het verdorde gras. Er stijgt rook op uit de tuinen.

In de zachte avondlucht zeg je het tegen hem.

Hij wil het eerst niet geloven.

Je moet het een paar keer herhalen voordat het echt tot hem doordringt.

Je hoopt, ja, dat doe je, dat hij niet…

Maar dan zegt hij het. Hij zegt wat hij niet mag zeggen.

'We moeten zien dat je het kwijtraakt, Alberte', zegt hij.

En je voelt het bloed uit je gezicht wegtrekken van pijn en schaamte.

Hoeveel had je niet van hem kunnen houden als hij die woorden niet gezegd had?

En het wordt nog erger. Hij begint natuurlijk over zijn toekomst. Zijn kunst. Zijn ouders. Eenvoudig Noors boerenvolk. Geen geld. Hij, Sivert, heeft een nieuw stipendium aangevraagd, maar het is altijd onzeker. Hij praat over verantwoordelijkheid, over hoe machteloos hij zich voelt, in feite zou hij niets liever willen… maar zoals het er nu voor staat.

En dan is hij aangekomen bij de dokter die Eliel kent en die zegt dat het een 'bagatel' is, een kleine ingreep.

'Mijn god… het is tegenwoordig aan de orde van de dag', zegt Sivert tegen je.

'Liesel!' antwoord je.

Hij is nog steeds rustig als hij zegt: 'Is er dan iets mis met Liesel?'

Je voelt hoe je gezicht versteent. Je bent niet meer in staat te praten.

Hij gaat verder over Eliel: dat het voor hem ook niet gemakkelijk is geweest.

Maar jouw besluit is ook keihard. Nooit.

Je zegt tegen hem dat je warme baden zult nemen… Dat schijnt te helpen.

Maar dat andere... Nooit.

Je weet heus wel dat als een bad zou helpen, de wereld er heel anders uit zou zien.

En je neemt baden. Je gaat van het ene badhuis naar het andere, je laat het warme water zo lang lopen dat je je bijna brandt. Soms dreigt men je voor twee baden te laten betalen, omdat je zoveel warm water hebt verbruikt.

Jullie praten er niet meer over. Sivert is gezwicht. Hij probeert het positieve ervan in te zien een vrouw in deze toestand als model te hebben. Er zit iets trots en sterks in haar houding.

En als Liesel op een dag op bezoek komt en vraagt of je met Sivert gepraat hebt, voel je opeens saamhorigheid met hem. Of is het uit schaamte over wat Sivert eigenlijk wilde...?

Daarom zeg je alleen tegen haar dat het nog geheim is. 'Je begrijpt wel...'

Liesel krijgt tranen in haar ogen. Ze pakt je hand, legt hem tegen haar wang en zegt: 'Ben je blij, Albertchen?'

'Blij? Maar Liesel, we hebben geen idee hoe het allemaal moet...'

*

Tweeënhalve week lig ik in bed. Mijn moeder komt iedere dag op bezoek. Ze legt haar handen op de mouw van mijn gesteven ziekenhuisjasje en maakt zich zorgen. Waar die bezorgdheid betrekking op heeft, blijft in het vage.

Maar ze laat zich wel een keer ontvallen dat de moeder van Lars-Ivar, mijn schoonmoeder, in vertrouwen heeft gezegd dat het misschien het beste was als het kind vanzelf...

'Hoe moet het allemaal? Ze hebben niet eens een echte woning en Lars-Ivar verdient niet genoeg om een gezin te onderhouden.'

Van die kant zou het lang duren voordat ze konden accepteren dat hun schoondochter een betere kostwinner was dan hun zoon.

Het voelde op een of andere manier als minderwaardig.

Zo wees mijn schoonvader er een keer vriendelijk op wat een geluk het was dat Signe een klein steentje kon bijdragen...

Lars-Ivar had voorlopig niet het plan gehad een gezin te stichten.

Net als Sivert en Eliel moest hij in de eerste plaats aan zijn kunstenaarschap denken.

Er kon geen sprake van zijn dat een kunstenaarschap geruïneerd werd vanwege een ongeboren kind.

Hier hadden we namelijk een aanstaande moeder die een commerciële goudader bleek te zijn.

Nu vind je me zeker al te zelfverzekerd klinken?

Maar alleen dát is me gelukt; ik bedoel, in dat opzicht ben ik geslaagd.

En niet in het Leven, Alberte.

Ik weet het. Ik hou nooit op daarover te zeuren.

Maar jij bent de enige die begrijpt wat ik bedoel.

14

Het kindje zit er nog. Je kunt inmiddels zien dat ik zwanger ben. Het is zomer en ik struin warenhuizen en kledingzaken af op zoek naar kleren voor aanstaande moeders.

Dat valt niet mee. Het aanbod is gering en hangt min of meer beschaamd aan een stang vlak bij de grote maten 'voor-wie-ietsje-meer-heeft'; een afdeling waar de tuttigheid compleet is. Het was duidelijk dat aanstaande moeders, jonge vrouwen in speciale omstandigheden, zich moesten kleden als oudere dames die een teruggetrokken bestaan leiden. Donkerblauw met wit rond de hals. Donkerblauw met een wit stipje. Wijdvallende jasjes met knopen voor. Lange mouwen. Flodderige stoffen. Bladerde je in damestijdschriften waarin geschikte modellen voor 'de vrouw in blijde verwachting' stonden, dan stuitte je op dezelfde saaie stoffen. Uit de tekst kon je opmaken dat discreet en discretie complimenten waren in dit verband. De indruk werd gewekt dat zichtbare zwangerschap eigenlijk een beschamende toestand was die een fatsoenlijke vrouw zo goed mogelijk probeerde te verbergen. Op een gegeven moment kon ze zich enkel nog tegen de avond buiten wagen om samen met haar echtgenoot een wandelingetje in de buurt te maken.

Deze schaamte kleefde aan de vrouw tot het kindje geboren was. Dan mochten lichte kleuren opeens weer. Dan kon ze zich weer in het daglicht vertonen. Trots mocht ze achter de kinderwagen lopen en de mensen zouden haar onophoudelijk staande houden om te feliciteren en onder de kap te kijken: 'Ach, heremijntijd, wat een engeltje.'

Maar ongeboren was het dus geen engel.

Onbegrijpelijk. Of was het soms zo dat een vrouw met een dikke buik de gedachten in onkuise richting voerde? Men herinnerde zich de daad die nodig was geweest om in zo'n toestand te geraken.

Het was midden juli en ik was drieëntwintig en werd gedwongen iets met hoge hals en lange mouwen in marineblauw aan te trekken. Het toegestane witte kraagje was om de aandacht af te leiden van...

Ik besefte dat er op dit front veel te doen viel voor iemand met mijn beroep. Maar vreesde ook dat dat moeilijkheden zou geven. Ook hier had je vertegenwoordigers, verkopers, heren met een conventionele, om niet te zeggen bangelijke instelling tegenover alles wat nieuw was. Tegenover alles eigenlijk wat niet leek op de verkoopbare modellen van het vorige seizoen.

Maar ik had Inga Lind. Ik stormde bij haar binnen met mijn armen vol bloemdessins, roze-witte ruitjes en rode stippeltjes. De jasjes en bloesjes die ik tekende hadden ruime, ovale uitsnijdingen en korte aangezette mouwtjes. Aanstaande moeders waren meestal jong. Ze hadden mooie decolletés, frisse ronde bovenarmen en een prachtige halslijn. Waarom zou je dat verhullen enkel omdat je in verwachting was?

Het was 1949 toen ik opzien baarde met mijn buik onder gerimpelde fleurige bloesjes met uitgesneden hals.

Het geroezemoes verstomde wanneer ik een winkel binnenkwam. Ik ging op een raamplaats in de tram zitten en zag de mensen stiekem omkijken. Een keer waren het twee heilsoldaten die met samengeknepen mond fluisterend mijn kant op keken. Hun hoedjes schudden verontwaardigd.

Bij *Kvinnans Värld* reageerde men totaal anders. Ze wilden gelijk een model bestellen dat dezelfde vrijmoedigheid had, maar dan meer geschikt voor de herfst. De lezeressen konden dat patroon dan bestellen.

Ik vrees dat de 'heren' zich er op een gegeven moment mee hebben bemoeid. Het model had weinig meer van mijn nieuwe creatie toen ik het terugzag in het tijdschrift.

Maar Estelle Karr had een kort interview gehouden met de modeontwerpster die de aanstaande-moederconfectie wilde vernieuwen.

Een fotograaf maakte een foto.

In de brochure die ik gratis van de zwangerschapscontrole had gekregen stonden allerlei dingen die je moest weten. Een dwarsdoorsnede van het embryo. Informatie over misselijkheid, brandend maagzuur, kramp in je benen, toenemende aandrang om te plassen wanneer het kind begon 'in te dalen'. Om te eindigen met een paar regels over dat de pijn tijdens de bevalling niet onderschat moest worden 'maar dat is de moeder zo weer vergeten als het kind aan haar borst gelegd werd...'

Maar er stond geen woord over hoe léúk het was, hoe geweldig je je kon voelen in die gezegende toestand. Ik, dat zenuwachtige, paniekerige moederskindje, was veranderd in een overmoedig stralende jonge vrouw die zich nog nooit zo goed had gevoeld. Het lichte gevoel van misselijkheid dat af en toe de kop opstak kon ik makkelijk de baas door een paar hapjes van een appel te nemen. Ik had mezelf aangewend er altijd eentje bij me te hebben.

Er waren andere dingen om ons zorgen over te maken. Het kernprobleem was: waar moeten we wonen?

De eerste keer dat Majlis Nilsson mij van opzij zag, vertrok haar gezicht van onbehagen en woede.

Maar tegen mij zei ze geen woord. Ze vroeg om een gesprek met meneer Palm in hun woonkamer.

Smiespelend zouden we ons later vrolijk maken over alle belachelijke snuisterijen, vreselijke geknoopte kussens en geborduurde kleedjes op de rugleuning van die ongelooflijk lelijke bank. De reproducties aan de muren. *Eland in het bos* en *Zeebonk met pijp* in olieverf. Zelfs een op papier gedrukt huilend zigeunermeisje ontbrak niet.

Leerlingen van de Beckmanschool kunnen erg wreed zijn vanuit hun esthetisch superioriteitsgevoel.

Maar het was een misrekening van Majlis om de kwestie met Lars-Ivar op te nemen. De charmante manier waarop hij zijn gevoelige vingers door zijn dikke haar streek, zijn ogen die hij tot spleetjes trok wanneer hij glimlachte, kortom, de mannelijke uitstraling die hij zich kon aanmeten wanneer hij maar wilde, bracht de huisbazin van haar stuk. Hij liet geen middel ongemoeid om haar zover te krijgen dat ze zich meegaand en coöperatief opstelde.

'U bent binnenkort van ons verlost, mevrouw Nilsson. We hebben wel drie aanbiedingen lopen', loog hij. 'Over een maand of wat kunt u onze kamer aan nieuwe mensen verhuren.'

Toen gooide hij er iets tussendoor van hoe goed we het naar ons zin hadden en hoe prettig het was om bij propere, fatsoenlijke mensen in te wonen.

Die arme Majlis Nilsson werd volledig ingepakt, ja, zelfs zo erg dat ze zich liet meeslepen en met klem verzekerde hoe tevreden ze met ons als huurders waren. De huur altijd stipt op tijd. Geen 'gefeest'. Meneer Palm had geen idee wat je allemaal kon meemaken...

Zijzelf en meneer Nilsson hadden ook graag gezien dat we waren blijven wonen, maar zoals gezegd, met een baby...

'Uiteraard.'

Lars-Ivar kwam woorden te kort om uiting te geven aan begrip voor hun standpunt.

'...en daarom hebben we verschillende potjes op het vuur en ik kan mevrouw Nilsson verzekeren dat uiterlijk een maand voordat, ja eerder, we onze biezen gepakt zullen hebben...'

Lars-Ivar haalde het gesprek nog eens terug toen het echtpaar bezig was met hun zondagse vertier. Dan wisten we tenminste zeker dat ze ons gegiechel niet zouden horen, vooral niet als Lars-Ivar haar begon na te doen.

Mijn man had een talent om toneel te spelen dat nooit verder is gekomen dan besloten gezelschappen, etentjes met vrienden, maar daar vierde hij dan ook triomfen.

Rustig als een drachtige koe, doelbewust als een vogel die takjes voor haar nest zoekt, ging ik naar de afdeling volkshuisvesting. Ik had mijn roodgespikkelde jurk aan: mijn meest discrete. De instantie was gevestigd op Tegelbacken. Op de trap moest je uitwijken voor uitgeputte mensen die tegen de muur leunden. De deur stond open en de geur van zweet en andere menselijke luchtjes sloegen je tegemoet. Zelfs angst en zorg kennen een eigen geur. Het zag er blauw van sigarettenrook. Mensen zaten zelfs op de grond. De paar stoelen waren gereserveerd voor zwangeren, gehandicapten en moeders met kleine kinderen. Huilende kleintjes klampten zich vast, hun moeders leken ieder moment te kunnen bezwijken. De mannen staken nieuwe sigaretten op.

Zowel voor Kafka als Strindberg lagen hier de sfeerbeelden voor het oprapen.

Mijn overduidelijke buik deed een oudere man opstaan en me zijn stoel aanbieden. Ik had een flesje water en toiletpapier bij me. De druk op mijn blaas noodzaakte me het openbaar toilet te gebruiken. Uiteraard was het papier op. Mannen hadden ernaast geplast. De pisstank benam je de adem.

Na vier uur kreeg ik een geïrriteerde vrouwelijke ambtenaar te spreken. Haar handen met afgebeten nagels bladerden lusteloos door een stapel papier. Maar in de eerste minuut had ze me al verteld hoe het ervoor stond. We hadden ons niet ingeschreven, dat konden we nu dus doen, maar het duurde minstens vijf jaar voordat...

'Maar ik ben zwanger.'

Ze zuchtte. 'Mevrouw, u bent niet de enige.'

We bleken niet behoeftig genoeg om een plaatsje op de voorrangslijst te krijgen. Daar was de woning van mijn moeder in Uppsala, en van mijn schoonouders – dat wist ze allemaal aangezien ik behept was met het eerlijkheidssyndroom. Daarom was het beter geweest wanneer Lars-Ivar hier had gezeten. Nu werd er vastgesteld dat we in Uppsala bij familie konden wonen en dat mijn man de eerste trein naar zijn werk in Stockholm kon nemen.

Een alternatief was dat hij alleen in de kamer op de Inteckningsväg bleef wonen en vrouw en kind in het weekend kwam opzoeken.

Er waren waarachtig wel beklagenswaardiger gevallen...

Dank u wel. De volgende. Maar nu stonden we in ieder geval ingeschreven.

Voordat ik naar huis ging, besloot ik even binnen te wippen bij *Kvinnans Värld.*

Ik had geluk. Estelle Karr was aanwezig.

Ze nam tijd om te luisteren. Peinzend stak ze haar derde sigaret op en keek naar buiten.

'Het is namelijk zo', zei ze langzaam, 'dat wij op Djurgården wonen. Naast ons heeft de familie Wallenberg haar residentie. Veel grond erbij. Aan het hek staat een huisje, ik schat twee kamers en een keuken beneden en een kamer boven. Het staat leeg. Oorspronkelijk was het de chauffeurswoning. Maar tegenwoordig rijden de heren zelf. Hoe dan ook, het is een leuk huisje en het staat leeg. Mevrouw Palm moet maar eens gaan informeren of het te huur is. Het staat natuurlijk niet op de lijst bij volkshuisvesting.'

De moederkloek in mij reageerde kalm en doortastend.

'Tot wie kan ik me dan wenden?'

Volgens Estelle Karr kon ik het best naar de Enskilda Bank tegenover Kungsträdgården gaan. 'Dat is beter dan bellen. Want dan kom je niet verder dan een secretaresse!'

Ja, Alberte, zo was ik met het eerste kind in mijn buik: ik vond het een goed voorstel dat kans van slagen had.

Het was nu te laat. Maar morgen. Dan zou ik het roze geruite jasje aantrekken met de korte witkatoenen handschoenen. Gewassen haren en gelakte nagels. Ceriserood.

Om kwart voor elf de volgende dag liep ik vlug voorbij de gegalonneerde portier in de hal. Hij reageerde te laat. Een slanke, glad gekamde heer in kostuum vroeg waar ik voor kwam. Ik legde het uit.

'Excuseer mevrouw, maar ik heb uw naam niet verstaan.'

'Dank u. Wil mevrouw Palm zo vriendelijk zijn op de bank daar te wachten?'

Hij probeerde beleefd en neutraal op te treden, alsof de aard van mijn bezoek normale bankzaken betrof.

Ik keek naar de bank. Hij stond nogal verborgen opgesteld. Daar konden ze me makkelijk vergeten.

'Dank u, ik blijf liever staan.'

Bij die woorden draaide het kind zich opgewekt om en schopte; ja, ik meende een voetje te voelen toen ik mijn rechterhand op mijn buik legde. Door mijn bekken een beetje naar achteren te kantelen, zag ik er reusachtig uit.

'Excuseer me, het gaat een paar minuten duren', zei de heer terwijl hij met droge tong zijn lippen bevochtigde en nerveus over zijn gepommadeerde haar streek. Hij kwam niet terug. Hij was als het ware opgeslokt. In zijn plaats verscheen een oudere heer, maar zijn kostuum was duidelijk op maat gemaakt en hij droeg goud om zijn pols.

Hij vroeg me hem te volgen naar een andere verdieping, daar zouden we ongestoord kunnen praten.

Een enorme vergaderzaal met een lange tafel. Aan het eind een vergaderhamer. Zware gordijnen slechts voor de helft opengetrokken. Een bedompte lucht met in de verte nog de geur van sigaren. Aan de wanden ernstige heren in olieverf. Hij nodigde me uit te gaan zitten. Zelf nam hij plaats op de stoel aan de korte zijde.

'Mevrouw Palm wil misschien zo vriendelijk zijn de reden van het bezoek nader te verklaren?'

Ik wilde niets liever. Mijn uitleg ging zonder overgang over in een politiek pamflet en vol vuur begon ik over de rampzalige woningnood onder gewone mensen en wat een slechte indruk het zou maken wanneer een familie die zo'n grote rol speelde in de financiële wereld een volwaardige woning leeg liet staan…

'Dit is zeker iets wat de pers zou interesseren, vooral *Aftonbladet*, de arbeiderskrant met zo'n grote oplage.'

Ja, ik was echt op dreef.

Maar na dat laatste salvo begaf mijn stem het, een oprisping van maagzuur dwong me te slikken en nog eens te slikken. Het was vast met voorbedachten rade dat me zelfs geen glaasje water was aangeboden.

De vertegenwoordiger van de bank wist zijn gezicht in de plooi te houden. Alleen zijn intenser wordende gelaatskleur gaf blijk van innerlijke turbulentie.

Een halve eeuw later vraag ik me nog steeds af waarom hij me er niet gewoon uitgegooid heeft. De portier had hem maar wat graag een handje geholpen.

Maar hij verontschuldigde zich met de woorden dat hij het met zijn superieuren moest bespreken. Hij moest even navragen hoe het zat.

'Ik ben bang dat het even gaat duren.'

'Ik wacht wel', zei ik.

'Natuurlijk, als u daar op staat. Maar is het niet aangenamer om in het park te wachten?'

'Hoelang denkt u dat het gaat duren?'

Ik hoorde hoe de arrogante scherpte in mijn stem mij begon te verlaten.

'Zullen we zeggen veertig minuten?' zei hij vriendelijk.

'Uitstekend', zei ik en ik zette mijn knieën schrap, die aanstalten maakten te buigen.

Ik ging in het warenhuis van Nordiska Kompaniet naar het frisse toilet en dronk een flesje citronil in het park.

De vermoeidheid zat tegen migraine aan.

Het kind maakte een koprol om me eraan te herinneren dat we met z'n tweeën in het schuitje zaten.

En inderdaad. Na exact veertig minuten stond hij beneden op me te wachten. Hij had inmiddels uitgezocht hoe het precies zat. Die chauffeurswoning stond leeg omdat hij in zo'n slechte staat verkeerde en was ongeschikt voor bewoning. Hij schermde met een paragraafnummer uit een verordening betreffende de volksgezondheid. Het huis was onbewoonbaar. Er was toestemming om het te verbouwen en wanneer het gereed was zou de woning zeker weer dienst doen als chauffeurswoning. Of worden aangeboden aan een ander personeelslid van de familie.

Halleluja. Amen.

Hij liep helemaal met me mee naar buiten en hoopte van harte dat alles in orde zou komen.

Ik had Lars-Ivar van tevoren niets verteld.

Iets had ik dan toch geleerd.

Maar achteraf kon ik mijn mond niet houden. Want het was nou eenmaal net zo onmogelijk om voor Lars-Ivar iets geheim te houden als voor mijn moeder.

De Nilssons waren een week op vakantie. Wij hadden het appartement voor ons alleen. Lars-Ivar had zijn schildersezel naar de keuken verplaatst. Kranten op de grond. Op de ezel stond een kubistische studie van een stoel, een tafelrand met wijnkaraf voor een raam met groene luiken.

Op de keukentafel lagen schetsen die Lars-Ivar van mij gemaakt had. Mensen waren niet zijn sterkste kant. Maar net als Sivert had hij oog voor de sculpturale compactheid van een zwanger vrouwenlichaam.

Op het aanrecht stond nog de vuile vaat van die ochtend.

Tijdens de afwas begon ik te vertellen over mijn avontuur bij de Enskilda Bank. Bijna liet hij een glas vallen dat hij bezig was af te drogen. Op het laatste moment ving hij het op en zette het op tafel.

'Wat vertel je me nou? Je maakt toch zeker een grapje!'

Ik droogde mijn handen af aan mijn schort. Het was me te veel om af te wassen en te praten tegelijkertijd.

Ik weet dat mensen dat anders vaak doen.

Maar in dit geval was het niet op zijn plaats.

Ik trok een stoel naar me toe. Ik had behoefte aan vaste grond onder mijn voeten, spijlen die mijn rug recht hielden.

'Nee, ik maak geen grapje. Estelle Karr dacht dat…'

'Wel verdomme!'

Hij toornde boven me uit. Aangezien ik zat, bevond ik me in een ondergeschikte positie. Als we allebei stonden was hij niet veel groter dan ik.

'Je meent het toch zeker niet, dat je dat gedaan hebt?'

'Het had kunnen lukken. Het huis stond léég, zoals Estelle Karr zei…'

'Maar ben je helemaal gek geworden? Is dit een soort zwanger-schapspsychose? Wat is er godsnaam in je gevaren? Zo'n burgertrut laat iets uit haar mond vallen en jij rent erachteraan en gaat staan buigen en knikken en smeken bij het Kapitaal…'

(Ergens in een parallelle wereld dacht ik: oeps, wat neemt hij het hoog op.)

Toen sleurde hij me van de stoel, pakte mijn blote bovenarmen, een greep die ik herkende. Schudde me heen en weer.

'Verdomme, snap je dan niets? Wat als iemand hier achter komt?'

Ik rukte me los en liep achterwaarts naar de keukendeur.

'Nou, en wat dan nog? Ik probeer tenminste iets te dóén. Jij doet er helemaal niets aan.'

Zijn gezicht verstarde en werd grof. Razernij joeg het bloed naar zijn wangen. Ik stond met mijn rug tegen de muur. Ik zag hem naar sigaretten en lucifers zoeken. Zijn handen trilden.

'Luister, stomme trut!'

Hij kwam dichterbij. Onbewust hield ik mijn hand voor mijn mond om een schreeuw tegen te houden die niet…

'Nu moet je verrekte goed luisteren. Het is verdomme niet mijn schuld dat het zover is gekomen. Jíj wilde het, jíj wilde een kind, ik heb nooit, ik wist dat het nooit...'

'Ik heb nooit de verantwoordelijkheid voor een kind gewild...'

Ik sloot mijn ogen en wachtte. Ja, nu kwam het.

'Ik heb mijn kunstenaarschap...'

Hij greep me weer vast. Harder en meedogenlozer.

'Jij hebt er de hele tijd op aan gestuurd. Dat we zouden trouwen...'

'Lars-Ivar', riep ik schel. 'Lars-Ivar, je doet me pijn, en kijk niet zo naar me, ik weet dat ik het harder wilde dan jij, maar jij wilde toch ook...'

'Niet het kind', onderbrak hij me. *'Nooit het kind.'*

Het kind in kwestie dat zich ongewoon rustig had gehouden begon te draaien en schopte in de richting van mijn hartstreek.

Ik weet niet of hij het zag, dat mijn schort bewoog.

Zonder een woord te zeggen liet hij me los, en ik vloog de hal in, hoorde het knaapje breken toen ik mijn jas eraf trok en naar buiten rende; we woonden immers op de begane grond.

De augustuszon stond laag boven het plein.

De stenen waren warm onder de zolen van mijn sandalen.

Ik holde de hoek om, ik bedoel wij holden, ik en het kind, maar nu hield het zich stil, nu bewoog zijn wereld zeker al genoeg.

Bij de melkwinkel bleef ik staan om op adem te komen en af te wachten of hij me achterna kwam.

Hij kwam niet. Daar stond ik, overal voelde ik mijn hartslag.

Mijn eigen hart en dat van het kind dreunden in mijn oren.

Hij had de deur niet op slot gedaan. Het afwaswater was koud en etensresten dreven smerig tussen de borden.

Dezelfde soort resten die ik uitkotste in de toiletpot.

Ik trok het bed uit en ging er met mijn kleren aan bovenop liggen. Zoals je doet bij onweer of in oorlogstijd, als het bomalarm ieder moment kan afgaan.

Ik ging op mijn zij liggen met een vest over mijn benen.

Hij zou zo wel komen en spijt hebben en me helpen uitkleden, mijn nachthemd aantrekken en me tussen de lakens stoppen.

Klaarwakker lag ik te luisteren of ik voetstappen hoorde. Ik moest plassen, ging naar de wc en kroop weer op bed, ik keek voortdurend op de klok, kreeg het koud, pakte een deken, moest weer plassen. Kreeg het nog kouder. Nu we de badkamer voor onszelf hadden zou ik eigenlijk een bad moeten nemen. Maar ik durfde niet. Stel je voor dat ik uitgleed?

De eerste keer dat ik voor zwangerschapscontrole ging, had ik bang gevraagd naar het risico om dood te gaan tijdens de bevalling. De dokter had gelachen en zoiets gezegd als dat er meer mensen doodgingen in een badkuip dan in de verloskamer.

Het was kwart voor één toen ik een aarzelende sleutel in het slot hoorde.

Hij rook naar alcohol. Hij wankelde niet, hij hield zichzelf op de been door strak voor zich uit te kijken terwijl hij zwijgend de keuken in liep om te kijken of er nog bier in de koelkast lag. Dat was niet het geval. Opeens begreep ik met wie hij uit was geweest. Collega-kunstenaar Erik Frantz, die Lars-Ivar bespot had omdat hij zo'n trut van een wijf had die alleen water dronk. Zijn oude vriend van Otte Skölds kunstschool had een echte spelbreekster getrouwd.

Een beter maatje in de huidige omstandigheden had hij niet kunnen uitkiezen.

Zijn humeur was er door de drank niet beter op geworden. Integendeel. Nu schold hij me uit omdat ik niet fatsoenlijk in bed was gaan liggen en sliep zoals iedere normale echtgenote gedaan zou hebben.

Nog steeds was alles mijn schuld.

15

Lars-Ivar regelde woonruimte.

Dat was in meerdere opzichten fantastisch. Bijvoorbeeld dat híj het voor elkaar had gekregen en niet ik. Hiermee kwam ik in de buurt van iets wat ik nog niet onder ogen wilde zien.

En dan de verhuizing. Een wagenlading met ons bescheiden meubilair verliet een noodwoning die we sowieso binnenkort moesten verlaten.

Ik was aan het einde van de achtste maand toen we een twee-kamerflat met keuken op de Sigurd Rings gata in de nieuwbouwwijk Aspudden betrokken. Een verzameling niet al te hoge flatgebouwen uitkijkend op een dennenbos, waar kinderen spelletjes deden die hun moeders niet konden zien. Daarom hingen ze vaak uit het keukenraam en riepen tegen Kenneth of Royne: 'Wacht maar, tot je vader thuiskomt...'

Twee lichte, lege kamers en een keuken helemaal voor onszelf. Een eigen badkamer. Balkon naar het bos en een stukje horizon. Het was een wonder. Onze weinige meubels stonden wijd verspreid en deden denken aan vergeten speelgoed. Het bankbed, dat afschuwelijke ding, zou nu alleen nog als zitmeubel dienen. In het vervolg zouden we in twee echte bedden slapen die naast elkaar in de slaapkamer stonden.

Mijn moeder had haar innerlijk verzet opgegeven. Het huwelijk van haar dochter kon niet langer als een tijdelijke misstap worden beschouwd. Er zou binnenkort een baby geboren worden en ze wilde toch echt niet dat haar kleinkind gescheiden ouders zou hebben.

Als onderwijzeres wist ze maar al te goed wat voor problemen kinderen uit gebroken gezinnen hadden. Ze moest de waarheid onder ogen zien. Signe, haar dochter, was de vrouw van die jongeman met die ontwijkende blik en slappe handdruk.

Ook zijn ouders hadden het opgegeven. Van hen kregen we de walnoten secretaire, de protserige spiegel in empirestijl en een leren fauteuil.

Mijn moeder had via mijn oom, de jurist, gehoord van een lening tegen zeer lage rente. Het was een initiatief van de sociaal-democraten en bedoeld om jonge stelletjes met geringe inkomsten te helpen.

Van haar zolder haalde ze een heel servies dat oorspronkelijk uit de pastorie kwam. Gelukkig een servies voor alledag. Verder kregen we beddengoed, handgeweven handdoeken en geborduurde tafelkleden, plus een paar grote damasten tafellakens en een dozijn servetten, alles netjes gesteven en in stapeltjes, bij elkaar gehouden met zijden linten.

We kregen ook een etui met zilveren lepels (pastorie) en van oma uit Lövberga handgeweven lopers en een paar zogenoemde tapestry. Prachtige langwerpige doeken, bedoeld voor in een schommelstoel.

Lars-Ivar was helemaal lyrisch over hun schoonheid en het feilloze gevoel voor kleur dat een houthakkersvrouw uit het noorden van Jämtland tot uitdrukking had gebracht in dit handwerk.

Mijn schoonmoeder kwam over om te helpen. Daar stond ik, hoogzwanger en nog steeds gekleed in mijn vrolijke bloesjes met korte mouwen.

Vol weerzin nam ze me op en zei: 'Ik hoop niet dat je ooit zo over straat bent gegaan?'

Ik lachte en zei dat ik dat natuurlijk wel had gedaan. Maar inmiddels was het te koud en moest ik een grote, wijde mantel aan wanneer ik naar buiten ging en daarmee leek ik op alle andere zwangere vrouwen die met hun boodschappentassen van de Konsum naar huis waggelden.

Maar niemand die ons zag wanneer we naakt en vrij ronddansten in de woning die we helemaal voor onszelf alleen hadden. Onze eigen flat met een eigen contract. De radio hard aan, ik met mijn dikke buik naar voren en Lars-Ivar met iets anders, en we belandden op een stapel opgerolde kleedjes voor de balkondeur en volgens de verloskundige kon het geen kwaad om gemeenschap te hebben in dit stadium.

We waren dronken van vrijheid. We konden doen en laten wat we wilden en maakten ons geen zorgen voor de dag van morgen...

Hoe we aan de flat gekomen zijn?

Ssst, via de officiële kanalen was het nooit gelukt.

Lars-Ivars beste vriend van de Beckmanschool, Svenne Olsson, ook reclametekenaar, was getrouwd met Ulla uit de hoogste klas illustratie. Svennes broer was architect en had contacten. Svenne en Ulla hadden een oude villa op Drottningholm gekocht en die broer had dus een overdracht geregeld voor de flat waar wij nu in wonen. Hiervoor moest een bepaald bedrag, zogenaamd sleutelgeld, voldaan worden aan de huisbaas.

De vader van Lars-Ivar had ons dat geld geleend, iets wat ik als vrouw en aanstaande moeder niet mocht weten. Dat waren zaken die mannen onderling regelden.

Ik was onvergeeflijk lichtzinnig en blij, zonder een achterdeurtje open te houden.

Kleine kleertjes werden in een kleine commode gelegd. Het babybedje was opgemaakt. De kinderwagen hadden we tweedehands gekocht, maar goed uitgeboend met zeep en Vim.

We bekroonden de overdaad door naar de kwaliteitstempel van Svenskt Tenn op Strandvägen te gaan en de stoffen van Josef Frank te bekijken, en nog eens te bekijken; naar huis te gaan en de volgende dag terug te komen.

We gingen dus naar die winkel waar de verkoopsters onderbetaald werden, maar 'van goede huize' waren. Bij Svenskt Tenn kon ook een meisje van de betere stand gaan werken. Vooral om de tijd tot de bruiloft te doden. Een van deze jongedames hielp ons toen we uit al die weelderige bloempatronen uiteindelijk kozen voor vijf meter van het dessin Anakreon. Om als sprei over onze bedden te leggen. Er ging bijna een halve maand huur aan op.

Geen van onze moeders kon zich in haar wildste dromen de prijs per meter voorstellen van stof ontworpen door Josef Frank. We versleten het tot we uiteindelijk de beste stukken eruit knipten om kussenovertrekken van te naaien.

Het dessin Anakreon is nog steeds te koop bij Svenskt Tenn.

Achteraf zie ik er het bijna abnormale van in dat ik tijdens mijn zwangerschap zo'n blijmoedige jonge vrouw was zonder een spoortje angst.

Kwam dat soms door een verstoring van mijn stofwisseling?

Hormonen die samenbalden om de jonge aanstaande moeder harmonie en levenskracht te verschaffen?

Dat hadden ze beter na afloop kunnen doen.

Je kon zeggen dat ik de beste moeder was totdat mijn eerste kind geboren werd.

Vervelende dingen zoals de erfelijke geesteszinkte van mijn vader en de perioden met paniekaanvallen (Vingåker) had ik volledig verdrongen.

Lars-Ivar hoefde minder te vergeten: hij had nooit een waarheidsgetrouwe beschrijving gekregen van die laatste, labiele fase als modeontwerpster bij Widengrens Mantelfabriek.

Wat hij te horen had gekregen was eerst door de censuur gegaan. Grote stukken waren verborgen achter dikke zwarte strepen.

Lars-Ivar had uit ideologisch oogpunt besloten dat ik zou bevallen op de 'gemeenschappelijke zaal'.

De gemeenschappelijke zaal was voor armen de enige mogelijkheid. Grote zalen. Jachtige zusters. Oververmoeide artsen.

Lars-Ivars motto was: wat deugt voor een arbeidersvrouw deugt ook voor mijn vrouw. Zijn vertrouwen in de politieke doelstelling van de sociaal-democratie om de zwakkeren in de samenleving, eenvoudige en hardwerkende mensen, dezelfde zorg te geven als de bezittende klasse op hun privé-afdelingen, was onwankelbaar.

En ik, in mijn toestand gedwee als een schaap, was het met mijn man eens. Waarom zou ik privileges genieten omdat mijn gestoorde vader een academicus was? Een studentenpet hield niet automatisch in dat je rechts stemde. Of rechts was.

*

Het begon met dat de vliezen braken.

Volgens de informatie die ik tijdens de zwangerschapscontrole had gekregen, braken de vliezen vlak voor de bevalling zelf.

Eerst zouden de weeën beginnen. In het begin onregelmatig, dan met regelmatige tussenpozen die steeds korter werden. Dit stadium kon uren duren. Pas als er drie minuten tussen zat, was het tijd om naar de kraamkliniek te gaan. Geen paniek. Er was nog voldoende tijd.

Maar bij mij begon het dus met dat de vliezen braken. De ontzetting die we allebei voelden was volkomen begrijpelijk.

Ik had geplast en was opgestaan toen ineens het water uit me gutste: er vormde zich een flinke plas op de grond. Ik begon hysterisch te schreeuwen en Lars-Ivar zei niet dat ik verdomme moest kalmeren.

Met mijn handen om de wasbak geklemd bleef ik onbeweeglijk staan en voelde het leven weglopen. Ondertussen belde Lars-Ivar de gemeentelijke kraamkliniek; daar viel ik onder.

De zuster die opnam wilde vooral weten hoeveel tijd er tussen de weeën zat.

'Dat weet ik niet. Ik weet niet eens of ze weeën heeft, MAAR HET WATER IS GEBROKEN!'

'Meneer Palm, kalmeer een beetje en probeer antwoord te geven op mijn vraag. Hoelang zit er tussen de weeën?'

Hij legde de hoorn neer, en in de badkamer stond ik met gekromde rug en handen die verkrampt de rand van de wasbak vasthielden. Pijn schoot onophoudelijk door me heen.

'Heb je pijn?'

'Dat zie je toch!' jammerde ik.

'Hoelang zit ertussen? Ze willen weten hoelang ertussen zit.'

'Hoe moet ik dat weten, ik heb geen horloge.'

Ik zei het met rustige, normale stem. Want nu was het verdwenen.

'Verdomme. Wat moet ik zeggen?'

'Haal een klok.'

Hij ging vlug de wekker halen. Kwam terug. Toen was het weer begonnen. Hij stond te wachten. Het duurde een eeuwigheid, weggetikt door de wekker.

'Jemig, schiet op. Ze wachten aan de telefoon.'

Toen de volgende wee eindelijk begon waren er bijna vijf minuten verstreken.

Hij rende weg en pakte de hoorn weer op.

'Hallo hallo, vier en een halve minuut.'

Een zacht ruisende stilte als antwoord.

'Verdomme! Wat een klotezooi.'

Hij draaide het nummer nog een keer. Nu was het bezet. Ik kermde in de badkamer. Dat markeerde een nieuwe pijnlijke samentrekking.

Hij kreeg contact. Dezelfde chagrijnige vrouwenstem.

'Vier en een halve minuut', hijgde hij.

'Hoezo? Met wie spreek ik? Wat is uw naam?'

Hij maakte zich bekend met de toevoeging dat hij zojuist ook... en dat het water gebroken was.

'Vier en een halve minuut: daar worden geen kinderen van geboren, meneer Palm.'

'Maar het water is gebroken, wat ze verdomme zeiden bij...'

'Meneer Palm hoeft niet tegen me te vloeken, doet u het maar rustig aan. Komt u maar eens als er drie minuten tussen zitten.'

'Maar we wonen helemaal in Aspudden.'

'Dat haalt u makkelijk, meneer Palm. Wij weten waar we het over hebben. Zorg dat uw vrouw op haar zij gaat liggen met haar benen opgetrokken.'

'MAAR HET WATER!' schreeuwde hij.

Klik. De verbinding was verbroken.

Hij begeleidde me naar de bank. Tussen mijn benen schaafde een dikke natte handdoek. Hij dwong me een beetje water te drinken en net toen ik mijn lippen tegen het glas zette begon er een nieuwe wee, lang en verschrikkelijk. Ondraaglijke pijn was bezig iets kapot te scheuren vanbinnen. 'De klok', schreeuwde ik. 'Je moet op de klok kijken.'

Algauw zat er nog maar drie minuten tussen en kon hij een taxi bellen, het koffertje pakken en me in mijn jas hijsen.

De taxichauffeur was er niet blij mee. Bezorgd keek hij naar me in zijn achteruitkijkspiegel. Er was niets smerigers en tijdrovenders dan schoonmaken na een taxigeboorte.

Maar hij ontsprong de dans.

Bij de opname werd Lars-Ivar weggestuurd. Ik werd onderhanden genomen door een mollig, naar zweet ruikend meisje dat me in een badkuip dwong. Toen ik even later rillend en huilend op een rijdend bed lag, verscheen er een oudere vrouw die bars vroeg of ik mijn benen kon spreiden en stilhouden zodat ze me niet zou snijden met haar scheermes. Al het schaamhaar moest verwijderd worden.

Terwijl de weeën me martelden en ik het uitschreeuwde.

Gemeenschappelijke zaal betekende ook dat we met zijn tweeën in de verloskamer lagen. Een scherm van groene stof scheidde ons. We konden elkaar niet zien. Maar wel horen.

Eerder dan mijn kamergenoot lag ik te schreeuwen en te kreunen en te huilen en plotseling besefte ik dat zij, aan de andere kant van het scherm, mij kon horen en dat ik moest proberen iets stiller te zijn. Maar zodra de volgende wee inzette was ik dat voornemen alweer vergeten.

'Nee, nee, nee', schreeuwde ik net toen een stevige, oudere vrouw in een grijs met wit uniform binnenkwam en een houten trechter tegen mijn buik drukte.

'NEE, NEE, NEE', huilde ik buiten zinnen.

Ze tilde de trechter op, keek me afkeurend aan en zei: 'Wat is dat voor moeder die haar kind niet wil?'

'Het doet zo'n pijn', jammerde ik.

'Dat klopt, kinderen krijgen doet nou eenmaal pijn', zei ze hardvochtig.

En als ik niet zo in beslag genomen was door iets anders, had ik het onuitgesproken vervolg kunnen horen: dat had je dan maar eerder moeten bedenken, m'n beste. Toen je met je benen wijd lag en het liet gebeuren.

De tijd was opgehouden te bestaan. Alle werkelijkheid was verdwenen. Ik bevond me in een inferno zonder einde, door God en iedereen verlaten.

Erik Gustaf Geijers zeiler eenzaam in 'n wankel scheepje, onder hem gaat buld'rend zijn graf tekeer. Maar hij had tenminste geen pijn.

Geen man ter wereld hoeft dit mee te maken.

Toen moest ik persen, ze stonden over me heen gebogen, eentje hield mijn bevende knieën vast en ze bevolen mij te persen en ik ging door met schreeuwen: 'Nee, nee, nee, NEEEE!'

Ik hield het tegen. Wilde niet opensplijten en als een bijbels voorhangsel van boven tot beneden in tweeën scheuren.

En hemel en aarde beefden en een grote duisternis viel over de aarde.

Hij die aan handen en voeten vastgenageld zat en de Koning der Smarten werd genoemd.

Maar wat was die smart vergeleken met wat zijn moeder had gevoeld toen zijn hoofd zich naar buiten perste en haar doormidden kliefde?

'Pers nu, mevrouw Palm. Zo ja, persen, goed zo, we zien het haar al.'

En ik gaf me over en liet het gebeuren.

Maar het 'nee, nee, nee' bleef uit me stromen in de maat met het pulserende bloed. Terwijl het kind zich een uitweg zocht.

En weer hoorde ik die barse stem die zich afvroeg wat dat voor moeder was, die haar kind niet wilde.

Hier manifesteerde mijn ongeschiktheid als moeder zich dus voor het eerst.

Nog voordat het kind geboren was, was ik al een slechte moeder.

Ik hoorde een schreeuw en dit keer was het niet de mijne maar die van een klein jongetje. Hij klonk boos.

'Kijk toch eens, mevrouw Palm, kom, doe uw ogen open. Kijk eens. U hebt een gezonde en welgeschapen zoon gebaard.'

Maar ik kon niet kijken.

Wat kon mij het schelen wat ik gebaard had. Een kind? Een hond? Een kast?

Het enige wat me iets kon schelen was dat het niet langer pijn deed.

Twee handen pompten op mijn buik, ik voelde iets warms en slijmerigs naar buiten glijden. Een emmer rammelde.

Toen was het voorbij. Ik mocht nog even blijven liggen. Het kind werd weggedragen. Ik sloot mijn ogen. Ik geloof dat ik zelfs wegdommelde toen de verlostafel een bed op wieltjes werd en ik hobbelend werd weggereden. Een lift in en er weer uit. Een gang door. Twee deuren die openklapten.

Toen was ik op een grote zaal met tien bedden. In negen bedden lag al iemand. Het vierde van rechts was leeg. Daarin werd ik overgeheveld. Twee verzorgsters hielpen mee. Ik was net zo zwaar als iemand die net gestorven was.

Ik deed mijn ogen dicht. Het daglicht was te scherp. Ik wilde de anderen ook niet zien. Toen er naast mijn bed serviesgoed rinkelde deed ik eindelijk mijn ogen open. Het was een dienblad met eten. Vis en aardappels in de schil. Een groot glas melk. Het was al etenstijd geweest maar iemand had zich ontfermd over deze kraamvrouw. Ja, ik had honger. Ontzettende honger. Steunend op één elleboog dronk ik gulzig de melk op. Maar ik was niet in staat zover overeind te komen dat ik de vis vol graten te lijf kon gaan. En dan die aardappels... Met de ogen van mijn moeder zag ik dat ze slecht schoongeborsteld waren.

Een minder kieskeurig type zou ze desondanks opgegeten hebben. Door de schil heen gekauwd hebben om zo wat voedingsstoffen binnen te krijgen.

Slap en geradbraakt als na een uitzonderlijk zware sportprestatie viel ik terug in het kussen.

Voortdurend voelde ik negen paar ogen op mij gericht. Misschien had ik mijn hoofd moeten optillen toen ik werd binnengereden en zeggen: 'Goeiedag, ik ben mevrouw Palm, Signe Palm.'

In de folders had niets gestaan over hoe je je moest gedragen op de kraamzaal.

In mezelf gekeerd ging ik op mijn zij liggen met het kleine kussentje over mijn blote oor.

Ik was een beetje misselijk. Ik had zeker te snel van de melk gedronken.

Ik was weggedoezeld toen ik luide stemmen op de gang hoorde en een dierlijk jankende vrouw.

Snelle schoenen op spekzolen hoor je nauwelijks, maar je ruikt ze als het ware door de deurkieren.

Mijn buurtjes begonnen hardop te fluisteren. Dat was haar van zaal drie die gek geworden was na de bevalling en die nu naar een ander soort ziekenhuis overgebracht werd.

'Ze zeggen dat het in de familie zit', zei degene die rechts naast mij lag. Zij was al zo hersteld dat ze rond kon lopen, onbeholpen en wijdbeens. Ze was op de rand van een bed gaan zitten om verder te roddelen. Een derde wist in te brengen: 'Maar als je dat weet, dan neem je toch geen kinderen? Ik zou nooit...'

Nee, precies. Luide bijval van alle kanten.

Ik voelde de zelfvoldane verontwaardiging van alle moeders. Zo onverantwoordelijk zouden zij nooit...

Ik lag volkomen stil. Ademde nauwelijks maar liet dat algauw overgaan in diepe ademhalingen. Alsof ik sliep.

Niemand die zich daarover verwonderde. Net van de verloskamer moet je nodig bijkomen.

Maar niemand kon vermoeden dat zij met haar hoofd verborgen onder een kussen zo'n onverantwoordelijke moeder was. Zo eentje die het in de familie had.

16

De bezoektijd speciaal voor vaders was iedere dag van 17.00-17.30 uur.

De moeders op zaal noemden degene met wie ze getrouwd waren 'wederhelft'.

'Komt je wederhelft vandaag?' 'Nou, mijn wederhelft en ik gaan altijd...'

Wederhelft. Het klonk voornamer dan 'mijn man'.

Toen mijn wederhelft Lars-Ivar verscheen, had hij zijn nakomeling al door een glazen ruit gezien. Het was net alsof je voor een aquarium stond te kijken. Maar in plaats van vissen stonden er rijen kinderbedjes en in ieder daarvan lag een klein ingepakt bundeltje. Ze lagen allemaal naar dezelfde kant en zagen er allemaal hetzelfde uit. Maar om de pols had ieder kind een bandje met een nummer erop. Hetzelfde nummer stond op een bandje rond de pols van de moeder.

Lars-Ivar had geruime tijd naar zijn zoon mogen kijken en hij was ontroerd over hoe klein hij was en toch zo compleet met alles erop en eraan. En, bovendien, dezelfde haargrens als zijn vader.

Zelf had ik het kindje nog niet gezien. Vlak na de bevalling toen ze me bevolen hadden te kijken, had ik mijn hoofd immers afgewend.

Maar ik herinnerde me hoe hij klonk.

Nu kon heel zaal 10 zien hoe de wederhelft van bed 4 binnenkwam met een bos rozen en een langwerpige koker.

De vrouwen merkten vast op hoe knap hij was en hoe teder hij me uit de kussens tilde en omhelsde. En dat ik, zijn vrouw, de moeder van zijn kind, alleen maar huilde. Snot droop op zijn revers terwijl hij me wiegde en fluisterde: 'Maar wat is er dan? Wat is er gebeurd?'

Lieve hemel. Wat kan een man toch dom zijn!

'He-et was zo e-e-erg.'

Godzijdank vroeg hij niet: 'Wat dan?'

Hij wiegde verder. Kuste mijn bezwete haren en fluisterde dat het voorbij was, dat het over was en dat we een gezonde, mooie zoon hadden...

Ik kalmeerde. Snoot mijn neus in de zakdoek die hij me gaf, werkte mee toen hij het hoofdeinde van het bed omhoog deed zodat ik een steuntje had bij het zitten. Toen opende hij de koker en peuterde voorzichtig een kunstwerk te voorschijn. Een gesigneerde kleurenlithografie van Olle Olsson-Hagalund.

'In plaats van een armband of wat vrouwen anders meestal krijgen als ze een erfgenaam hebben gebaard. Vind je het mooi?'

Bezorgd en vol spanning keek hij me aan.

Ik knikte en glimlachte zoveel ik maar kon. Mijn gezicht stond strak van het zout uit mijn tranen.

Ik kwam met een kleine ruk overeind en omhelsde hem en fluisterde: 'O ja, je weet toch hoeveel ik van zijn werk hou.'

Toen kuste hij me, geen beterschapskusje maar een lange gepassioneerde tongzoen. Dit trok zo de aandacht dat het geklets op zaal verstomde. Een getrouwde man die zijn vrouw zo openhartig kuste op de gemeenschappelijke zaal van de kraamkliniek!

Het is te veel gezegd dat ik deze kus met spontane hartstocht beantwoordde. Wanneer je net op wonderbaarlijke wijze verlost bent uit de greep der verschrikkingen, ben je als het ware verdoofd.

Maar goed, toen riep een verpleegster met een stem als een misthoorn dat het bezoekuur voorbij was.

'Ik neem de litho mee, zodat hij ingelijst is als je thuiskomt', waren Lars-Ivars afscheidswoorden.

Het gevoel van verlichting nu hij niet langer op me leunde. Bij de deur draaide hij zich om en wierp me een kushandje toe; dat deed geen enkele andere wederhelft. Daarom ging er een golf van trots door me heen. Geen van de mannen die in gesloten formatie de zaal verlieten was zo charmant als de mijne.

(Om maar te zwijgen van de drie op zaal die helemaal geen bezoek kregen. Twee van hen hadden een kale ringvinger.)

Meteen na het bezoekuur werden de baby's binnengebracht. Een meisje bleef bij mij om me te helpen. In mijn herinnering was dit de eerste keer dat hij aan mijn borst gelegd werd. Ze zouden hem op de kinderzaal toch wel een flesje gegeven hebben?

Maar nu was het dus tijd voor het echte spul, direct van de bron.

Op zaal bestonden diverse soorten concurrentie. Eentje was welk kindje het beste dronk en daarmee ook het hardst groeide.

'...de pijn tijdens de bevalling moet niet onderschat worden, maar dat is de moeder zo weer vergeten als het kind aan haar borst gelegd wordt...'

Het mondje dat zich blindelings openspert en zoekt, tot de hand van een verpleegster hem helpt mijn tepel te vinden en hij toehapt en begint te zuigen.

'Kijk eens, hoe mooi!' riep het meisje. 'Kijk eens, mevrouw Palm, hoe goed hij al zuigt de eerste keer, dat doen ze heus niet allemaal.'

Blij en bemoedigd had ik deze informatie in me moeten opnemen. Maar ik voelde alleen die ontstellende pijn in mijn tepel.

Ik begon weerloos te huilen, ik was als een schaal die tot de rand toe met tranen gevuld was en bij de minste beweging overliep.

'Maar beste mevrouw Palm, wat is er?'

'Ik wist niet dat het zo'n pijn zou doen', fluisterde ik.

'Ach, dat gaat vlug genoeg over. Dat is alleen in het begin.'

Ja ja. Maar waarom had dat dan niet in de brochure gestaan, waarom had niemand bij de zwangerschapscontrole dat verteld...

Hier lag ik met negen andere moeders die zich met een verheerlijkte glimlach lieten leegzuigen en trots hun borst terugtrokken wanneer de kleine losliet, zo voldaan en propvol van alle melk dat het overschot uit een mondhoek sijpelde.

Ik wilde, ik moest geloven dat de 'pijn' die ik voelde van voorbijgaande aard was.

Maar dat was niet zo. Het werd steeds pijnlijker. Hoe ouder het kind werd, des te krachtiger en vasthoudender het kon zuigen.

Ik huilde alleen de eerste keer. Daarna probeerde ik me te verbijten en het dapper uit te houden. Het thuisbezoek van het consultatiebureau bood weinig uitkomst. Er bestond weliswaar pijnstillende, licht verdovende zalf. Maar die zou het kindje dan ook binnenkrijgen; en dat was slecht.

Mijn eerste schrikreactie riep dezelfde soort afkeuring op als toen ik 'nee-nee-nee' riep onder het persen.

Al in de eerste week bleek hoezeer ik tekortschoot als moeder.

Alleen al die ongelukkige neiging om te pas en te onpas te huilen, dat deed verder niemand. En ik had zo'n gezond, mooi kindje – een baby met haar. Dat stond hoog op de ranglijst van de dingen waar een moeder extra trots op mocht zijn.

Op de vijfde dag kwam Estella Karr en ze baarde opzien. Alleen al door hoe ze eruitzag. En dat ze maar één bloem bij zich had. Een delicate wit met roze orchidee, een takje met onregelmatig gevormde bloemkelken. Ik kreeg er een smal glazen vaasje bij cadeau.

'Anders zetten ze hem misschien gewoon tussen je andere bloemen.'

Estelle Karrs deftigheid kwam tot uitdrukking in de vanzelfsprekendheid waarmee ze me wist te vinden op die volkse zaal. Ze toonde geen greintje verbazing over het feit dat ik daar lag. Ze bleef maar heel even. Die tijd gebruikte ze vooral om te zeggen dat ze hoopte dat ik weer gauw terug zou zijn op de pagina's van *Kvinnans Värld* met mijn tekeningen. Er was veel werk zo vlak voor het herfstseizoen.

'Je hebt toch wel hulp thuis als je uit het ziekenhuis komt?'

Ik bloosde heftig, want ze bedoelde natuurlijk een kinderverzorgster.

'Mijn man heeft vrij gekregen om de eerste week thuis te zijn. En daarna komt mijn moeder een week.'

'Je zult zien dat je gauw genoeg weer op dreef bent.'

En voor de eerste keer na de bevalling schoot er een schok van vreugde dwars door mijn gevoelens van onmacht heen.

Weer te mogen tekenen. Met de tekenplank op schoot (en nu zonder dat mijn buik in de weg zat), maagdelijk wit papier voor je neus, een geopend flesje Oost-Indische inkt, een blikje met water, een penseel om erin te dopen, en dan die eerste streek...

Op de achtste dag kwam Lars-Ivar ons halen.

Thuis was alles prima geregeld. Lars-Ivar had zelf een verschoonhoek in elkaar getimmerd, met stof over het frame. De stof was elastisch en als je het kind erin legde, lag het daar lekker en veilig zonder het risico eraf te vallen.

Lars-Ivar was in allerlei opzichten uniek. Hij verschoonde en verzorgde het kind. Zelf was ik bang dat ik in mijn onhandigheid...

Het kindje moest iedere vier uur verzorgd en gevoed worden. Als het tussendoor huilde, moest je het laten huilen; dat was goed voor de longen, werd er gezegd. Het kind opnemen buiten het schema om was verwennerij en je zou daarmee, zoals dat heette, 'jezelf in de vingers snijden'.

Maar in het begin was een nachtvoeding toegestaan. Lars-Ivar nam het schoppende, gillende kind op.

Je weet, Alberte, hoe zuigelingen huilen als ze eenmaal op gang zijn, het lijkt alsof ze alleen uitademen; soms, nee vaak, heb je het idee dat hun ademhaling stokt...

De verpleegster van het consultatiebureau, die de tweede dag al op huisbezoek kwam, zei dat we ons geen zorgen hoefden te maken. Het gebeurde nooit dat de ademhaling 'stokte'. Haar voorstel was om – als er tenminste plek was – het kinderbedje in een andere kamer te zetten. De kersverse moeder had alle nachtrust nodig die ze kon krijgen.

Enfin, Lars-Ivar legde het verschoonde jongetje aan mijn borst en ik hield mijn adem in om de pijn de baas te kunnen wanneer hij zich aan de tepel vastzoog.

De vierde dag kreeg ik plotseling hoge koorts en ik voelde iets vreemds in mijn onderlichaam. Lars-Ivar belde het ziekenhuis en dit keer werd er meteen vaart achter gezet. Vrouw en kind moesten direct naar de kraamkliniek komen. We kregen een kamer alleen. Hoewel, het kind – dat trouwens Peter Elof Palm gedoopt zou worden – was weer ondergebracht in de collectieve kinderkamer.

Ik was een paar dagen ontzettend ziek, maar de voeding moest toch op gang gehouden worden, anders kon de melk opdrogen.

Door de hoge koorts was ik ontzettend helder en tegelijk leek alles heel onwerkelijk.

Er was een fout gemaakt. Ze hadden niet goed opgelet met de nageboorte. Er was iets achtergebleven. Ik had doodgewoon kraam-vrouwenkoorts. Het was erg belangrijk dat ik op tijd gekomen was.

Toch moesten ze me antibiotica geven. Niet goed met het oog op de melk. Maar beter dan dat ik zou bezwijken en het kind moederloos werd.

Lars-Ivar zat af en toe aan mijn bed. Zijn gezicht grauw en strak van bezorgdheid. Hij kuste mijn handen en mompelde dat ik moest zorgen dat ik gauw weer beter werd.

'Maar ik zweer, Signe, dat als het nog eens gebeurt, je op de klassenafdeling mag liggen. Dat beloof ik je.'

Ik sloot mijn ogen en wendde mijn hoofd af.

17

Ik heb watten in mijn hoofd. Ik kan niet slapen: niet zozeer omdat ik last heb van het kind. Maar sowieso.

Ik ben bang hem op de grond te laten vallen. Hij huilt. Hij huilt bijna constant. Ik huil. Snikkend met een stevig samengeknepen zakdoek in mijn rechterhand loop ik heen en weer voor de kamer waarin mijn zoon ligt te huilen. Het duurt nog ruim een halfuur voordat ik hem mag oppakken.

Als hij huilt, trekt mijn baarmoeder samen en de melk lekt met een schrijnend gevoel. Al mijn bloesjes en jurken staan stijf van de suiker. De tissues die ik in mijn bh stop worden meteen nat.

Daar loop ik dan met mijn pijnlijke, overvolle borsten en kijk op de klok. Soms, steeds vaker eigenlijk, hou ik het niet uit. Ik smokkel. Haal hem te vroeg uit bed. Zijn gezichtje is rood, het huilen stopt min of meer en gaat over in korte, hikkende inademingen, hij is nat van transpiratie en ontlasting. Hij schopt boos, trappelt in de vieze luier terwijl ik hem verschoon. Zijn kromme beentjes zijn dun, maar sterk en snel. Je kunt het beste met z'n tweeën zijn om hem te wassen en een schone luier om te doen.

Lars-Ivar kan veel beter met het kind overweg dan ik. Kalm en onverstoorbaar. Hij heeft nog een vrije week weten los te peuteren, maar dan moet het afgelopen zijn, heeft de chef gezegd. Het is immers niet om op elandenjacht te gaan of iets anders manhaftigs. Een zuigeling is, hoe dan ook, een vrouwenzaak.

Lars-Ivar wast hem in een badje met lauw water. Ik durf het niet, hem baden bedoel ik. Stel je voor dat mijn hand wegschiet? Lars-Ivar denkt nooit aan dat soort dingen. De baby is zo klein dat hij bijna helemaal verdwijnt in zijn ene hand. Al keuvelend wast hij hem met de andere.

Het is telkens hetzelfde liedje. Het kind huilt verschrikkelijk, wordt in het water gedompeld en valt abrupt stil alsof je de radio uitzet. We vinden allebei dat hij zo gericht naar zijn vader kijkt. De verpleegster van het consultatiebureau zegt dat pasgeborenen net zo blind zijn als jonge poesjes.

Je vraagt je af waar ze dat vandaan heeft.

We zien toch zelf dat Peter recht naar zijn vader kijkt. Zijn ogen zoekt. Soms denken we dat hij lacht. Maar nee, dat is écht onmogelijk. Dat zijn stuipjes, zegt de deskundige.

Ik lig op mijn zij met mijn ene borst ontbloot. Het kind is weer gaan huilen. Maar dan wordt de knop omgezet. Hij heeft mijn tepel gevonden en zuigt met krachtige bewegingen. Mijn ogen tranen, ik hou mijn adem in omdat het zo'n pijn doet. Na een poosje gaat het iets beter. Hij zucht diep en soms piept hij een beetje. Ik strijk met mijn hand over zijn donshaartjes. In zijn nek zijn ze afgeschaafd. Een kort moment van rust, ja geluk bijna.

Hij is klaar met drinken. Met een verdwaasde glimlach laat hij de tepel los en melk die hij niet meer hoeft sijpelt over zijn kin.

In deze vredige stemming zouden we samen in slaap kunnen vallen.

Maar dat mag zomaar niet. Eerst moet het kind boeren, staat er in het boekje. Als papa thuis is, is het nu zijn beurt. Peters wang rust tegen Lars-Ivar hals. Ik bedenk dat ik ook zo zou willen liggen tegen de hals van mijn geliefde. Lars-Ivar loopt heen en weer terwijl hij zachtjes op zijn luier klopt. BLURB. Ziezo, daar komt-ie.

Als het kind geboerd heeft is het de bedoeling dat je zegt: 'Goed zo, grote jongen.' En daarmee is het samenzijn voor dit keer ten einde. Nu is het weer bedtijd. Hij slaapt, dus het is geen probleem om hem ongemerkt in zijn bedje te leggen. Volgens de aanbevelingen moet hij op zijn buik liggen met het hoofdje opzij. Dan is er geen gevaar dat het kind stikt in eventuele oprispingen.

Een moment van stilte. Ik druk de melk eruit, dat is heel belangrijk. De borst moet goed leeg zijn. Een brede, harde straal in de roestvrijstalen beker. Dat 'uitmelken' is een saai karweitje. (Op een keer, bij de tweede, zat ik op een stoel naast Lars-Ivar, die inmiddels freelancer was. Hij was net klaar met een gouache. Opeens belandde er een melkstraal op het schilderij. Spetter, spatter, als een zacht regentje. Daar kun je om lachen. Maar het schilderij! Vele uren werk verpest. Je kunt kwalijk bij een belangrijke reclameklant een origineel met vetvlekjes inleveren. Ook al waren die na reproductie niet zichtbaar. Mijn god, wat werd hij kwaad! Hij had me bijna een oplawaai verkocht.)

Dan moet je nog vuile was bij elkaar zoeken, de grote teil opzetten en het goed koken in het sop en vervolgens ben je best lang bezig met uitspoelen in de badkuip.

Je denkt dat je alle tijd hebt tot de volgende voeding. Je gaat misschien zelfs aan de werktafel zitten en haalt je schetsblok en de hele santenkraam te voorschijn.

Maar dan begint hij weer te huilen.

Het is zoals gezegd streng verboden hem tussendoor op te pakken. Maar daarbij is geen enkele rekening gehouden met de kwelling dat gehuil te moeten aanhoren.

Eén ding is wel toegestaan. Namelijk de baby in de kinderwagen leggen en een eindje gaan wandelen. Er bestaan een minimale tijd en een gewenste tijd dat een kind buiten in de frisse lucht moet zijn.

Na tien minuten in de schommelende kinderwagen slaapt Peter weer.

Je krijgt hem ook in slaap door de kinderwagen over de drempel van het balkon heen en weer te rijden, en hem vervolgens daar buiten te laten slapen. Maar als je binnen onder dat soort omstandigheden zit te werken, valt het niet mee te ontspannen.

Je kunt net zo goed een rondje door het platgetreden parkje lopen waar etensluchtjes in de stilstaande lucht hangen. Gebakken spek. Pannenkoeken. Erwtensoep. Gebakken Oostzeeharing met dille en peterselie. Ruik je op maandag erwtensoep, dan zou je bijna denken dat een gezin anarchistische neigingen vertoont. Fatsoenlijke mensen eten dat gerecht altijd op donderdag. Als het warm genoeg is kun je op een bankje gaan zitten en in een tijdschrift bladeren. Het is altijd raak. Binnen vijf minuten staan er twee zevenjarige meisjes die aandringen om naar de baby te mogen kijken.

De brutaalste van de twee heeft haar hand al onder de kap. 'Nee,' roep ik dan, 'nee, niet doen. Straks wordt hij wakker.'

Maar dat wordt hij dus van mijn geschreeuw. Hij zet het gelijk op een huilen. Als ik me over hem heen buig, ruik ik de zurige lucht van gele diarree.

Ik weet niet hoeveel moeders van mijn tijd het gevoel hadden lijfeigene te zijn. Maar ik krijg aanvallen waarin ik puur lichamelijk ervaar opgesloten te zitten in een cel, waar door een klein raampje met tralies spaarzaam daglicht binnensijpelt. De behoefte weg te lopen is groot.

Een zogende moeder heeft in haar kind een onomkoopbare gevangenbewaarder.

Lars-Ivar begrijpt er niets van. Als hij thuis is en ik het jongetje gevoed heb, vraag ik of ik met de tram naar de stad mag. Niet om een uitgeverij of reclamebureau te bezoeken – want dan moet ik toch het kind meenemen en de tas met luiers enzovoort. Voeden mag ik dan in een kamer die even niet bezet is. Nee, ik wil alleen en zonder speciaal doel. Ik wil alleen zijn en zo ver van huis dat ik hem niet kan horen huilen.

Een dwaze behoefte, pijnlijk om uit te leggen aan een buitenstaander.

Ik loop op een holletje naar de halte in Aspudden, stap op tram 16 met als eindstation Södermalmstorg, waar ik overstap op lijn 3 die langs Stockholm Centraal komt. Daar stap ik uit, het is spitsuur, veel auto's, veel mensen.

Doordat ik lijd aan een chronisch slaapgebrek voel ik me voortdurend trillerig, mijn hoofd lijkt boven mijn lichaam te zweven. Dus is het zaak me te concentreren zodat ik niet wankel of een misstap maak bij de ingang van die prachtige, enorme wachtkamer. Met vooruitziende blik heb ik een tas volgestouwd met kranten zodat het voor bagage kan doorgaan. Met de tas naast me ga ik op een bank zitten en kijk af en toe op de klok, zodat het duidelijk is dat ik op een bepaalde trein wacht. Dat doen de anderen ook die hier zitten omdat ze nergens anders kunnen blijven.

Onze financiën en moraal staan geen uitspattingen toe zoals naar de stad gaan om in de theesalon van Nordiska Kompaniet een kannetje thee te bestellen met het vermaarde chocoladegebak van het huis; nee, dat is uitgaan en dan ben je een moeder die haar kind in de steek laat.

Maar eenvoudigweg op een bank in het Centraal Station zitten is absoluut zonder enige vorm van vertier en gratis. Met enkel het spannende risico dat iemand in uniform om je plaatsbewijs komt vragen.

Ik heb veertig minuten. Een krant om door te bladeren. Maar ik kijk vooral naar de mensen; het is eigenlijk zeer vermakelijk om op een station te zitten.

In Vingåker had het station een moment van bevrijding van de angst betekend. Hier ben ik even bevrijd van alle verantwoordelijkheid.

Voor Lars-Ivar zijn het verontrustende signalen dat er iets mis is in mijn hoofd. Je kon toch niet zeggen dat het normaal was dat een jonge moeder bij haar kind vandaan gaat om op een station te zitten? Om een vriendin te ontmoeten, oké. Of om je moeder van de trein te halen.

Op een geheime minnaar stond vast de doodstraf. Maar toch was zelfs zoiets normaler.

We waren allebei erg gebrand op normaliteit.

Toen Peter na een paar maanden hele nachten door huilde en het consultatiebureau ons adviseerde met het kind naar het Sachsska-kinderziekenhuis te gaan, bleek die arme ziel een soort kramp in zijn maagmond te hebben. Maar daar waren gelukkig medicijnen voor. Een flesje met een druppelaar om een druppeltje aan de binnenkant van zijn bovenlip te doen. We kregen te horen dat het een lichamelijke aandoening was die alleen bij jongetjes voorkwam.

Fysieke gebreken voelen altijd weer als een bevrijding. Daar kun je over praten. De dokter schrijft een geneesmiddel voor, misschien brengt het misselijkheid met zich mee, maar dat is allemaal heel normaal.

Maar de dingen waar ik last van begon te krijgen konden niet onder die rubriek geschaard worden. Het jongetje groeide en ontwikkelde zich. Hij was vrolijk en erg leuk om te zien. Echt een voorbeeldig kind. Een foto met dezelfde afbeelding in een serie van zes laat een heel schattig jongetje zien. Hij lacht een beetje.

Terwijl mij het lachen was vergaan.

Nu moest ik boeten voor mijn voorspoedige zwangerschap. Nu mocht ik het gelag betalen. 's Nachts was ik klaarwakker en kon geen adem krijgen, niet slikken, dacht dat ik doodging en was zo bang dat ik niet eens kon huilen. Het draaide er altijd op uit dat ik mijn in diepe slaap verzonken man wakker maakte. De baby was in een gunstig ritme gekomen waarin hij tamelijk laat in slaap viel, maar de hele nacht doorsliep.

En toen begon zijn moeder met die dwaasheden.

Het was overduidelijk allemaal inbeelding. Iedereen kon vaststellen dat ik kon slikken en ademhalen, dat mijn hart bleef kloppen, een beetje snel weliswaar, maar regelmatig.

Er zijn geen woorden voor wat me wakker hield. Nachtmerries kwelden me. De dood grijnsde me met holle ogen en grote tanden toe en mijn man sliep de gezonde, diepe slaap van een arbeider. God, wat haatte ik hem.

En hij mij als ik hem hysterisch schreeuwend wakker schudde en dwong zijn ogen open te doen.

Hij vloog overeind, verward en razend.

'Wat is er nu weer?'

Het antwoord was steeds hetzelfde. Nu ik niet meer alleen was met mijn angsten, kwamen de tranen.

'Ik kan niet slapen', snikte ik, en mijn rillende schouders snakten naar zijn armen en wilden dat hij me zou troosten. Maar dat deed hij niet. Hij was al die smoesjes zat. Ik moest mezelf verdomme maar beheersen.

Hij bracht te berde dat ik misschien toch te weinig te doen had. Die tekenopdrachten deed ik immers met zoveel gemak en ze vergden weinig van me. Dat bewees trouwens dat er niets met me aan de hand was.

'Als je echt moe bent, slaap je heus wel.' Na die uitbarsting draaide hij op zijn zij en sliep binnen een minuut.

Ik werd weer alleen gelaten met de onverklaarbare paniek die door mijn lichaam raasde.

Overdag ging het beter. Voor *Bonniers Månadstidning* had ik bezoekjes gebracht aan de modehuizen Nordiska Kompaniet en Leja en in totaal zes modellen getekend. Met aanvullende foto's zou de reportage drie dubbele pagina's beslaan; een prestigieuze opdracht.

En als ik het thuis op mijn tekenplank zat uit te werken was ik in de zevende hemel. Lars-Ivar had ermee ingestemd dat er iedere middag drie uur een meisje kwam oppassen zodat ik de deur achter me dicht kon trekken als ik zat te werken. Ze kon de boodschappen doen en Peter in de kinderwagen meenemen, ze kon de vaat doen en de was in de week leggen. Maar Peter verschonen zou ik zelf doen. Dat viel toch samen met het voeden.

Het geld stroomde binnen. Ook *Kvinnans Värld* gaf me opdrachten. De advertenties voor Irma Sundbom werden tijdelijk door iemand anders gedaan, maar na de kerst zou ik die klus zelf weer oppakken.

Bij de grote uitgeversmaatschappij bewonderden ze mijn frisheid en dat ik zo snel mijn figuur 'had teruggekregen'.

'U ziet er werkelijk stralend uit, mevrouw Palm', zei Louise Svenzén zo welwillend mogelijk.

Voor drieën kon je bij de kas je honorarium ophalen en daar ontmoetten we elkaar, de vrije schrijvers en tekenaars. De mannen haastten zich vervolgens naar gelegenheden waar alcohol werd geschonken. Terwijl ik me naar de dichtstbijzijnde tramhalte spoedde.

Op de trap werd ik begroet door het geschreeuw van mijn hongerige kind. Dat veroorzaakte nog steeds dat mijn baarmoeder samentrok en dat de melk begon te lekken. Als ik de deur opendeed vloog de angst me weer aan. Het meisje, Hillevi, stond op het punt naar huis te gaan. Ik zou twee uur met Peter alleen zijn voordat zijn vader thuiskwam.

Ik probeerde me ertegen te verzetten. Maar het waren krachten waar de wil geen vat op had. Ze gingen nog heftiger tekeer als je probeerde ze met je verstand te lijf te gaan.

Ik voelde hoe het Vingåkersyndroom me in zijn greep nam en ik kon er niet aan ontsnappen. Ik kon er ook met niemand over praten. Al helemaal niet met Lars-Ivar.

En dan dat enorme contrast met hoe ik me voelde als ik aan het werk was. Die stralende jonge vrouw met haar getalenteerde tekeningen in de map onder haar arm.

Maar thuis stortte alles in. Ik werd steeds huileriger en hysterischer. Het was erg zielig voor Lars-Ivar, dat begrijp je zeker wel, Alberte.

Bijvoorbeeld als hij een avondje per maand met zijn vrienden een paar pilsjes wilde gaan drinken. Gewoon even ontspannen. Dan kreeg ik een angstaanval, draaide koortsachtig om hem heen en eiste dat hij de bank in de hal zou zetten waar de telefoon stond...

'Zodat ik gauw bij de telefoon ben om te bellen als...'

'Als wat?'

De woorden kort en kwaad als mitrailleurschoten.

'Als ik... als er iets gebeurt.'

Hij zweeg sarcastisch.

'Ik bedoel als ik bang word.'

Mijn god, wat was hij mijn gezeur zat.

'Wat is er in godsnaam om bang voor te zijn? Vierhoog in een flat met buren rondom, echtelijke ruzies, radiomuziek en kindergehuil, gehorig als het hier is...'

'Ja maar ik ken ze niet', hijgde ik. Ik wist dat hij geen antwoord wilde. Hij vroeg het alleen maar om gemeen te zijn.

'En bovendien. Je bént niet alleen. Je hebt Peter.'

Toen kneep mijn keel dicht.

Ik wist dat het geen goed idee was te zeggen dat dat het nog erger maakte. Want stel je voor dat ik écht gek werd en buiten zinnen raakte en in de keuken een mes ging pakken, zulke dingen lees je wel eens, of het kind van het balkon zou gooien (dat is ook voorgekomen), of dat ik zelf zou springen, of...?

Kortom, dat ik het kind iets zou aandoen of het in de steek zou laten.

Hoewel ik wist dat zijn woede het punt ging naderen dat hij zou uithalen (dat was een paar keer eerder gebeurd; een echte vent hield zijn vrouw kort), bleef ik net zo lang zeuren tot hij de bank een stuk de hal in trok.

'Maar probeer jezelf in gódsnaam een beetje te beheersen. Je zet me voor schut, je maakt me belachelijk, niemand heeft een wijf dat naar de kroeg belt om naar haar man te vragen. Heb je me gehoord? Je laat het uit je hoofd om te bellen!'

Ik beloofde het. Ik hoorde zijn voetstappen zich verwijderen. Ik hoorde de lift, het gerammel van het hekwerk en de lift die zich weer in beweging zette.

De angst sloeg direct in volle omvang toe.

Ik voelde voortdurend de aandrang de trappen af te rennen naar buiten, de heuvel af, voorbij het park naar die beruchte 'tent' op de hoek om iemand te vragen, wie dan ook, met me mee naar huis te gaan en bij me in de woonkamer te komen zitten met zijn pilsje.

Het maakte me niet uit wie, vriend of vijand, schooier of hoer. Als ik maar niet alleen hoefde te zijn.

Het leidde me een paar minuten af als ik me probeerde voor te stellen wat voor gezicht Lars-Ivar zou trekken wanneer hij zo'n gast in zijn huis zou aantreffen.

Ik verzorgde Peter. Het was lastig hem te wassen. Hij had net geleerd zich om te rollen.

Ik voedde hem. Dat deed nog steeds zeer.

Ik legde hem in de beklede wasmand op vier poten met wieltjes die dienstdeed als zijn wiegje. We hadden hem geleend van een oude schoolvriendin van mij, Birgitta, die ik stomtoevallig was tegengekomen op het consultatiebureau. Birgitta was getrouwd met een jongen uit Eskilstuna die ik nog kende van de middelbare school. Hun zoon was ruim een jaar en Peter pas twee weken. Ze woonden in de wijk Mälarhöjden, niet ver bij ons vandaan.

Ik vond het geweldig de enige goede vriendin uit mijn schooljaren in Eskilstuna tegen te komen. Zij vond het ook leuk en we spraken af elkaar vaak te zien.

Maar er zat nogal veel tijd tussen onze ontmoetingen. Het babywiegje had ze me de eerste keer al aangeboden. Het was echte huisvlijt. Grote wielen die makkelijk reden. Het hele onderstel schudde als je het heen en weer reed, met een duidelijk slaapverwekkend effect op degene die erin lag.

Peter sliep die avond ongewoon snel in. In de keuken stond de vuile vaat nog. Er zat een groot snijmes bij. Met trillende handen en afgewend hoofd waste ik het af en legde het in de la. Ik vulde de grote roestvrijstalen pan met water en wasmiddel en vieze babykleertjes. Ik stak het gas aan en zette de pan op het vuur. Ik dacht, wat als ik niet doorheb dat het water overkookt en de vlam dooft en het gas... Meteen deed ik het fornuis uit. En de hoofdkraan. Ik nam een boterham met kaas en een glas melk en zette de radio aan. In de

182

verstelmand lag nog stopwerk. Op de radio begon een hoorspel. Een vrouw die jammerend de goden aanriep. Ik zette de radio uit. Pakte een sok, stak de wollen draad in de naald. Stopte het gat, prikte mezelf, bloed sijpelde naar buiten en maakte een vlek op mijn schort. Ik legde alles weg. Zoog mijn eigen bloed op. Plotseling een golf van misselijkheid, ik probeerde te slikken maar al mijn speeksel was verdwenen. Vlug naar de keuken met mijn mond onder de kraan; tijd om een glas te pakken was er niet. Ik hield mijn adem in. Paniek deed mijn hart een slag overslaan.

Ik ga dood, dacht ik. En Peter...

Maar mijn hart herstelde zich en begon wild te kloppen om de verloren tijd in te halen.

Peter werd wakker en huilde schril. Ik haastte me erheen. Met zijn oogjes dicht lag hij luid en angstaanjagend te brullen. Hij had zichzelf bevuild. Ontlasting tot aan zijn schouders. Verschonen. Mijn handen trilden een beetje. Toen ik hem optilde was hij zwaarder dan zo-even. Ik leek te wankelen. Peter merkte dat er iets was en begon opnieuw te huilen. Geheel tegen de regels en met het schaamrood op de wangen voedde ik hem nog een keer. Dat maakte hem soezerig. Voorzichtig maar ook onhandig legde ik hem neer. Hij sliep door.

Toen stond ik daar midden in de kamer. Overspoeld door angst.

Het lukte me het beddengoed los te rukken en op de bank te leggen die met het hoofdeinde in de hal en met het voeteneinde in de kamer stond. De telefoon. Ernaast een briefje met een telefoonnummer. Ik keek op de klok; tien voor halfelf.

Door de paniek kon ik niet goed zien. Misschien was het wel tien voor halftwaalf?

Mijn hart begon weer te haperen. Met mijn rechterduim voelde ik zelf mijn pols, het duizelde in me, ik kon mijn polsslag niet vinden, mijn hart hield ermee op...

Met mijn laatste krachten slaagde ik erin het nummer te draaien dat ik absoluut niet mocht bellen. Toen er werd opgenomen hijgde ik zo dat ze nauwelijks konden verstaan wat ik zei. Maar blijkbaar hadden ze het toch begrepen. Want nu hoorde ik Lars-Ivars stem: 'Verdomme, Signe, we hadden toch afgesproken, je hebt beloofd...'

'Ik weet het, maar…'

Toen werd ik door tranen overmand, een lange, hikkende snik waarin ik fluisterde: 'Je moet komen. Ik ga dood.'

Maar natuurlijk was ik niet dood toen hij een halfuur later in de hal stond.

Was ik het maar geweest. Dan had hij zich niet zo hoeven schamen.

Het begon nu zo ondraaglijk te worden dat Lars-Ivar ermee instemde dat ik naar een psychiater zou gaan. Hij, mijn wederhelft, vond het niet te harden. Niemand van zijn vrienden had ook maar bij benadering zulke problemen met zijn vrouw, dat stond buiten kijf.

Twee keer per week naar de psychiater. Na twee maanden was er nog geen enkel verschil merkbaar. Ik was zelfs angstiger dan ooit en mijn man verloor zijn geduld en schreeuwde tegen me dat ik me niet zo moest aanstellen. 'Dat eeuwige gezeur over niets, over dingen die er niet zijn, hoe moet een mens dat verdomme uithouden…'

Tegelijkertijd vermagerde ik zichtbaar (dat was al begonnen toen de dames van de redactie me prezen omdat ik zo snel mijn figuur weer terug had.)

Ik raakte van het minste of geringste buiten adem. 's Nachts zat ik doornat van het zweet rechtovereind en huilde alleen maar. Eén keer maakte ik Lars-Ivar wakker door hem te slaan. Ik rukte en trok aan hem.

Zijn woede was volkomen terecht. Maar die transpiratie? Ik had 38.3 en was niet verkouden, had nergens pijn.

De psychiater, dokter Ask, verwees me naar een algemeen arts.

Het was een zij, een oudere vrouw met scherpe ogen achter een bril. Nadat ze me een paar minuten aandachtig had opgenomen, had ze haar diagnose klaar. Ze zei: 'Maar lieve kind, je hebt struma.'

Ik lachte. Voelde aan mijn ranke hals, geen verdikking.

'Ik heb het over een toxische struma, ook wel de ziekte van Basedow genoemd.'

Ik begreep er niets van. Ik had nog nooit van die ziekte gehoord.

Ze pleegde een paar telefoontjes en kreeg voor elkaar dat ik twee dagen later onderzocht kon worden. Toen ik opstond uit de bezoekersstoel vroeg ze me mijn armen te strekken met de handpalmen naar beneden.

Ik merkte zelf op dat ze een beetje trilden en de dokter zei: 'Dat klopt, ja.'

Het Söderziekenhuis. Ik zit op een gang met vele wachtenden. Ik zie een vrouw die binnengereden wordt op een brancard. Ze ligt dik ingepakt.

Een verlangen overspoelt me. O, ik ben zo moe, wat zou ik graag op zo'n brancard liggen en niets meer hoeven doen.

Een paar vrouwen wenden zich verontwaardigd tot elkaar als mijn naam zo vlug wordt afgeroepen. Zou het niet op volgorde moeten gaan? Afkeurend volgen ze me met hun ogen als ik een deur binnenga. Ik heb geen flauw idee wat me daar te wachten staat.

Ik mocht op een onderzoekstafel gaan liggen. Er werd een buisje in mijn mond gestoken en een luide mannenstem maande me rustig en regelmatig te ademen.

Degene die dat zei, was onwetend over het onmogelijke van die vermaning. Op mijn borst lag namelijk een groot, onbeweeglijk dier. Bij iedere ademhaling moest ik dat beest optillen; volgens mij was het een ijsbeer.

'Adem rustig en normaal – helemaal tot de bodem.'

Doodsangst is reukloos en spraakloos. Een verpleegster met trefzekere handen hield me op mijn plaats. Ergens voor mij ging een pen op en neer over een langzaam meedraaiende rol papier.

'U moet stil liggen, anders moeten we de test nog een keer doen.' De ijsbeer werd nog een beetje zwaarder.

Het was niet zo lang geleden dat ik op een verlostafel lag waar men ook geen genade kende, maar daar had ik tenminste kunnen schreeuwen.

De eeuwigheid duurde twintig minuten. Ik werd losgekoppeld. Ik beefde van top tot teen en moest vastgehouden worden terwijl ik naar de spreekkamer gevoerd werd. Het bericht was dat de uitslag zo snel mogelijk naar mijn dokter, Ida Abrahamsson, gestuurd zou worden.

Naar mijn kind thuis. Gelukkig had ik de voeding van 14.00 uur vervangen door een groentehapje en vruchtensap, iets wat de oppas makkelijk voor haar rekening kon nemen.

Vier dagen later kreeg ik te horen dat mijn stofwisseling catastrofaal hoog was; het symptoom van een toxische struma in een vergevorderd stadium.

Ik moest onmiddellijk opgenomen worden.

Ik keek dokter Abrahamsson niet-begrijpend aan.

'Dat kan niet, ik geef nog steeds borstvoeding.'

De dokter priemde haar ogen in mij en zei: 'Maar begrijpt u dan niet dat uw leven op het spel staat? U bent ernstig ziek.'

Ze beschreef metabolisme en de invloed van de defecte schildklier op allerlei stofwisselingsprocessen in het lichaam.

Ik luisterde zonder het te begrijpen.

'Kunnen we niet wachten tot mijn zoontje van de borst af is?'

Ze legde het nog eens uit. Dit keer luisterde ik nog minder. Een heel ander soort inzicht, een bijna triomfantelijk zie-je-wel, nam bezit van me en verdrong de doodsangst die opeens terecht was.

Een zalige rust kwam over me en maakte me soezerig.

IK WAS ZIEK. Ik was echt ziek. De ziekte had een naam. Het was een ernstige, ja, levensbedreigende ziekte en ik kon er niets aan doen.

Ik was ziek, bedankt, goede God, nu kunnen ze niet langer boos op me zijn. Ik dacht daarbij vooral aan Lars-Ivar en mijn schoonouders. Mijn moeder kon ook opgelucht zijn: het waren niet de zwakke zenuwen van mijn vader die hadden opgespeeld. Een echte ziekte was het en het ziekenhuis waarin ik opgenomen werd, kon met allerlei aandoeningen in verband gebracht worden. Het was niet zoals die andere klinieken. Wanneer het iets psychisch was, bedoel ik.

En het kind dan? Die onschuldige stakker die zonder af te bouwen de moedermelk zou moeten ontberen en zijn moeder erbij?

Ik ben bang, Alberte, dat ik me ook wat dat betreft vooral opgelucht voelde. Ik was doodziek. Dat bevrijdde me van zowel verantwoordelijkheid als schuldgevoel.

In die tijd was men onwetend omtrent de behoeften van zuigelingen. Nergens stond hoe schadelijk het was voor een kind van nul tot twee jaar om plotseling gescheiden te worden van zijn moeder of een gelijkwaardig persoon aan wie het zich gehecht had.

Dit gebeurde veertig jaar voordat men wist dat kleine kinderen geen idee hebben hoelang een uur of twee dagen duren. Als degene die het herkent aan de geur of stem of de manier van oppakken verdwijnt, is dat voor het kind een ramp.

In 1950 waren we allemaal onbekommerd onwetend. Het enige waar autoriteiten op het gebied van kinderen naar keken, was de kwaliteit van de plaatsvervangende verzorger.

Van vaderschapsverlof had niemand ooit gehoord. Daarom zou Lars-Ivar later beschouwd worden als een held en radicaal voorloper wanneer hij meer dan ik voor de kinderen zorgde. Hij verwekte ze, ik baarde ze, hij verzorgde ze en ik tekende de huur, kleren en eten bij elkaar. (Ik moet eraan toevoegen dat we altijd een kindermeisje hadden, een jonge stagiaire die van plan was kinderverzorgster of kleuterjuf te worden.)

Zelfs vandaag de dag is de werkverdeling die wij er in de jaren vijftig op na hielden nog steeds niet vanzelfsprekend. Maar aan het eind van de twintigste eeuw loopt een man in ieder geval niet meer zo het risico uitgemaakt te worden voor pantoffelheld en de werkende vrouw voor een carrièregerichte feeks.

Toen Peters moeder opgenomen werd in het ziekenhuis belandde hij bij oma in Uppsala. Mijn moeder nam gewoon vrij om substituut-moeder te zijn voor haar zeven maanden oude kleinzoon. Ik herinner me hoe zijn spijlen bedje en box apart per spoor verzonden werden.

Ik mocht niet eens helpen zijn kleren en lievelingsspeelgoed in te pakken. Maar dat kon zijn vader evengoed als ik.

Zelf werd ik met spoed opgenomen in ziekenhuis De Samaritaan in Uppsala.

Opdat we in ieder geval in dezelfde stad verbleven, mijn eniggeboren zoon en ik.

18

Als de wildebras uit een Angelsaksisch meisjesboek belandde ik op Afd. 3, waar geen van de vrouwelijke patiënten onder de vijfenvijftig was. Breekbare bejaarde dames met een hoge algemene en culturele ontwikkeling. Oude onderwijzeressen en een gepensioneerde rector.

Ziekenhuis De Samaritaan was half privé en gelieerd aan de Zweedse kerk. De lopende patiënten konden iedere ochtend deelnemen aan het ochtendgebed, dat uitgesproken werd in het dagverblijf dat de sfeer van een pastorie uitademde.

De verpleegsters bewogen zich stil en nederig als nonnen. Hun kleding versterkte de indruk van een klooster en het was duidelijk dat ze hun beroep als een van God gegeven roeping beschouwden.

Het werd nog een graadje erger toen die vrome meisjes mijn volle borsten omwikkelden met brede verbanden. De volgende ochtend had de natuur alle dijken doorbroken, de windsels waren naar beneden gegleden en uit mijn borsten spoten fonteinen moedermelk.

Ik bulderde van het lachen alsof het een geslaagde grap was.

De enorme euforie werd toegeschreven aan mijn ziekte. Evenals de slapeloosheid. Alles in mijn lichaam ging te snel vanwege de op hol geslagen stofwisseling, die er ook voor gezorgd had dat ik zo was afgevallen.

Naast de medicijnen om de ziekte te bestrijden kreeg ik 's avonds zware slaaptabletten. Nu gaf het niet meer dat het 'in de melk' kwam. Het duurde vijf dagen voor die eindelijk was opgedroogd. Onder het gesteven witte jasje zaten nu nieuwe, keurige borstjes.

Toen de chef de clinique, dokter Petrén, zijn ronde maakte, knoopte ik koket mijn jasje open om ze aan hem te laten zien. 'Kijk eens hoe mooi ze geworden zijn', jubelde ik.

Het was een oudere, wat gezette man die mijn ziektebeeld kende en wist dat zulk overdreven gedoe niets te betekenen had.

Mijn toestand werd gekenmerkt door een kinderlijke uitgelatenheid, iets wat ik zelf als kind nooit ervaren had. Mijn moeder had kans gezien iedere impuls in die richting op tijd de kop in te drukken. Als je niet wist wat de medische oorzaak was van deze 'spring-in-'t-velderigheid' zou je denken dat ik manisch was.

Thuis had ik last gehad van paniekaanvallen en huilbuien en was ik in lange, hysterische verwijten tekeer gegaan tegen die arme Lars-Ivar en had ik hem bijna gewurgd omdat hij 's nachts sliep terwijl ik, zijn vrouw, letterlijk de duivel in mijn lijf had.

Hier was ik niet, nooit eenzaam. Hier was ik niet bang. Ik was enkel niet goed wijs. Maar tegelijkertijd was ik het zonnetje van de afdeling, joechei joechei, de grote zus van Pippi Langkous als ze die gehad zou hebben.

Als er bezoek kwam, bedwong ik mijn uitgelatenheid en ging zelfs in bed liggen. Ik wist wat er van een zieke verwacht werd.

Het viel niet mee mijn gezicht in de plooi te houden, ik had namelijk alle reden op en neer te stuiteren en te juichen. Het triomfantelijke eerherstel smaakte als de chocola die ze voor me meebrachten. En de geur van rozen en de ach-mijn-arme-kind-verzuchtingen. De berouwvolle glimlachjes – ik denk dan niet alleen aan mijn man, maar vooral aan zijn familie. Dat ze echt ziek was en ernstig ook, leed aan een aandoening waar ze overigens nog nooit van gehoord hadden. Iets wat ze voor een zenuwaandoe-ning hadden aangezien, bleek een echte ziekte te zijn.

Zelden werden vooroordelen en verachting voor een psychische aandoening zo duidelijk onthuld. Ik haatte het dat ze nu opeens aankwamen met een ongeruste glimlach en een bosje bloemen.

De vleierige, bezorgde vragen van hoelang ik moest blijven…

'Dat hangt ervan af of ik geopereerd moet worden', antwoordde ik met een zwak stemmetje.

'O, is daar dan sprake van? Heeft de dokter dat gezegd?'

Nee, maar ik was van plan het zelf ter sprake te brengen. Drie weken medicijnen en geen enkele verandering.

Het ging te langzaam. Ik had een klein kind. Ik wilde dat het zichtbaar de goede kant op zou gaan en ik zei tegen de dokter: 'Is het niet beter om te opereren?' Het overviel hem.

'Het betreft een erg zware operatie, mevrouw Palm. Niet geheel zonder risico's.'

'Ik ben niet bang', zei ik en dat was waar. En de dokter zei dat hij mijn voorstel serieus in overweging zou nemen; ook hij had natuurlijk geconstateerd dat de medicatie tot op heden geen effect had gehad.

Maar eerst zou opnieuw de stofwisseling onderzocht worden.

Mijn moeder kwam vaak op bezoek en bracht verslag uit over hoe het met Peter ging. Alleen blijde boodschappen, over hoe mooi en rechtop hij kon zitten en hoe hij, als hij met zijn buik op de grond lag, naar een rode bal probeerde toe te kruipen.

Ik luisterde beleefd, alsof ze het over het kind van een ander had.

Nieuw onderzoek toonde aan dat er geen vooruitgang was. De dokter voerde een lang gesprek met mij waarin hij benadrukte dat hij eerst moest overleggen met mijn man.

Ik snoof. 'Hoezo? Wat heeft hij ermee te maken? Het is mijn lichaam. Het is onnodig hem ongerust te maken. Bovendien kan hij erg moeilijk beslissingen nemen. Het is beter hem niet voor de keus te stellen. De dokter moet gewoon zeggen dat het nodig is.'

'Ja', zei hij en hij klonk bezorgd. 'Maar weet u het zeker, ik bedoel…'

'Wat bedoelt u? Als ik niet beter word van de medicijnen dan is een operatie toch…?'

'Ja, ja, natuurlijk.'

'Nou dan', zei ik.

Een van angst bezeten volwassen meisje dat niet alleen met haar baby thuis durfde te zijn. En het waren niet haar zenuwen. Ze had al langere tijd last van een te snel werkende schildklier zonder dat iemand dat had doorgehad.

Stel je voor dat het dat was? De zwangerschap had de ziekte misschien aangewakkerd en in een acute fase gebracht.

Goede God – stel je voor, ik zeg *stel je voor* dat mijn angsten en inbeeldingen voortvloeien uit een lichamelijke ziekte?

Goede God, maak dat het zo is!

Bij het volgende familiebezoek kon ik een operatiedatum meedelen.

Zo dapper en beheerst, dachten ze toen. Echt bewonderenswaardig.

Achteroverleunend in het kussen glimlachte ik naar hen.

En daar werden ze zichtbaar nerveus van.

(Goeie genade, hoe zijn jullie er dan wel niet aan toe als ik het loodje leg?)

Mijn revanche en leedvermaak overvleugelden alles.

En mijn dankbaarheid tegenover wie dan ook. Voor deze pluspunten in het leven.

Voorlopig kon ik er op teren, maar op een gegeven moment zouden ze opgesoupeerd zijn en was ik weer terug bij af. Maar dat wist ik niet toen ik de morfine afsloeg en me bij mijn volle bewustzijn liet injecteren met een vergif, verwant met de curare die de indianen gebruiken en die alle spieren verlamt. Inclusief het hart.

Daarom lag ik tijdens de ingreep gekoppeld aan een beademingstoestel.

De dag ervoor hadden de dokter en ik nog een gesprek gehad. 'Stel je voor', had ik bakvisachtig gegiecheld, 'dat zoals ik nu ben het resultaat is van een overactieve schildklier en dat ik hierna een heel ander mens zal zijn, kalm en bedaard als...'

Hij onderbrak me door zijn grote hand op mijn arm te leggen. 'Nee, zo moet u niet denken, mevrouw Palm. Een dergelijk risico...'

'Risico', riep ik uit en ik ging overeind zitten. 'Rísico? Ik wil het immers zelf. Ik wil een totaal andere vrouw worden. Ik wil anders worden!'

Hierdoor werd de dokter van zijn apropos gebracht.

'Maar beste mevrouw Palm, zo moet u niet denken. U bent toch goed zoals u bent, een intelligente, begaafde, knappe...'

Hij kreeg niet de kans het rijtje af te maken.

'Nééé', gilde ik en de tranen spoten als mijn borsten tijdens het 'uitmelken'. 'Ik ben niet goed, ik ben niet goed, ik ben helemaal niet goed!'

Het huilen was zo onbeheerst dat een zuster moest komen om me een kalmerend spuitje te geven.

Ze weten deze uitbarsting natuurlijk aan het feit dat ik bang was voor de operatie. Een minimaal foutje kon betekenen dat ik de rest van mijn leven last zou hebben van een te trage stofwisseling en medicijnen moest innemen tegen vetzucht en een zeer flegmatisch levensritme moest aanhouden.

Deze mogelijke gevolgen vertelden ze me pas toen de operatie geslaagd was. Mijn schildklier zou voortaan volkomen normaal werken.

*

Ik ben bij kennis. Ik hoor twee zusters in de kamer. Ze praten met elkaar, ik hoor wat ze zeggen.

Ik hoor: 'Nee, ze slaapt nog.'

Ik voel hoe een hand mijn ene ooglid optilt. Ik zeg tegen mezelf dat ik kan horen en voelen, maar ik kan geen ooglid, vinger, tong of lippen bewegen...

Ik kan zelfs niet fluisteren: 'Ik ben wakker. Ik ben echt wakker.'

Deze kreten formuleer ik in mijn hoofd terwijl ik uitwendig verlamd ben.

Ik hoor nu dat ze op weg zijn de kamer uit.

En dan, eindelijk, lukt het mijn hersenen een signaal naar een hand te sturen. Ik beweeg hem, ik slaag erin te kreunen. Ze blijven staan. De ene verpleegster roept uit: 'O, nu is ze bij kennis.'

Telkens als ik hoor of lees over mensen die buiten bewustzijn zijn, dan zie ik deze scène voor me. Hoeveel mensen zijn schijnbaar contactloos en lichamelijk niet in staat te laten zien dat ze bij kennis zijn?

Ik leek als het ware dood. Maar hoorde alles, voelde het als ze me aanraakten. Voor hoeveel mensen was dat niet ook zo?

De dokter was tevreden. De operatie had langer geduurd dan voorzien, maar alles was goed gegaan.

De tevredenheid die ik voelde nam de misselijkheid, de pijn, de uitputting niet weg, maar toch was het een beloning op zich.

Na een paar dagen kwam er opnieuw bezoek met bloemen en het lijk zelf was bij kennis en kon de huldeblijken in ontvangst nemen.

Verbonden aan een infuus en ingepakt in verband glimlachte ik vriendelijk terwijl ze om me heen luidruchtig in de weer waren met zijdepapier en vazen. Er klonken beurtelings bezorgde uitroepen (mijn moeder en Lars-Ivar) en een bewonderend 'Zo dapper en geduldig!'

Ik deed het goed als zieke. Daarom had ik het zo naar mijn zin. Ik kreeg applaus de eerste keer dat ik alleen naar het toilet kon. Flinke meid. Zo'n gecompliceerde en zware operatie. Ja, mijn god, wat een geluk toch dat ze het op tijd ontdekt hebben.

Ik zoog iedere zucht in me op, en mijn gevoel van eigenwaarde steeg bij iedere waarderende opmerking.

Het duurde allemaal nogal lang en bij ieder bezoek kwam mijn moeder met nieuwe, gedetailleerde beschrijvingen van de vorderingen van mijn zoon op diverse gebieden. Ze was begonnen met zindelijkheidstraining en hij had zowaar een keer een 'grote boodschap' op het potje gedaan. Hij had geprobeerd zich op te trekken aan de spijlen van de box. Maar het kostte hem nog steeds moeite 's nachts in slaap te komen. Alleen, dat zat in de familie. Ze vertelde hoeveel hij was aangekomen. Ik luisterde beleefd, verbazing en trots veinzend.

'Zo'n flink kind, en zo vroeg als hij met alles is...'

De buitenwereld bevond zich in een bijna ondoordringbare mist en vaag ontwaarde ik een kind van wie mijn moeder de oma was. De mogelijkheid bestond nog steeds dat ik, later als ik begon te herstellen en de mist optrok, naar dat kind zou gaan verlangen. Als een echte moeder.

In het raamkozijn stond de grootste vaas van het ziekenhuis, gevuld met gemengde rozen. Het paradeboeket van *Kvinnans Värld* met een kaartje waarop ze me beterschap wensten en schreven me gauw hoopten terug te zien.

Het boeket was te groot voor op mijn nachtkastje.

Het was heerlijk om zo moe te zijn. Zodat niets echt doordrong. Maar er ontstonden scherpe, plotselinge halen in het beschermende net.

De spleten lieten mij een glimp zien van hoe het in de buitenwereld was.

Er was niets wat ik wilde herkennen.

Het hele idee van de operatie was immers dat de wereld, ik bedoel ikzelf, anders zou zijn?

Ik verwachtte een wonder toen het verband werd weggenomen en mijn krachten begonnen terug te keren.

Verwarde dwanggedachten, onbegrijpelijke angsten en paniekaanvallen zouden alleen nog een herinnering zijn. Slechte amateurkiekjes waar je om lachte en die je vervolgens verscheurde en in de prullenbak gooide. Want ze waren geen van alle geschikt om in een album te plakken.

Een vertwijfelde argwaan drong af en toe door de waterstofwolk tussen mij en de werkelijkheid: wat als ik nu eens niet...?

Goede God, beste dokter, maak alstublieft dat IK veranderd ben.

Precies onder mijn keel zat het litteken, dat je kon vergelijken met een Afrikaanse ketting, ingekerfd in mijn huid. Lars-Ivar had de vergelijking bedacht.

Mijn haar was pas gewassen en het schone, witte jasje stond best leuk als je de bovenste knoopjes openliet.

Lars-Ivar was blij en knapper dan ooit. Hij had schetsen bij zich om aan me te laten zien. Een groot textielbedrijf gespecialiseerd in gordijnen en ander huistextiel had een dessinwedstrijd uitgeschreven. Met name kunstenaars werden aangemoedigd frisse, nieuwe patronen in te zenden. Lars-Ivar, die in zijn schilderijen steeds gestileerder, ja kubistisch werkte, liet verschillende schetsen zien die, als ze werden aangenomen, een revolutie in de branche zouden teweegbrengen waar gebloemd, gestippeld en gestreept domineerden.

'Wat vind je ervan? Denk je dat het iets is?'

O, die warme, suikerspinachtige vreugde dat hij mijn oordeel wilde horen. Anders was ik het altijd die geen tekening durfde te presenteren zonder dat deze was goedgekeurd door Lars-Ivar.

Ik tekende als een kind, snel en geestdriftig, en als het om een bestelling van twee exemplaren ging, tekende ik er minstens tien.

Ze werden allemaal uitgespreid op de grond – met een eigen woning had je daar plaats voor – en Lars-Ivar bekeek ze met zijn ogen tot spleetjes geknepen en besloot díé en díé. Als ik dan smekend op een andere wees, zei hij gedecideerd dat die niet in aanmerking kwam. Die twee moest ik nemen.

Maar nu vroeg hij míjn mening over iets wat hij gemaakt had.

De dames op zaal, zelfs de allerzwakste, volgden vol spanning de beraadslagingen.

En Lars-Ivar respecteerde mijn visie.

Dat halfuurtje was een van de gelukkigste van ons huwelijk.

Ook mijn man koesterde de verwachting – zij het geen al te grote – dat mijn grilligheid enigszins getemperd zou zijn. Er was een lichamelijke ziekte gevonden die de oorzaak was, en die was nu verholpen. Ik was nog niet helemaal gezond, maar aan de beterende hand.

De dokter liet opnieuw een test uitvoeren en hij was zeer tevreden over de uitslag. Nu was het de taak van het lichaam zelf zich aan te passen aan het nieuwe ritme. Een proces dat enige tijd in beslag kon nemen. In het begin kon ik een beetje hangerig zijn door vermoeidheid. Daarom moesten we rekening houden met een herstelperiode van een maand.

19

Vanuit het ziekenhuis hadden ze een kamer met maaltijden en verpleging voor me geregeld in een herstellingsoord in de buurt van Gnesta.

Het Zonnehuis was de naam, en het lag – zoals dat heette – in een omgeving rijk aan natuurschoon. En met het gebouw was ook niets mis. Een groot withouten huis met een serre en op de eerste verdieping een groot terras met uitzicht over het meer. De eetzaal grensde aan de serre, zodat de koffie na de maaltijd daar gebruikt kon worden. Of zelfs buiten in de frisse lucht. Op het altijd vers geharkte fijne grind stond een wit tuinameublement.

Daar werd ook meestal de namiddagkoffie gedronken. Als het niet te warm was in de zon. Want dan waren er andere zitjes aan de achterkant van het huis en in het prieel: voor degenen die op hun rust gesteld waren.

In het begin was ik echt ongelooflijk moe. Daardoor lag ik soms overdag op bed, boven op de gehaakte sprei. Ik sloot mijn ogen en luisterde naar de typisch Zweedse zomergeluiden. Voetstappen in het grind. Het geschraap wanneer de stoelen verplaatst worden en je voor je ziet hoe kiezelsteentjes zich ophopen rond de stoelpoten. Het gerammel van serviesgoed en van roerende lepeltjes die vervolgens op het schoteltje worden gelegd. Een karaf met zelfgemaakte bessensap. Er zitten ijsblokjes in en als deze in beweging komen doet het geluid denken aan rietstengels waar de vorst een ijslaagje om heeft gevormd en die klinken als een klokkenspel wanneer ze tegen elkaar slaan.

Zo klingelt het dus als mejuffrouw Alice de oude kolonelsvrouw Jägersköld nog een glas sap serveert.

Uiteraard zijn er veel oude mensen op een plek als deze. Versleten leuningen in de gangen. In de grote salon zijn de banken en fauteuils stevig opgevuld. Dan gaat het opstaan makkelijker voor degenen die problemen hebben met hun rug of knieën.

Die heb ik niet. Op mijn hurken inspecteer ik ook de onderste boekenplank. De patiënten mogen de boeken lenen die ze willen. Elk exemplaar heeft op het schutblad het stempel: 'Herstellingsoord Het Zonnehuis, Gnesta'.

Van de literatuur die tot onze beschikking staat zijn de boeken van christelijke signatuur oververtegenwoordigd. Gebedenboeken, *Rotsgrond* van bisschop Giertz en zelfs mijn oude vriend Thomas à Kempis zit ertussen.

De arbeidersliteratuur waar Lars-Ivar zo mee wegliep, is dun gezaaid. Van Ivar Lo-Johansson hebben ze alleen *Rya-Rya* en dat heb ik al gelezen. Selma Lagerlöf is natuurlijk rijkelijk vertegenwoordigd, evenals Sigrid Undset, zo te zien twee zeer gewaardeerde dames. Moa Martinson ontbreekt. Terwijl van haar echtgenoot Harry Martinson zowel *De brandnetels bloeien* als het nieuwe *De weg naar Klockrike* in de kast staan. Naar Agnes von Krusenstierna zoek ik niet eens. Wat mij betreft een dubieuze tante. En bourgeois bovendien (daarom kwam ze niet voor in het programma dat Lars-Ivar voor me uitgestippeld had). Marika Stiernstedt behoort tot dezelfde bevolkingsgroep, maar zij is onschadelijk, dus stond hier zowel *Ullabella* als *Het feestbanket*.

Ik begon enthousiast aan *Kristin Lavransdochter*, maar ik was het algauw zat. Het heeft me nooit geïnteresseerd om te lezen over de lotsbestemmingen van mensen langgeleden.

Het eerst boek over jou, Alberte, *Levenshonger*, vond ik ingeklemd tussen *De voerman* en *Jeruzalem* van Selma Lagerlöf.

De indruk die het op mij maakte, was bepalend voor de rest van mijn leven. Hier ontmoette ik iemand die dezelfde onmacht en razernij voelde als ik van mezelf kende.

Keer op keer zocht ik de boekenkasten af om te kijken of ik nog een boek over jou en mij kon vinden. Ik was net iemand die voor het eerst een verdovend middel had gebruikt en na de eerste spuit al verslaafd was. Een koorts had bezit van me genomen en me gewekt uit de eentonigheid van het somnambulisme.

Het boek was overigens uitgebracht door de uitgeverij waarvan de hoofdredacteur toevallig die gezette enthousiaste man was die onder invloed van de bowl kunstenaar Palm gevraagd had hem op zijn kantoor te komen opzoeken om een eventuele aankoop te bespreken. De naam van de uitgeverij had zodoende een negatieve bijklank voor mij.

Het was het begin van de derde week. Binnenkort zou ik voldoende opgeknapt en aangesterkt zijn om deze kruisbesstruiken en goudsbloemen, de gangen met de katoenen lopers, de maaltijden van kalfsvlees in dillesaus en een toetje van bessensap met room te verlaten. Dan was het afgelopen met de eenzame wandelingen in het bos en roeitochtjes in de stille, schemerige avonden als het bos aan de overkant van het meer op zijn kop in het water stond en je de gesprekken kon horen op steigers in de verte.

Ik zou hier vandaan gaan als een jonge vrouw die na een operatieve ingreep veranderd was in een betrouwbare moeder, een goede huisvrouw, een normale jonge vrouw zonder andere angsten dan: heb ik de stekker van het strijkijzer er wel uitgetrokken? 's Nachts zou ze lekker slapen als haar man haar welterusten had gekust na hun liefdevol echtelijk samenzijn (in het visioen wordt het kind ook niet krijsend wakker als we net begonnen zijn).

Ik zou dicht tegen mijn geliefde aan slapen, misschien met zijn arm nog rond mijn lichaam. Dicht tegen elkaar als lepels in een doosje: bestaat er iets mooiers?

Al die tijd hier in Het Zonnehuis stond ik volkomen buiten de werkelijkheid. Als zieke onder de zieken bleef je gevrijwaard van de normale eisen en plichten van de buitenwereld.

Ik had brieven van Estelle Karr ontvangen waarin ze levendig vertelde over de opdrachten die me te wachten stonden.

Maar ook mijn leven als werkende vrouw bleef iets onwerkelijks. Het was een soort droom waarin alles makkelijk en ongedwongen was. Geen kind dat huilde om mijn aandacht en mijn man schold me niet uit. In de wereld van Estelle Karr was ik altijd geslaagd. Net als hier in dit herstellingsoord. Ik was algauw eenieders troetelkind geworden. In het begin hadden ze me erg in de watten gelegd. Zo jong en dan zo'n zware operatie. Deze vervloekte argeloosheid die aan me kleefde als een soort eczeem, iets wat je niet weg kon wassen, zou blijven hangen tot de catastrofe: dat wil zeggen tot mijn twee-endertigste.

Het leven in een herstellingsoord vergt van zo'n jong meisje niet dat ze zich volwassen gedraagt. Iedereen negeerde het feit dat ik getrouwd was en een kind had. Ik was de snoezige, opbloeiende bakvis die op zomeravonden na de koffie in de salon gevraagd werd iets te spelen op de piano. Ik had in de meer of minder versleten muziekboeken operettes en volksliedjes gevonden. En een paar schlagers. Voor glimlachende en aandachtig luisterende oudjes vertolkte ik: 'Machen wir's den Schwalben nach/ Bau'n wir uns ein Nest...' De wals uit *Die Lustige Witwe*, 'Ik weet een lieflijk roosje' en 'Nee, geluk is niet wat je dacht/ wat je hoorde/ geen grote gevleugelde woorden...'

Geen oog bleef droog. De oude raadsheer Klingenborg kuste chevaleresk mijn hand en ik lachte en maakte een kniebuiging als een welopgevoede jongedame.

Een damesstem zei: 'Net een engel! Zo'n zuivere en hoge sopraan. Heeft mevrouw Palm wel eens overwogen haar stem verder te ontwikkelen?'

De bekende vergelijking van de talenten werd er bijgehaald. Het moet een van de meest geciteerde bijbelpassages zijn, geschikt voor zeer uiteenlopende situaties.

Het zonnetje van Het Zonnehuis, dat was ik.

Dat dit blozende meisje getrouwd was en moeder, kon men maar moeilijk begrijpen. Pure kinderroof, grapte de galante luitenant-kolonel Efraim Silverkvist.

Het was typisch iets voor Lars-Ivar om pas de laatste zondag Peter mee te brengen op bezoek.

Het was een lange en vermoeiende reis. Trein en bus en dan nog een flink stuk over een stoffige landweg tot de hekken van Het Zonnehuis. De nazomerhitte stak. Vliegen en wespen waren op hun qui-vive.

Tijdens de middagkoffie kwam hij aanratelen met de wandelwagen over het pas geharkte grind. Iedereen zat buiten. Er was frambozentaart bij de koffie, een cake in drie lagen gesneden met geprakte frambozen ertussen en room bovenop.

Vorkjes met happen taart bleven in de lucht hangen, koffie werd gemorst toen de jongste patiënt een gilletje slaakte en op de in deze omgeving ongebruikelijke equipage afstoof.

'Peter, Peter, o Peter', riep ik en ik bukte me om mijn zoon op te tillen.

En toen zag en hoorde iedereen hoe het jongetje terugdeinsde en huilend zijn armpjes naar zijn vader uitstak. Eenmaal in diens veilige armen verstopte hij zijn gezicht in de kraag van papa's openstaande overhemd.

Niet goed. Helemaal niet goed.

Met hulpeloos neerhangende armen luisterde ik hoe Lars-Ivar zowel het jongetje als mij probeerde te kalmeren en troosten.

'Je moet begrijpen, Signe, dat het langgeleden is…'

En toen pas realiseerde ik me hoeveel dagen en nachten het kind zonder zijn moeder was geweest.

Nu ja, na een tijdje ging het gelukkig beter. Sap en frambozen-cake met room waren een goede remedie tegen tranen. Niet dat ik hem meteen op schoot kon nemen, het was Lars-Ivar die hem voerde. Uiteindelijk kreeg ik een verlegen lachje van hem. Maar pas nadat hij naar zijn vader gekeken had om zeker te zijn dat het was toegestaan naar die onbekende mevrouw te lachen.

Lars-Ivar zei dat ik er fit uitzag. Hij vroeg of ik me ook zo voelde. Of was het vooral zonnebrand?

Ik voelde hoe die vraag een schok in me teweegbracht. Alsof er iets werd samengeknepen.

'Ik heb met dokter Petrén gesproken. Volgens hem kun je van de week naar huis. Donderdag al. Dan kan hij je vrijdag zien. Ik heb ook met Hilma gesproken en je kunt bij haar overnachten. Dan kunnen Peter en jij ook weer een beetje aan elkaar wennen.'

Zo was het afgesproken. Er was geen weg terug. De zomer-vakantie was voorbij.

Paniek joeg door me heen. Zweet druppelde langs de binnenkant van mijn armen terwijl ik uit alle macht probeerde te glimlachen.

Na afloop liep ik natuurlijk met hen mee naar de bus. Peter accepteerde dat ik de wagen duwde. Toen de buschauffeur samen met Lars-Ivar de wagen in de bus had getild en Peter op zijn vaders arm zat, trok Lars-Ivar mij met zijn andere arm naar zich toe en kuste me en fluisterde iets van hoe erg hij me miste.

Dat voelde goed. Maar mijn zoon schopte ongeduldig en door

intuïtief mijn hoofd weg te draaien voorkwam ik dat een kindersandaaltje mijn bril raakte.

*

Het is vreselijk, Alberte, om het te moeten zeggen, maar ik was niet veel veranderd. Ik sliep rustiger. Maar zonder slaaptabletten werd ik bevangen door de angst niet te kunnen slapen en waren we weer terug bij af. Wel was ik minder agressief. Ik zat niet meer rechtop in bed tegen Lars-Ivar te schreeuwen en hem door elkaar te schudden zodat hij wakker zou worden.

Het duurde lang voordat Peter gewend was. Toen hij zich na een paar weken wat meer thuis leek te voelen, begon hij 's nachts wakker te worden. Dramatisch brullend was het nu mijn kind in plaats van ik die rechtovereind in bed zat en gestoord leek. Zijn ogen waren open alsof hij keek. Maar tegelijkertijd sliep hij.

We liepen met hem rond. Niets hielp. Hij schreeuwde als een mager speenvarken. De buren hoorden het ook. Ze klaagden.

Toen ik mevrouw Andersson van de flat onder ons tegen het lijf liep, pakte ze me bij de arm en fluisterde dat er iets mis moest zijn met een kind dat zo schreeuwde. 'Jullie moeten met een psychopáát gaan praten', zei ze en ze trok veelbetekenend met haar mond.

We gingen naar het consultatiebureau. Dat was iedere dag open en we moesten lang wachten, maar uiteindelijk konden we bij de dokter naar binnen. Overdag was Peter vrolijk en makkelijk. Als je dat lieve jongetje op de grond in een prentenboek zag bladeren kon je je niet voorstellen dat er ernstige problemen waren.

Toch herkende de dokter waar we voor kwamen. Peter had de leeftijd waarop hij samenhangend begon te dromen. Intelligente kinderen hadden meer fantasie. In hun dromen zaten beelden die onbegrijpelijk en beangstigend waren voor het kind.

Ik hoef je zeker niet te vertellen, Alberte, dat Lars-Ivar en ik allebei bang waren geweest dat dit de eerste tekenen van een psychische afwijking waren. Opa. Het zat in de familie aan moederskant.

We leerden hoe we hem voorzichtig moesten wakker maken met

een lepeltje gezoete, warme melk. Behoedzaam. Geduldig. Als hij wakker was, mocht hij bij mama in bed verder slapen. Zo formuleerden ze het op het consultatiebureau.

Maar in dit gezin was dat dus bij papa.

Een onbarmhartig bewijs dat een correctie van mijn schildklierwerking mij niet had kunnen veranderen in de standvastige, normale moeder, echtgenote en vrouw die ik gehoopt had te worden.

Ik was ongeveer net zo onmogelijk om mee te leven als voorheen.

Zowel voor mij als Lars-Ivar was dat moeilijk te accepteren.

20

Binnenkort wonen we in Svarttuna. Ik weet het, het is een beetje te vroeg om al over Svarttuna te beginnen. Maar afgelopen zomer heb ik daar een cursus rituele dans gevolgd. Toen we op de derde dag als afsluiting een uitvoering hadden in de kapel, stortte ik vlak daarvoor in en huilde: 'Nee, ik kan niet meedoen. Ik zal het verknoeien, o, ik weet het. Ik verknoei altijd alles.'

Mijn cursusgenoten begrepen er niets van. Waarom zou ik niet meedoen? Tijdens de repetities was ik niet slechter geweest dan de anderen. Waarom wilde ik dan nu opeens niet...?

'O, jullie hebben geen idee', snikte ik als een ontroostbare kleuter van vijf. 'Ik verknoei alles.'

Het cursuscentrum lag ruim een kilometer voorbij Svarttuna. Er was nooit reden geweest om naar het plaatsje zelf te gaan.

Maar in Svarttuna stond voor eeuwig gegrifd, als op een runensteen, de geschiedenis van de ongelukkigste of in ieder geval meest mislukte periode uit mijn leven. Des te pijnlijker is de herinnering wanneer je weet hoezeer ik had doorgedreven dat we Aspudden zouden inruilen voor een idyllisch plaatsje aan het Mälarmeer. Mariefred was zo'n plaatsje. Evenals Svarttuna. Het voordeel van laatstgenoemde was dat het dichter bij Stockholm lag.

*

Ik had het slecht naar mijn zin in Aspudden. Het was er lelijk en ongezellig. Geen enkele beschaving. Maar je kon op zoek gaan naar iets mooiers en gecultiveerders. Daar zou mijn angst verdwijnen, mijn man aardiger zijn en het kind kon frisse lucht inademen en vrij rondlopen tussen mensen die hem bij naam kenden.

Zo is het op het platteland, *geborgenheid* was het sleutelwoord.

Ik wist toen nog niet dat niets me zoveel angst kon aanjagen als juist geborgenheid. Daarin woonden de spoken zonder gezicht.

Het idee van die vlucht naar het platteland en de vogels werd geboren toen ik op een middag bij de kas van de uitgever Bettan Skoghö tegen het lijf liep, een bekende romanschrijfster met een nogal vrijgevochten reputatie. In haar laatste roman waren enkele gewaagde liefdesscènes voorgekomen. 'Zinnelijk bloot', volgens de critici. *Kvinnans Värld* had gevraagd een van de vrijmoediger hoofdstukken te mogen publiceren.

Kort voor drieën was het altijd druk bij de kas, zoals ik al eerder vertelde. Die dag was het echt abnormaal. Het was dan ook vrijdag.

Bettan Skoghö begon een praatje met me. Ze herkende me van een foto in het blad en ze wilde graag kwijt hoezeer ze mijn tekeningen waardeerde. Ze waren zo fris en levendig, zei ze. Ja, dat waren de woorden die ze gebruikte.

Ik schaamde me dat ik nooit een boek van haar gelezen had.

'Ik kan de uitgever nog een presentexemplaar van mijn nieuwste boek vragen, dat verkoopt zo goed. Wat is je adres?'

Bettan Skoghö was zelf ook fris en levendig, vond ik. Ze was niet meer zo jong, zeker tegen de vijftig. Maar ze was knap op een niet-Zweedse manier. Dat kwam vast ook door haar manier van gesticuleren terwijl ze praatte, haar gezichtsuitdrukkingen, het optrekken van haar wenkbrauwen, allemaal dingen die wij associëren met mensen die ver bezuiden Zweden wonen.

Toen we eindelijk ons geld hadden, stelde ze voor onszelf bij Ogos tearoom een overbodige luxe te permitteren, samen met een kannetje koffie.

Ze rookte aan één stuk door; dat leken alle buitenshuis werkende vrouwen te doen, behalve ik dan. (Ik had in Vingåker een poging gedaan, maar ik vond het niet lekker.)

Bettan Skoghö, die me gelijk tutoyeerde, was een schouwspel op zich. Het was zo leuk naar haar te luisteren als ze vertelde over Svarttuna en de aparte mensen die daar woonden en gewoond hadden.

Zoals loodgieter Johanson. Hij had ooit de leidingen in Svarttuna gelegd. Iemand van de gemeente had hem gevraagd op een kaart aan te geven waar de leidingen lagen. Daarop had hij hooghartig en zelfverzekerd geantwoord: 'Dat is niet nodig. Het zit allemaal in mijn hoofd.'

'En toen', eindigde Bettan met een luide lach, 'toen ging hij dood met hoofd en al. Daarom moeten ze nu de halve stad openbreken als er ergens een breuk in een leiding zit...'

Maar ze had ook tijd om te luisteren naar hoe het mij verging, en ik vertelde over Lars-Ivar en Peter, en dat Lars-Ivar zo'n goede vader was maar dat hij eigenlijk kunstenaar was, en erg getalenteerd...

Hierdoor raakte Bettan in vuur en vlam.

'Maar dan zou hij goed passen in Svarttuna, ja, jullie allebei, trouwens. Er zit daar namelijk een kleine kunstenaarskolonie. Svarttuna's Montparnasse zal ik maar zeggen, al hebben we geen heuvels. Maar wel water. Het Mälarmeer met zijn prachtige zonsondergangen.'

Ze vergat te vertellen of ze zelf man en kinderen had.

Maar ik had gezien dat ze slechts één ring droeg.

Hoe dan ook, ze gaf me haar telefoonnummer en wilde dat ik zou bellen om af te spreken wanneer we in Svarttuna op bezoek zouden komen.

'Op een zondag', stelde ze voor. 'Ergens in het voorjaar. Neem je zoontje mee, het is ruim een uur met de trein naar Märsta en dan nog een stukje met de bus. Dan drinken we bij mij thuis thee met zelfgebakken scones.'

Lars-Ivar vond het overdreven om mensen meteen al bij een eerste ontmoeting thuis uit te nodigen.

'Ze lijkt me een beetje lijp, die Bettan Skoghö.'

Ik voelde me namens haar meteen gekwetst. Ze was zo warm en hartelijk geweest. Het had als met een echte vriendin gevoeld.

En zoals je weet, Alberte, had ik daar nogal gebrek aan.

Maar uiteindelijk kreeg ik Lars-Ivar mee. Het was op een zonnige dag, de natuur stond op het punt uit te lopen. Het licht over het water was prachtig. Bettan woonde in een van de lage houten huizen aan het meer. Ze had een terras laten aanleggen. Het was warm genoeg om buiten te zitten tijdens het theepartijtje.

Ze leidde ons rond en het was liefde op het eerste gezicht. Het plaatsje, bedoel ik. Prachtige oude houten huizen, een pleintje met een stadhuis dat zo uit een prentenboek van Elsa Beskow leek te komen.

Ook Lars-Ivar leek onder de indruk. Om nog maar te zwijgen over Peter die naast en voor ons uit holde, lage boomtakken ontdekte waar hij op durfde te klimmen en spelende kinderen op een veldje. Hij zag ze alleen uit de verte, maar alles was zo anders dan bij ons in Aspudden.

Na dat uitstapje was ik begonnen te zeuren.

Eenmaal thuis ontnuchterde Lars-Ivar binnen de kortste keren. Zijn belangrijkste bezwaar was dat telefoneren naar Svarttuna interlokaal was. Net zo duur als naar Uppsala dus. Dat zou eventuele opdrachtgevers ervan kunnen weerhouden het kunstenaarsechtpaar Lars-Ivar en Signe Palm te bellen.

Ik was altijd degene die veranderingen in ons leven er doordrukte. Zoals rusteloze, ongelukkige mensen eigen is, dacht ik dat het ergens anders beter zou worden. Of door het huis te veranderen. De bank te verplaatsen. Nieuwe keukenstoelen te kopen. Of te verhuizen naar een huurkamer in Hägerstensåsen. En de bruiloft, niet te vergeten. Ik was het nu ook weer die Lars-Ivar aanvuurde om zijn baan bij de drukkerij op te zeggen en in zichzelf als reclametekenaar te durven geloven. Zijn ouders hadden van hem geëist dat hij die opleiding ging volgen. Ze wilden geen vrij kunstenaar als zoon. Zijn moeder had liever gezien dat hij als Sören schuin tegenover in het portiek was geworden. Die was na de middelbare school gaan studeren en ingenieur geworden: dat plezier hadden zijn ouders tenminste van hem gehad.

Ook de ouders van Lars-Ivar hadden geld genoeg om hun zoon te laten studeren. Maar hij was lui en ondankbaar, zo zag zijn moeder het. Het waren vooral haar opvattingen. Iemand die moeite had met spellen was dom of lui.

Daarin, Alberte, ligt de reden dat hij voor mij gekozen heeft. Hij had iemand nodig die hem kritiekloos accepteerde en bewonderde. En iemand die initiatief nam en hem zodoende van de verantwoording bevrijdde: 'Het was niet mijn idee, ik wilde het niet, jij was het die... Ik heb altijd geweten dat het niets zou worden.'

Daar had hij mij voor. Om halsoverkop dingen te doen die soms goed uitpakten, maar meestal niet en hij had vaak reden om te zeggen: 'Nou, wat heb ik je gezegd?'

Dat ik het niet kon laten ons verder op te jagen, was misschien een puur destructieve neiging. Voortdurend daagde ik het Lot en Lars-Ivar uit met impulsieve acties.

Zoals die keer dat ik naar de Enskilda Bank ging en eiste het huis te mogen huren dat op de grond van directeur Wallenberg stond.

Zulke dingen. Je zou denken dat ik mijn lesje geleerd had.

Voor Lars-Ivar was stilstand een vorm van verdediging. Als je niet beweegt, weet de wolf niet waar je zit.

Maar, Alberte, ik kan in ieder geval vertellen over die ene briljante keer dat hij me echt gelijk gaf. Dat was die keer dat we met de kinderen naar Skansen gingen.

We woonden toen in Svarttuna en hadden inmiddels drie kinderen: Peter van zes, Svante van drie en Magnus van anderhalf.

Op een vroege ochtend in mei, terwijl de koekoek riep, zei ik: 'Kunnen we niet met z'n allen naar Stockholm gaan, naar Skansen?'

Lars-Ivar staarde me aan.

'Ben je niet goed wijs? Met een baby in de wagen, een koppig kind van drie en een zesjarige in crisis? De bus naar het station. De trein. De tram en aan het eind van de dag alles nog eens in omgekeerde volgorde?'

'Ik weet het', zei ik. 'Maar soms moet je eens iets anders doen.'

'Iets ánders?'

'Ja, iets wat je niet elke dag doet.'

Mijn man fronste zijn wenkbrauwen en sloeg zijn handen uit.

Maar stel je voor, Alberte. Het dagje uit was een groot succes!

Veel hindernissen aan de start. Op het laatste moment nog een luier verschonen. Svante die kwaad werd op Peter en niet mee wilde, en we misten de eerste bus, maar in de volgende zaten we dan.

Daarna ging het als in een sprookjesboek. Svante jubelde over de eekhoorntjes die precies leken op de eekhoorntjes thuis. Peter verloor zijn hart aan de ijsberen, vooral aan die ene die zo treurig en eenzaam alsmaar heen en weer sjokte. Magnus zat op zijn vaders

arm en veroverde de wereld met blije kreetjes en lange brabbelzin-
nen. Worst en patat. IJs. Sap. Een potje babyvoeding. Voor iedereen
een ballon en zo'n toetertje dat uitrolt als je erop blaast en vervolgens weer inrolt. In de trein sliepen de jongste twee op hun
vaders schoot. Peter had een nieuwe *Donald Duck*, waar ik uit
voorlas. Toen we heelhuids, moe en voldaan thuis waren, zei
Lars-Ivar: 'Jongens, een hoeraatje voor mama aan wie we deze
leuke dag te danken hebben.'

'Hoera, hoera, hoera.'

21

We hadden allebei verwacht dat de schildklieroperatie grote veranderingen in mijn voordeel zou brengen. Ons van alle kwaad zou verlossen. Dat wil zeggen mij van mijn angst, mijn opstandigheid, mijn kuren. Ik zou bijkomen als een volwassen vrouw, echtgenote en moeder, al die dingen die de meeste vrouwen normaal gesproken al zijn zonder een middelbareschooldiploma te behalen of een gevaarlijke operatie te doorstaan.

Je weet wat ik bedoel, Alberte. In Bretagne kwam jij de ideale echtgenote, de competente huisvrouw en voorbeeldige moeder tegen in de gestalte van de knappe Jeanne. Zij was alles wat wij niet zijn. Van zichzelf was ze dat. Maar dat bracht ook met zich mee dat er mensen in haar omgeving verwelkten. Flinkheid en goede zenuwen kunnen dat effect hebben op arme zielen die hun best doen maar die minder goed toegerust zijn.

Ik bedoel dus dat alles er nog steeds was. Dwanggedachten, angstgevoelens en huilbuien.

De teleurstelling smaakte naar rotte vis. Wat had ik er naar uitgekeken de wereld herschapen tegemoet te treden en in een triomfantelijk gebaar mijn armen uit te slaan en te roepen: 'Kijk eens, kijk toch eens hoe geweldig ik ben nu ze een stukje van mijn schildklier hebben verwijderd.'

Maar in plaats daarvan was ik grotendeels de oude gebleven. Ik was mijn eigen beklemmende zelf. In mijn gedachten draaide ik het gesprek met de dokter af. Een krakende grammofoonplaat met een tik waarop hetzelfde zinnetje keer op keer herhaald werd: 'Ik wil een ander mens worden, ik wil een ander mens worden, ik wil een ander mens worden…' Als je de naald een stukje verder zet, komt het vervolg. De stem van de dokter: 'Maar beste mevrouw Palm, zo moet u niet denken. U bent toch goed zoals u bent, een intelligente, begaafde, knappe…' En dan mijn tranen. 'Nééé. Ik ben niet goed, ik ben niet goed, ik ben helemaal niet goed.'

Zo was het nog steeds.

Dat alles goed ging met mijn werk was niets nieuws onder de zon. Nog steeds dat gevoel van bevrijding als ik naar de haute-couturemodeshows in Parijs mocht.

Al eerder beschreef ik het complete geluksgevoel tot de uitverkoren tekenaars te behoren. Met een volmacht van het syndicat voor de Franse haute couture kon ik langs de portiers en de scherpe blikken van vendeuses en betrad ik de salons met hun zilvergrijze vloerbedekking en rijen vergulde stoelen. Daar zitten en erbíj horen, tussen de parfums vermengd met sigarettenrook. Het ongeduldige discrete geruis van rokken als de dames in kwestie hun ene been over het andere slaan. Het gerinkel van armbanden. Programma's die koelte toewuiven – het is gauw benauwd en kostbare bontjes worden weggeduwd en mogen zomaar op de grond glijden; kwaliteit kan dat hebben. De spanning, het ongeduld in dat afwachten gaat over in een soort fluïdum dat een knappe fotograaf met zijn camera zou moeten kunnen vangen. Maar hier, in het heilige der heiligen, worden geen fotografen toegelaten.

De presentatie van de nieuwe mode van het seizoen had de status van een staatsgeheim. Spionnen zaten misschien te broeden in een zijkamertje of hadden zich verstopt tussen de dik fluwelen draperieën.

Nu dan. Het eerste teken. Als op bevel houdt iedereen zijn adem in. Het gordijn op de achtergrond komt in beweging, eerst bijna onmerkbaar, als een fluistering, dan een heftiger ruk aan het doek en de eerste mannequin komt op. Een diepe zucht zindert door de lucht, lichamen buigen zich naar voren, pennen krassen; het is zaak exact te noteren hoe hoog de rok boven de grond hangt, hoe de mouwlijn loopt, de nieuwe wetten voor japonnen en pakjes, het silhouet van de mantels. Gefluister achter gebogen handpalmen, briljanten, diamanten, saffieren flonkeren op, armbanden rinkelen weer, een kroezige witte poedel op een matzijden schoot gaapt en gaat verzitten, jonge cavaliers, zojuist nog uiterst verveeld, leven op...

Het is begonnen en ik ben erbij.

Ik heb het al eerder verteld, maar ik weet niet of je ook begrepen hebt dat dit voor mij de hemel op aarde is. Ik ben een uitverkorene.

Tegelijkertijd ben ik niemand. Even behoor ik tot deze onwerkelijke wereld waar een halsuitsnijding een zaak van levensbelang is. De schijnwereld van de aankleedpoppen.

Het is alsof ik, als Alice in Wonderland, door een spiegel gegaan ben en in een heel andere werkelijkheid ben terechtgekomen waar niemand ontevreden over me is, niemand ongeduldig huilt, niemand ruzie zoekt. Hier ben ik geslaagd en gelukkig, hier bevind ik me als in het gezang in de gelukzaligheid 'waar geen pijn en smart woont'.

En de volgende dag reikt het geluk nog verder: als ik hier alleen met mijn schetsblok zit te wachten om de eerste creatie na te tekenen.

Wanneer ik dit beschrijf, zullen serieuze mensen hun neus ophalen, of in ieder geval hun wenkbrauwen fronsen. Dat uiterlijk vertoon, die metropool vol schoonheid en ijdelheid voor de zeer rijken die hun geld toch wel aan waardiger dingen kunnen verspillen, daar beweer ik dat mijn gelukzaligheid ligt?

Ik weet het. Ik probeer het niet eens te analyseren.

Maar het zat al in me toen ik nog maar acht jaar oud was.

Te vluchten van wat ik was. Ik had ervan gedroomd non te worden, Florence Nightingale, Marie Curie... Er waren heel wat edeler alternatieven voor een meisje dat goed kon leren.

Voor jou, Alberte, was de goedkope hotelkamer boven waar de traploper ophield een armzalige woonplaats waar je niet voor gekozen had.

Voor mij was zo'n kamer een toevluchtsoord dat geborgenheid bood, een beschermde zone waar niemand bij me kon komen. Zelfs de angst niet.

In mijn eentje op zo'n dubieuze hotelkamer was ik nooit bang. Mijn angsten hadden immers nooit reële gevaren betroffen. Zoals brand of de viezigheid in het sanitair.

Ik wist dat er beneden in de receptie de hele nacht een mens van vlees en bloed zat. Op afstand door hem of haar bewaakt viel ik als een teer bemind kind rustig in slaap.

Van al mijn vluchten waren de reisjes naar Parijs als enige acceptabel. Daarmee bracht ik veel geld voor het gezin in het laatje.

Lars-Ivar wist dat er geen enkel risico was dat zijn losgelaten vrouw in de verleiding zou komen in bars rond te hangen of zich te buiten zou gaan in exquise restaurants. Voedsel heeft nooit iets anders voor me betekend dan dat je moet eten om de honger te stillen, anders daalt het bloedsuikergehalte en word je misselijk en huilerig.

Die houding ten aanzien van voedsel heb ik in rechte lijn van mijn oma en moeder geërfd. De voedselmoraal van Arm-Zweden. Je eet om verder te kunnen werken en niet om te genieten. Want daarin ligt de braspartij op de loer die behoort tot een van de zeven doodzonden.

Ik reisde ook op de allergoedkoopste en vermoeiendste manier. Met de Nordexpress, derde klasse, zitcoupé.

Tijdens de thuisreis was mijn map met tekeningen mijn belangrijkste bagage, veel meer van waarde had ik niet bij me. Maar eenmaal op het Gare du Nord, zoals altijd overdreven op tijd, kon het gebeuren dat de angst, die onderzeil was geweest tijdens mijn verblijf in Parijs, plotseling bij zijn positieven kwam.

Ik herinner me de ergste keer. Nietsvermoedend droeg ik mijn boeltje naar de speciale wachtkamer voor vrouwen en gezinnen met kleine kinderen. Een opgerolde Franse *Vogue* lag boven op mijn kleinste tas. Ik had me net rustig voorover gebogen om het tijdschrift te pakken toen de angst zich uit het niets en zonder aanleiding manifesteerde in hartkloppingen en ademnood. Het leek ook onmogelijk om te slikken, dus ik had het gevoel dat ik zou stikken.

Was het duizeligheid geweest, dan was een oorzaak gauw bedacht: dat ik te zwaar had gesjouwd en me nu te abrupt voorover had gebogen... Maar zo simpel mocht het niet zijn. Dat er een echte oorzaak was, bedoel ik.

Doodsbang en stervensbenauwd zat ik met mijn benen dicht tegen elkaar en staarde naar een grote ronde klok die ondraaglijk langzaam de minuten een voor een wegtikte. Iedere seconde kon mijn laatste zijn en als ik over de rand ging en daar dood op die smerige vloer gleed, zouden de omringende Franse mensen kwaad naar dat lijk kijken. Mijn god, echt iets voor een buitenlandse om zo voor hun voeten in elkaar te zakken, tactloos, ja schaamteloos zelfs om te denken dat de mensen daar tijd voor hebben, iedereen heeft genoeg aan zijn eigen sores, en komt daar de trein niet aan?

Inderdaad. Het knarst stoom en rookwalmen als de locomotief afremt. De mensen verzamelen hun bagage, troosten een huilend kind of snauwen het toe, ruziën over wie de kaartjes heeft voordat ze zich naar het perron haasten.

Iedereen stapt ongeduldig over mijn lichaam of maakt een omtrekkende beweging om wat daar de vloer ligt te bezoedelen; het is een zaak voor de stationschef of misschien de politie, maar echt niet de hunne...

Ja, daar lig ik dan op de grond. Dood. Een paar doorgewinterde jongens doorzoeken mijn handtas en roepen 'MERDE!' als ze enkel vreemd geld vinden. Blijkbaar zijn ze niet doortrapt genoeg om te weten wat voor lucratiefs je met een geldig buitenlands paspoort kunt doen.

Dan wordt midden in het dodenrijk mijn naam geroepen.

'Signe, daar ben je!'

Ik staar. Het kost moeite me te realiseren waar ik ben. Ik slaag erin diep in te ademen en herken mijn redder.

Svenne, de man van Ulla. Hoe is het mogelijk!

Nou, zeg dat wel. Hij is voor een week in Parijs en gaat over twee dagen naar huis. Hij had contact gehad met Lars-Ivar en gehoord dat Signe ook in de stad was en vandaag zou vertrekken.

'Ik heb minstens drie keer je hotel gebeld. Maar je was er niet. Ik heb gevraagd door te geven dat ik gebeld had. En ook mijn telefoonnummer achtergelaten zodat je mij kon bereiken...'

Ik had niets doorgekregen. Ik wist precies hoe de patronne geen enkele moeite had gedaan om te luisteren naar iemand die in moeizaam Frans had staan te hakkelen.

Maar nu stond hij dus hier, stralend blij dat hij me gevonden had. Een boeketje viooltjes had hij voor me. In opdracht van mijn man.

O, mijn hart was op slag beter en jong en normaal! Stel je voor dat hij daaraan gedacht had! Arme Lars-Ivar, die thuis de stellingen moest bewaken (samen met mijn moeder uiteraard) terwijl ik genoot in Parijs.

Dolblij omhelsde ik Svenne even. Toen merkte ik hoe vermagerd hij was. Hij zag er gewoon niet gezond uit.

Maar omdat hij zelf deed alsof er niets aan de hand was, wilde ik er niet naar vragen.

Hij tilde mijn drie stuks bagage op, waarvan de tekenmap het lastigst te hanteren was. In mijn ene hand hield ik het boeketje terwijl ik hem nog een keer bedankte – nee, niet omdat hij me aan de klauwen van de Dood had ontrukt – maar omdat hij de tijd had genomen hierheen te komen en me uit te wuiven.

Het coupénummer en plaatsnummer op mijn kaartje leidden naar een ruimte die al vol zat met Deens sprekende jongemannen.

Ze praatten allemaal door elkaar heen; het was veel moeilijker te verstaan dan Frans. Maar het was overduidelijk dat mijn plaats dubbel geboekt was.

De wagon was gereserveerd door een gezelschap Deense medicijnenstudenten en hun begeleiders, begreep ik uiteindelijk.

De conducteur sloeg boos zijn handen uit en hij zei dat hij daar niets van wist. Het was trouwens niet zijn fout maar die van het boekingskantoor. Bovendien zat de trein verder vol. Op enkele tweedeklasplaatsen van Wagon-lits na.

Niemand ging op dit aanbod in.

Maar het waren vrolijke, onbekommerde, enigszins aangeschoten jongemannen die geestdriftig het jonge vrouwelijke reisgezelschap verwelkomden. Ze schoven een stukje op. Galant zorgden ze ervoor dat ik een raamplaats kreeg in de rijrichting van de trein. Onder gelach en drukke gebaren slaagden ze erin mijn bagage in het rek te stouwen. Het kostbaarste (letterlijk), mijn map met tekeningen, vond een plaatsje helemaal bovenop.

De viooltjes lagen verloren op het uitklaptafeltje bij het raam. Onverwacht stond een stille jongeman op, pakte het boeketje en nam het mee de gang op naar een muurkastje waarin een karaf troebel drinkwater en twee glazen stonden. Hij pakte een van de glazen, vulde het met water en zette mijn viooltjes erin.

Het was een stabiel glas dat ook pal stond als de trein fluitend een tunnel in draaide.

Zelden was de afstand tussen het dal in de schaduw van de dood en het 'mij-gaat-geen-zee-te-hoog-gevoel' zo duizelingwekkend kort.

Binnen een paar minuten was ik veranderd in een giechelige tiener. Niet de tiener die ik vroeger was, want zó was ik nooit geweest, maar een tiener die als een ongenode, storende gast in mijn mislukte volwassen leven kwam opduiken.

Maar hier in de Nordexpress, tijdens een etmaal in de jaren vijftig, eiste niemand van me dat ik groot en verstandig zou zijn. In plaats daarvan werd ik kinderlijk vindingrijk.

'Waarom leggen we niet al onze bagage tussen de banken en maken er een stevige ondergrond van zodat we allemaal op onze zij kunnen liggen als sardientjes in een blikje met onze jassen als deken?' vroeg ik overmoedig.

'Bravo, bravo', riepen mijn cavaliers. 'Wat een slim meisje.'

Ik zorgde ervoor dat ik de plek bij de deur kreeg (zodat ik er makkelijk uit kon om naar het toilet te gaan). Naast mij lag de stille jongeman die zich over mijn boeketje had ontfermd. Jens heette hij.

Iedereen leek te slapen. Gesnurk, lange diepe ademhalingen. Alleen Jens en ik lagen klaarwakker en onbeweeglijk tegen elkaar.

Bij iedere raillas botsten we ongewild tegen elkaar aan. Maar duidelijker dan de bewegingen van de trein was de begeerte die tussen ons vibreerde. Een toestand van verdoving en heerlijk intensief leven bonsde in mijn polsen. Overal voelde ik mijn hart, dat reageerde op de roep van het zijne. Al was het eerder de roep van lager gelegen lichaamsdelen, als je puur naar de feiten kijkt.

Maar dat doe je dus niet als alles in je overloopt van toegenegenheid en verlangen naar meer, als je steeds dichter bij het punt komt je zelfbeheersing te verliezen en je over te geven…

Dat voelden we allemaal. Zonder elkaar aan te raken.

De heerlijkheid der heerlijkheden die me vervulde met een zoetheid tot in mijn vingertoppen kende ik al. Dat had ik eerder ervaren. De eerste keer op dat eindexamenfeest toen die Noorse jongen mij, dat eeuwige muurbloempje, ten dans vroeg. Ook jij, Alberte, werd erin meegezogen toen je op het Stadsbal met Cedolf danste.

Maar niets was ooit zo overrompelend als wat hier gebeurde.

(Het zou nog jaren duren voordat ik de koppeling tussen doods-angst en verliefdheid ontdekte. Dat wellust het beste tegengif zou blijken te zijn. Geen enkel geneesmiddel voorgeschreven door een dokter kon daaraan tippen.)

Met de andere jongens in de coupé had ik gekheid gemaakt en geflirt.

Jens had zich afzijdig gehouden. Stil in zijn hoekje gezeten met een leerboek. We hadden geen woord met elkaar gewisseld.

Maar híj had eraan gedacht mijn bloemen in het water te zetten.

De trein daverde voort, klingelende semaforen wierpen vlugge, grillige lichtflitsen over ons heen. De treinfluit snerpte.

We bewogen niet.

Een gevaarlijk verlangen om me naar hem toe te draaien, deed me de andere kant op keren. Dat ging niet zo makkelijk. Je werd geradbraakt met als matras de handvaten van koffers en de knobbels van een plunjezak, maar het lukte me en nu lag ik met mijn rug naar hem toe. Ik trok mijn jas om me heen.

Onmiddellijk was daar zijn hand om me te helpen, me in te stoppen, en vervolgens was het alsof hij zijn arm vergat, daar rond mijn lichaam.

Ongemerkt viel ik in slaap.

Het was een donkergrijze, vroege ochtend toen ik wakker werd en hij verdwenen was. Huiverend trok ik mijn jas aan en glipte door de coupédeuren de gang op. Hij stond met zijn handen op de smalle stang die passagiers moest verhinderen door een geopend raam naar buiten te vallen. Eronder stond voor de zekerheid in vier talen dat het verboden was naar buiten te leunen.

Zwijgend ging ik naast hem staan. Mijn ene hand tegen de zijne, en zonder me aan te kijken legde hij zijn hand eroverheen.

Het effect was verschrikkelijk. Begeerte sloeg wild door me heen en liet iedere molecuul reageren als geprikkeld door een elektro-shock.

Toen pas draaide hij zijn gezicht naar me toe en keek me aan.

Alberte, je herinnert je Veigård nadat jullie in een hooischelf geslapen hebben, die ochtend in het slotpark in Versailles. Dat gespannen, doorwaakte jongemannengezicht waarin de kaakspieren als kleine knoopjes onder zijn huid zichtbaar zijn.

Jens pakte mijn hand tussen de zijne; zijn handen waren koud, toch brandden ze. 'Hoe heet je?' vroeg hij met een stem die onbekend klonk.

Ik zei mijn naam.

'Zullen we samen ontbijten?'

Ik knikte, mijn mond was te droog om een woord uit te brengen.

We liepen door de lange, schuddende wagons. Ik stopte bij een toilet dat vrij was. Zoals altijd was het water op toen ik aan het kraantje boven de wasbak draaide.

In de wazige spiegel kon ik de koortsachtige glans in mijn ogen en mijn veel te rode wangen onderscheiden.

In de restauratiewagen was net voor het eerste ontbijt gedekt. Het zag er stijlvol uit. Witstoffen tafelkleden en servetten, wit serviesgoed, een gevlochten mandje met verse broodjes. Boter. Suiker. Een kannetje melk, kleine potjes met marmelade. De zeer zwarte koffie werd geserveerd uit een sierlijk gevormde metalen kan; nepzilver.

Ik had enorme trek, lieve hemel, ik was uitgehongerd alsof ik dagen niet gegeten had. Hij glimlachte erom en pikte een broodje van een naburig tafeltje dat nog niet bezet was.

We spraken niet. We keken alleen maar naar elkaar en af en toe raakten we elkaar aan. Ik veegde wat kruimels van zijn colbertje.

Hij ving mijn hand en kuste hem; gelukkig heb ik geen aanleg voor flauwvallen.

Het was absurd allemaal en onmogelijk om over te praten.

Ik wist niet dat je voor meer dan één man zoiets kon voelen. Normaal gesproken wekte Lars-Ivar dit soort rillingen en wellust bij me op.

Alhoewel ik er niet bij wilde blijven stilstaan hoelang het geleden was dat hij daadwerkelijk deze gevoelens bij me had opgewekt.

We gingen niet meer terug naar de coupé. We bleven in de gang staan, leunend tegen de raamstang. De trein stopte en kwam weer in beweging. Douane en pascontrole waren vereenvoudigd sinds 1947 en het was geen kwestie meer die uren duurde. Maar de controleurs aan Duitse zijde hadden nog steeds die nazistische kneep in hun petten.

Zo langzamerhand kwam zijn ene arm rond mijn schouders te liggen. Soms voelde ik zijn hand in mijn nek, zich een weg zoekend onder mijn haar.

Mijn knieën knikten. Maar ik hield me vast aan de stang.

Uiteindelijk gaf ik me gewonnen en met een zucht van verlichting liet ik mijn zelfbeheersing varen en leunde met mijn wang tegen zijn schouder, vlak bij zijn hals.

Zijn ene hand drukte mijn schouder, hard maar niet té hard.

Gelukzalige kabbelingen stroomden door me heen.

Uiteraard waren we niet onzichtbaar. Vanuit de coupé konden zijn studiegenoten verbaasd, lacherig of verontrust de affaire volgen.

Het zou nog uren duren eer we in Kopenhagen waren.

Maar opeens, veel te vroeg, beginnen ze de bagage uit de rekken te halen. Ook hij laat me los, o nee, wat voelt dat koud aan.

Ik draai me om en zie hoe hij koffers begint te ordenen. Is dat om de anderen te helpen, of…?

Hij komt terug bij me. Hij neemt mijn gezicht in zijn nu warme handen en kust me, liefdevol en vertwijfeld. 'Ik moet er zo uit', fluistert hij tegen mijn lippen. 'Ik moet hier uitstappen.'

En vervolgens zie ik hoe zijn rug zich verwijdert. De schok kwam als een onverwachte koude douche. Maar ik verman mezelf, gris het boeketje uit het water en met de viooltjes in mijn hand trek ik een raam omlaag. Buiten valt natte sneeuw. Zijn gezicht is bleek als het naar me opkijkt. 'Hier', roep ik en ik werp de viooltjes toe; in dit stadium tamelijk verfomfaaid van de reis.

Net als ik.

Hij plukt het uit de lucht, glimlacht, zwaait, werpt me kushandjes toe en dan zet de trein zich hoestend, snuivend en schrapend in beweging. Naar voren leunend en met een arm in de sneeuwregen zwaai ik tot de trein een scherpe bocht naar rechts maakt en het station uit het zicht verdwijnt.

In de coupé zit een man van middelbare leeftijd die ik niet eerder heb gezien. Hij moet uit een ander deel van de wagon gekomen zijn.

Hij stelt zichzelf voor als dokter Lauritsen, een van de begeleiders van de groep. We praten over koetjes en kalfjes en algauw rijden we de veerboot over de Grote Belt op. Hij vraagt of hij me op de boot een lunch mag aanbieden. Hun smørrebrød is vermaard.

Er zit niets bijzonders achter de uitnodiging.

Als hij besteld heeft en we op open water zijn, vertelt hij dat hij vanuit de aangrenzende coupé mij en zijn leerling Jens Olsen, een erg ambitieuze en veelbelovende jongeman, heeft gadegeslagen. Hij is zelf ook goed bevriend met de familie. Hij kent zelfs Jens verloofde, Margarete. Ze hadden al verkering sinds de laatste klas van de middelbare school. Een erg knap en innemend meisje, die Margarete.

Hij steekt een sigaar op. Kijkt naar mijn linkerhand die met het zoompje van het servet speelt. 'Ik zie dat u getrouwd bent?'

'Ja.'

'Hebt u ook kinderen?'

'Jaahaa', zucht ik en ik kijk strak naar mijn bord. 'Een zoon.'

Tranen prikken overal. Mijn hele hoofd zit vol tranen.

Mijn gezelschap merkt het, en om te zorgen dat m'n tranen binnenblijven begint hij geestdriftig en onderhoudend te vertellen over Kopenhagen en hoe jammer het is dat ik daar nog nooit geweest ben. 'Daar moet u beslist met het hele gezin naartoe, en de kleine meenemen naar Tivoli.'

'O,' mompel ik, 'daar is hij nog te klein voor. Hij is pas twee.'

Dokter Lauritsen houdt me helemaal tot de Deense hoofdstad aan de praat. Daarvandaan heb ik nog een hele nacht voor de boeg.

De vermoeidheid hangt als een zwarte sluier om me heen als ik in de trein naar Stockholm stap. Het duizelt in mijn hoofd. Uit mijn tas vis ik een Preparyl (kalmerend) en ik tel mijn geld. Het is voldoende voor een derdeklas slaapplaats.

Maar voordat we het eindstation binnenrijden moet ik zorgen dat ik mijn bagage verplaatst heb naar een zitcoupé. Lars-Ivar mag niets weten van deze verspilling. Intuïtief weet ik dat hij daar veel verontwaardigder over zou zijn dan over mijn treinavontuurtje.

Ze waren allebei op het perron. Peter in zijn wandelwagen weigerde me aan te kijken.

'Wat is er toch met je, Peter?' zei Lars-Ivar en hij tilde onze zoon op zodat zijn moeder hem kon omhelzen. Tot onze verbazing wrong hij zich huilend uit zowel mijn als zijn vaders armen.

Maar hij was waarschijnlijk gewoon moe.

Eenmaal in de taxi viel hij dan ook gelijk in slaap. Lars-Ivar had een gulle bui: als mama thuiskwam van zo'n lange treinreis moest ze een beetje vertroeteld en verwend worden.

We zaten alle drie op de achterbank.

Binnen vijf minuten had ik bekend.

Hij nam het goed op. Zijn kussen waren lange tijd niet zo hartstochtelijk geweest en de chauffeur glimlachte in de achteruitkijkspiegel.

Er was toch niets gebeurd? Een beetje geflirt op reis kan een ervaren echtgenoot makkelijk door de vingers zien. Ik was nog steeds zijn ongerepte kinderlijke Signe, het meisje dat op lelietjes-van-dalen en blauwe druifjes leek en dat onder zijn lichaam tot vrouw gewekt was.

In Lars-Ivar leefde zelfs geen zweempje van een gedachte dat ik hem ooit zou kunnen bedriegen. Natuurlijk was ik lastig met mijn angstaanvallen, mijn hysterische kwajongensstreken en waandenkbeelden dat ik geen goede moeder was (als je daaronder een rustige en stabiele vrouw verstond die met beide benen op de grond staat).

Ik was zijn vrouw. Absoluut helemaal alleen van hem.

En daar ging het tenslotte om.

22

Het is ook een feest om thuis te komen.

Ik kan niet wachten en moet direct de map losknopen, hem openleggen op de werktafel en eisen dat Lars-Ivar hem, nu meteen, doorbladert en zegt wat hij ervan vindt.

Maar ook hij heeft dingen om te laten zien. Hij heeft niet liggen luieren. Met zijn schoonmoeder in huis kreeg hij zowel de tijd als de rust om te werken.

Hij heeft zomaar een hele tentoonstelling bij elkaar geschilderd.

Het lijkt wel alsof ik maanden weg geweest ben. Het nieuwe werk is gestileerder, non-figuratief maar nog steeds op basis van realistische motieven. Het is vrijer en tegelijk meer gedisciplineerd. Bovendien – en nu komt het wonder – was er ruimte vrijgekomen bij een goede galerie in het centrum; de beoogde kunstenaar was in een depressie geraakt en had zich teruggetrokken. Ulla Svensson, Svennes vrouw, was familie van de galeriehouder. Zij had hem getipt over Lars-Ivar Palm. Over krap twee weken zou de opening plaatsvinden.

Natuurlijk was Svenne daar tijdens onze ontmoeting op het Gare du Nord van op de hoogte geweest. Maar hij had zijn mond gehouden om zijn vriend het plezier te gunnen het zelf te vertellen.

'Maar dat je niet geschreven hebt. Dat je niet gebeld hebt!' riep ik uit terwijl ik hem omarmde en kuste.

Ik was minstens zo blij als Lars-Ivar zelf.

Het voelde vaak pijnlijk en onmogelijk dat het zo ongelijk verdeeld was tussen ons. Ik mocht voortdurend tekenen en kreeg daar goed voor betaald, terwijl hij voor dag en dauw op moest staan om naar dat slavenwerk op de drukkerij te gaan. Tegenwoordig gelukkig nog maar halve dagen, en hij had ook successen geboekt met een paar zeer gewaardeerde textieldessins. Maar ik wilde dat hij ál zijn tijd kon besteden aan wat zijn lust en leven was en waar hij ook talent voor had.

Met mijn Parijs-collectie deden we zoals altijd. Toen Peter sliep legden we alle exemplaren uit op de grond en nam Lars-Ivar de leiding over.

Met een kennersblik monsterde hij de schetsen en maakte een selectie.

Een toneelspeelster zonder goede regisseur kan makkelijk de mist in gaan. Te veel of juist te weinig geven.

Lars-Ivar hield de teugels kort of liet ze juist vieren zodat ik meer zou durven experimenteren. Iedere tekening in *Bonniers Månadstidning* of in *Kvinnans Värld* of in modeadvertenties was het resultaat van zijn oordeel. Ik vertrouwde daar voor honderd procent op. Als ik eens een tekening aanwees die hij had afgekeurd, deed ik dat meer voor het spel.

Maar Lars-Ivar ging er serieus op in. 'Zie je niet hoe krachteloos die lijn is, hier en hier...?'

Ik ontwikkelde ook standpunten over waar hij mee bezig was. Maar als mijn mening negatief was, versterkte hem dat juist in tegenovergestelde richting.

Een tentoonstelling dus. Maar dit keer was Lars-Ivar de enige kunstenaar. Er kwamen veel vrienden van de Beckmanschool. Ook twee docenten waren zo genadig om te komen kijken. En ze waren echt vol bewondering. Maar we misten Ulla en Svenne. We hadden het allebei zo druk gehad dat we er niet aan gedacht hadden hen te bellen. En het was ons ook niet opgevallen dat we niets van ze hoorden.

Dus belde Lars-Ivar de dag na de opening. Ulla nam op. Ze klonk opgewekt als altijd en niets in haar hoge meisjesstem verraadde waar we later achter zouden komen.

Nee, ze waren een tijdje weg geweest. Svennes vader was jarig en hij woont helemaal in Askersund. Maar ze verheugden zich erop om naar de tentoonstelling te komen kijken.

In de tweede week waren ze nog niet geweest. Wel waren er inmiddels twee recensies verschenen. De ene koel en neutraal vriendelijk, helemaal niet slecht. Lars-Ivar *Malm*, een jonge kunstenaar die zich een weg baant... Interessant om in de gaten te houden.

Lars-Ivar trok zo wit weg dat ik bang was dat hij zou flauwvallen.

'Die klootzak. Hij weet niet eens hoe ik heet.'

Dat wist criticus nummer twee daarentegen wel, een oudere kunstkenner die het werk van Lars-Ivar Palm ontoegankelijk en krampachtig modern vond.

Lars-Ivars gezicht was die dagen als in beton gegoten. Het werd wat losser aan de randen toen Sigurd Rungner belde, een van onze bekendste jonge avant-gardekunstenaars.

Ik moest de telefoon opnemen, Lars-Ivar vertikte het.

'Het is toch voor jou', zei hij.

'Lars-Ivar, een zekere Sigurd Rungner.'

Rungner, die echt naam gemaakt had – vooral in de Verenigde Staten – belde om Lars-Ivars werk enthousiast te prijzen.

'Toen ik las wat die ouwe zonderling in *Dagens Nyheter* had geschreven, begreep ik gelijk dat het iets bijzonders moest zijn. En dat was het ook. Je betreedt nieuwe, ongebaande wegen. Je bent een vernieuwer in de Zweedse kunst. Binnenkort zullen meer mensen inzien dat jij en ik de toekomst zijn. Dus hou vol! En vergeet niet dat critici gefrustreerde kunstenaars zijn. Op iets geniaal anders en vernieuwends moeten ze met misnoegen reageren. Die macht is het enige wat ze hebben in hun armzaligheid.'

Dat was geweldig om te horen.

Maar het was nog geweldiger geweest als hij zijn lofrede had opgeschreven en naar de krant had gestuurd.

Misschien had hij dat ook wel gedaan? Maar had de cultuurredactie besloten zijn bijdrage niet te plaatsen. Uit loyaliteit aan hun eigen expert?

Het funeste is natuurlijk dat de verkoop van galeries staat of valt met de uitspraken in de grote dagbladen.

Een paar vrienden kochten een doek. Anders Beckman bemachtigde een van de grote schilderijen. Maar de kunstverenigingen kochten niets; ze zijn altijd bang geweest voor dingen die nieuw zijn en nog niet 'goedgekeurd'.

Toen dat allemaal helder en duidelijk was en de nederlaag een feit, kwamen onze gedachten weer op Ulla en Svenne.

Op de laatste dag van de tentoonstelling kwam Bosse Person, een van de meest succesvolle leerlingen van school, en onthulde zachtjes dat Svenne heel erg ziek was. Een hersentumor van een agressieve soort en kwaadaardig. Ze hadden hem opengemaakt en gezien dat het niet te opereren viel, de tumor reageerde ook niet op bestraling of chemotherapie.

'Dus nu ligt hij thuis.'

'Maar', riep ik angstig uit, 'ik heb hem in Parijs nog gezien.'

'Toen was hij er al slecht aan toe. Maar het is ook nog eens zo dat Ulla zich heeft aangesloten bij een religieuze sekte, iets Amerikaans. Hun hoofdthema is dat ziekte niet bestaat. Het zijn enkel kwade gedachten. En als de broeders en zusters en God samenkomen in gebed en ontkenning, van het bestaan van de ziekte dus, tja, dan is het er ook niet.'

Lars-Ivar eiste dat we met Peter bij Svenne en Ulla in Drottningholm langs zouden gaan. We werden ontvangen door een kirrend blije Ulla met dochtertje Irène, een jaar of wat ouder dan Peter, hangend aan haar rokken.

Het meisje was duidelijk verkouden en had een lelijke hoest. Ik maakte me gelijk zorgen dat ze Peter misschien zou aansteken.

Ulla's knappe gezicht verstrakte. Je kon goed zien dat ze was afgevallen.

'Irène is helemaal niet ziek, Peter kan gerust met haar spelen.'

Tevergeefs opperde ik dat Irène koortsig leek en... Lars-Ivar viel me niet bij.

'Onzin. Helemaal niet. Er is niets mis met Irène', beet Ulla me toe, zoals je met je tanden een draad afbijt.

Wat kon ik doen? Niet veel meer dan toekijken hoe Irène met Peter de trap op ging naar haar kamer waar al het speelgoed was. Lars-Ivar zat toen al bij Svenne in de kamer.

'Zeg kinderen', riep ik doordringend vrolijk. 'Zullen we buiten gaan spelen? In de tuin. Het is zulk mooi weer. Kom maar, dan help ik jullie met je jas...'

Ulla mocht ervan denken wat ze wilde.

Ze hadden een groot stuk grond bij het huis, voor een deel bestaand uit bos. Ik liet de kinderen dennenappels zoeken terwijl ik terugholde naar de keuken en lucifers mee griste die de dennenappels moesten veranderen in koeien met vier poten.

In de keuken zat een groepje mensen met hun gevouwen handen op tafel, gesloten ogen en gebogen hoofden.

Ulla was er een van.

Vlak voordat we zouden vertrekken nam ik even een kijkje bij Svenne. Hij kon me geen hand geven, dus klopte ik op het dekbed waar ik zijn arm vermoedde.

Lars-Ivar vertelde me hoe vreselijk het was geweest om zo bij Svenne te zitten. Hij was van zijn voeten tot zijn middel verlamd.

Lars-Ivar had gevraagd naar de behandeling. Was echt alles gedaan wat mogelijk was? Chemotherapie? Bestraling?

Svenne had geantwoord dat niets was aangeslagen.

Ze konden alleen nog op een wonder hopen.

Daar zaten ze in de keuken om te bidden. Maar hoe dat te rijmen viel met hun vaste overtuiging dat de ziekte niet bestond?

Of zaten ze te bidden dat Svenne zelf zou gaan geloven dat zijn ziekte inbeelding was?

Het ergste was toen Svenne moeizaam toegaf dat hij niet in staat was om te gelóven.

'Ulla is ervan overtuigd dat als ik zelf alles zou loslaten en zou geloven… maar ik kan het niet, Lars-Ivar', had hij gezegd. 'Ik kan het niet.'

Drie weken later was hij dood.

Ulla was 's ochtends wakker geworden en hij was dood.

De verlamming had zijn hartspier bereikt.

Begrafenis in winderig maartweer.

Ik herinner me hardbevroren klei. Het open zwarte graf waar de kist in neergelaten werd en Peter die opeens begon te brullen zodat ik hem moest oppakken en meenemen om de ceremonie niet te verstoren.

Wat mezelf betreft, ik was vooral bezig de paniek op afstand te houden.

En wat moest je zeggen tegen Ulla, de jonge weduwe? Zou ze tot de derde schop aarde toe verwachten dat haar geliefde het deksel zou openbreken en genezen door gebed zou opstaan en weer dezelfde man zou zijn als voor zijn ziekte?

Ruim een maand later kreeg ik een stevige buikgriep.

Ons kindermeisje van dat moment heette Maivor. Het was de vierde dag en ik begon langzaam weer een beetje op te knappen. Peter was in de keuken bij Maivor die beslag voor een cake stond te kloppen. Wat kan een kind meer wensen dan in de buurt van een cakebeslag te zijn en te weten dat het straks met een lepel de restjes uit de schaal mag schrapen?

Uitgeput lag ik in de kussens toen ik plotseling iets vreemds in mijn voeten en benen voelde, een soort verdoving op weg naar boven. Even later begon het ook in mijn handen, ze gehoorzaamden niet als ik probeerde ze samen te knijpen.

Ik riep Maivor en gaf haar het nummer van mijn mans werk. Maar eer ze twee cijfers had kunnen draaien verspreidde het verlammingsgevoel zich en ik fluisterde: 'Nee. Bel de eerste hulp. Een ambulance.'

Twee mannen met een brancard. Als ze me erop leggen merk ik dat het moeite kost mijn oogleden te bewegen.

Ze houden de brancard een beetje schuin, het trappenhuis is smal en beneden zijn alle kinderen uit de buurt komen toestromen toen ze de sirene hoorden. Als hij ophoudt met loeien betekent dat dat hij op de plaats van bestemming is. Vrouwen met gapende mond, oude mannetjes die op hun kunstgebit kauwen, moeders die hun allerkleinste optillen.

Eenmaal in de wagen lijkt de verlamming nog erger. Nu kan ik me echt absoluut niet meer bewegen. Met bovenmenselijke inspanning lukt het me uit te brengen: 'Sirene, sirene, zet de sirene aan.'

En ik wist – wederom – dat ik dood zou gaan en dat er dit keer geen weg terug was.

Maivor had toch naar het werk van meneer Palm gebeld en hij stond bij de eerste hulp toen ze me naar binnen reden. Een verpleegster pakte mijn dode handen die achterovergeklapt in een klauwachtige houding waren verstijfd.

'Tja', zei de verpleegster nadat ze ze weer had losgelaten. 'De dokter kan elk moment komen.'

Lars-Ivar was grauw en sprakeloos.

Onhandig legde hij een hand op mijn arm. Ik voelde hem niet.

Maar toen, Alberte, gebeurde er iets vreselijks. Terwijl de wandklok de minuten wegtikte begon de verlamming te verdwijnen, stukje bij beetje. En het ging snel. Toen de dokter kwam binnenvliegen met zijn witte jas achter zich aan fladderend, was alles verdwenen.

Ja ja, het was een veel simpeler geval dan de dokter verwacht had. Niets anders dan hysterie. Een receptje met iets kalmerends en 'neemt u maar een taxi naar huis. Ik zal wel een briefje schrijven, dan krijgt u het terug van het ziekenfonds.'

De deur sloeg achter hem dicht.

Lars-Ivar staat op en kijkt me furieus aan.

'Je had het verdomme toch nog wel vijf minuten kunnen rekken? Godsamme! Moet ik hiervoor halsoverkop uit mijn werk komen en dan nog voor gek staan voor de dokter?'

God, wat haatte hij me.

Stel je voor, Alberte. Een man als jouw Sivert. Al zijn zenuwen en functies onder controle.

De terechte verontwaardiging van Lars-Ivar.

Zijn beklagenswaardige situatie.

Een hysterisch wijf te hebben.

In die tijd hoorde je nooit van hysterische mannen. Het idee was absurd. Er waren kunstliefhebbers bekend, Marcel Proust bijvoorbeeld, die zijn eigen hysterie zag als een teken dat hij een buitengewoon gevoelig en teerhartig mens was. Hij vond dat niet iets om zich voor te schamen.

In het begin van de twintigste eeuw had de medische wetenschap zich vastgepind op het idee dat hysterie samenhing met de specifiek vrouwelijke inwendige geslachtsorganen. Er zijn geschriften die aantonen dat de baarmoeder van volkomen gezonde vrouwen werd verwijderd om hen van hun zwakke zenuwen te genezen. Ik heb het hier uiteraard over vrouwen uit de hogere maatschappelijke kringen. Het was gemeengoed dat arbeidersvrouwen, zoals fabrieksarbeidsters en dienstbodes, geen tijd hadden voor hysterie. Al zouden veel van die vrouwen er – na zeven kraambedden en een man die ze niet van zich af konden houden – niets op tegen hebben gehad hun baarmoeder kwijt te raken.

Het is heel goed denkbaar dat Sivert en Lars-Ivar zich onder het genot van een glas wijn aan de bar bij elkaar zouden hebben beklaagd over de problemen die hun vrouwen hun bezorgden.

En Sivert zou toegeven dat het bij hem thuis toch niet zo erg gesteld was als bij Lars-Ivar.

23

Lars-Ivar heeft een stipendium gekregen.

Voor zijn vernieuwende dessins van gordijnen en ander interieurtextiel. Svenska Slöjdföreningen heeft hem uitverkoren. Men is erop gebrand jong, nieuw talent te stimuleren.

Aangezien het een reisstipendium is, hoeft het geld niet op te gaan aan broodbeleg en huur.

In tegenstelling tot zijn echtgenote is Lars-Ivar maar matig geïnteresseerd in reizen. Maar nu zit er niets anders op. Oma heeft zomervakantie. Peter voelt zich zo thuis bij haar dat het geen groot afscheidsdrama zal geven als papa en mama een poosje weg zijn.

Ik zeur natuurlijk over Frankrijk. Tien dagen Cagnes aan de Rivièra. Haute Cagnes is het hogere deel van de stad. Het ligt vastgeklampt tegen een bergtop. Cagnes sur Mer daarentegen ligt aan zee. Het spreekt vanzelf dat de kamers met uitzicht op de Middellandse Zee en drie minuten van het strand duurder zijn.

Het reisbureau van de spoorwegen regelt het voor ons. We gaan immers met de trein; het is een lange en stoffige reis, maar het stipendium is niet toereikend om te gaan vliegen. (Waar ik bijzonder dankbaar voor ben. Het idee alleen al om in een vliegtuig te stappen, bezorgt me ademnood.)

In Cagnes was het warm en vochtig. Maar de goedkope kamer die we gehuurd hadden lag op het noorden. Vocht trok op van de stenen vloer en de lakens waren klam. De zwakke geur van schimmel. Telkens als we nog nagloeiend van de zonnewarmte thuiskwamen, was het alsof we een grafkelder binnenstapten.

Ik zeurde erover. Ik vroeg Lars-Ivar of ik de patronne mocht vragen of er een andere kamer vrij was. Maar dat werd dan de grote kamer met balkon aan het marktplein en die was meer dan twee keer zo duur.

'Geen sprake van', zei mijn man. 'We zijn toch bijna de hele tijd buiten.'

Dat het strand bestond uit kiezelstenen en niet uit fijn zand zoals ik me had voorgesteld, was een kinderlijke teleurstelling. Aan de andere kant had ik geen flauw idee gehad hoe duizelingwekkend dichtbij de Maritieme Alpen leken als je met je rug naar de Middellandse Zee stond en omhoog keek.

Zoiets ongelooflijk prachtigs!

Toentertijd hield ik van de bergen.

De derde dag liepen we een ander Zweeds stel tegen het lijf bij een restaurant op het plein beneden in Haut Cagnes. Een kunstenares die hoeden ontwierp en haar veel jongere, knappe man. (Als hij dat tenminste was?)

Anny en Erland heetten ze. Anny kwam uit het Zweedstalige deel van Finland. Ze was klein van stuk, had een nogal gerimpeld, bruingebrand gezicht en oranjekleurig haar. Ze praatte snel en fel en rookte aan één stuk door Gitanes. Ze vertelde me dat ze de voorkeur gaf aan Gitanes boven Gauloises omdat het merk een mooiere verpakking had. Ze trakteerde vrijgevig en Lars-Ivar liet het zich goed smaken. Toen Anny ontdekte dat ik ook geen wijn dronk, versmalden haar ogen zich en vertrokken haar mondhoeken, hetgeen zowel verachting als medelijden kon betekenen.

Maar haar belangstelling voor Lars-Ivar nam toe. Er ontwikkelde zich een wat kibbelige, uitdagende dialoog die mij en Erland buitensloot. Hij leek eraan gewend te zijn. Beeldschoon zat hij naar de zon toe. Zijn witte overhemd zo laag open dat er donker haar te voorschijn krulde. Net als van onder zijn opgerolde mouwen.

Er werd wijn gedronken. Er werd wijn bijbesteld; je bent in Zuid-Frankrijk of niet en dan ook nog in de Provence, het land van de druiven bij uitstek, die in de herfst platgetrapt worden door jongevrouwenvoeten...

Lars-Ivar had het naar zijn zin. Hij was echt in topvorm. Het duurde een poosje voordat ik doorhad dat Anny met hem zat te flirten op een manier waarop Erland had moeten reageren. Maar dat deed hij niet. Hij dronk het ene glas na het andere en ging steeds meer op een standbeeld lijken.

Ik merkte hoe geraffineerd Anny Lars-Ivar het hof maakte met haar blikken en hese, waarderende lachjes als hij iets gevats of eerder gewaagds zei, en hoe hij ervan genoot. Na verloop van tijd was het net alsof ik überhaupt niet aanwezig was. Erland die de bewuste-loosheid van de dronkenschap tegemoet gleed. Anny die haar borsten naar voren stak, haar ene arm optilde voor een beter silhouet, precies zoals de meisjes op de Beckmanschool dat zo goed konden...

Ik ging naar het toilet. Het was zo'n primitief model, met een gat in de grond. De kunst een wijd gerimpelde rok bij elkaar en omhoog te houden zodat je niet...

Toen ik terugkwam, was Erland definitief van de wereld en leek dat Anny, die zelf trouwens ook behoorlijk in de lorum was, geen zorgen te baren. Ik zag hoe ze vertrouwelijk haar hand op Lars-Ivars dij legde toen ze voorstelde dat we naar restaurant Le Haut zouden gaan om hun vermaarde vissoep te keuren of een bord gegratineerde mosselen. Ze was dol op fruits de mer. 'Wat jij, Signe?'

Oeps, nu was het ineens jij en jou. Dat was zeker gebeurd terwijl ik op de wc zat. Lars-Ivar zag onrustbarend rood in zijn gezicht en hij lachte veel te hard. Hij genoot.

Ik voelde een lichte misselijkheid opkomen.

Mijn handicap werd weer zichtbaar.

Geheelonthouder en niet-roker. Hoe leuk was dat eigenlijk?

Onverwacht vermande Lars-Ivar zich. Hij stond op, liep naar me toe, legde zijn arm om mijn smachtende schoudertjes en zei dat het tijd voor hem en zijn vrouw was om zich terug te trekken.

Maar toen hij zich later op de klamme lakens liet vallen en me hartstochtelijk begon te kussen met zijn handen onder mijn rok, onder het elastiek van mijn slipje, rukte ik me los. Ik wilde niet. Hij stonk naar alcohol en sigaretten. Hij smaakte vies. Hij was te hardhandig.

'Aha, het bevalt madame niet?'

Ik zag de harde bobbel en wist dat die niet aan mij te danken was.

Maar hij was sterker. Hij was mijn man. Hij wist me toch op te winden en zover te krijgen. Zijn triomf toen hij me stukje bij beetje overwon.

Ik bleef een poosje in zijn slapende warmte liggen. Maar ik kon pas slapen toen ik met een vest aan en een sjaal om mijn buik in mijn eigen bed lag. Ja, de kamer had vreemd genoeg twee aparte bedden en geen grand lit.

Het was onmogelijk om hen te ontlopen.

Ze waren op het strand. Ze kochten fruit op het marktplein.

Er werden nieuwe afspraken gemaakt. Ze waren hier al twee weken. Ze kenden de leuke authentieke barretjes en eethuisjes die je als toerist anders niet zo gauw vindt.

Anny zong de lof over de bijzondere sfeer wanneer je 's nachts met een drankje op een terrasje boven in de stad zat en de lichtjes in de baai zag glinsteren als diamanten in de zwarte, warme duisternis. Ze was ook lyrisch over een oud muilezelpad dat men had opgeknapt en een prachtige wandeling door de blauwe heuvels naar Vence bood.

Anny verspreidde voortdurend een soort koortsachtige activiteit, een uitnodigende brutaliteit. Ik herkende het van sommige meisjes op de middelbare school. Meisjes die de naam hadden lichtzinnig te zijn. Hoe graag had ik niet met hen willen ruilen?

Anny was niet de eerste vrouw in het leven van Lars-Ivar met een whiskyhese stem, een lach versplinterd door een rokershoestje en een te diep decolleté.

Toch had hij voor de onschuld gekozen.

Maar misschien was hij dat inmiddels een beetje zat aan het worden? Al die kinderlijke grillen en hulpeloosheid.

Met Anny kreeg het verblijf aan de Rivièra een beetje vaart en schwung.

En Erland? Tja, die diende meer als behang: een mooi decor. Hij was aanwezig, knap en zwijgend, constant dronken op zijn eigen, standbeeldachtige manier.

Lars-Ivar was in alle opzichten leuker en spannender.

Toen we hier aankwamen had hij misnoegd geconstateerd dat er hier niets te schilderen viel. Het was te mooi, te veel een ansichtkaart. De roze huizen, de palmen, de rozen die rijkelijk over de balustrades hingen, de blauwe bergen in de verte en de zee onafgebroken kalm en hemelsblauw zoals toeristen het willen hebben. Dit landschap had weliswaar Cézanne en Matisse bekoord, maar zelf gaf Lars-Ivar de voorkeur aan de vlakte rond Uppsala.

Op een dag dat hij buitengewoon aardig en hartelijk tegen me was geweest, zei hij: 'Donderdag gaan we samen die wandeling over de blauwe heuvels naar Vence maken. Erland heeft op de kaart aangegeven hoe we bij het begin van het pad moeten komen. We kopen kaas, ham en brood. Twee flessen mineraalwater en we vertrekken vroeg, om zeven uur, voordat het al te heet wordt en dan nemen we de bus terug.'

Hij was uitgelaten en met zichzelf ingenomen. Hij had iets bedacht. Het was zijn, de mans, initiatief.

Woensdagnacht. Ik word met een schok wakker, ga rechtop zitten en voel de Dood aanvallen. Mijn hart slaat op hol, koude rillingen rennen als dol geworden mieren over me heen. Ik klappertand. Het is weer zover. Voor de derde keer, of is het de vierde?

Goede God, zorg dat ik niet doodga voor het eindexamen.

Goede God, zorg dat ik niet doodga voordat ik de Ware ben tegengekomen.

Goede God, zorg dat ik morgen niet doodga. Vingåker. De doodstijding in de wachtkamer op het Gare du Nord. De valse verlamming.

Waarschuwingen. Tekenen van de dood die zijn tijd afwacht. God heeft zich tot op heden laten bepraten. Hij is veel genereuzer geweest dan je zou mogen verlangen.

Hij heeft ermee ingestemd dat ik groot mocht worden en mode-illustratrice en mocht trouwen met de eerste de beste man die me kuste en moeder mocht worden en veel geld verdienen...

Terwijl de koude koorts vol leedvermaak toenam, wist ik dat nu mijn tijd gekomen was.

Ik maakte hem gillend wakker.

'Lars-Ivar, Lars-Ivar.'

'Wat is er nu weer?'

Hij tilde zijn verwarde hoofd een paar centimeter van het kussen. 'Ik ben zo bang.'

'Bang. Waarvoor dan? Wat heb je je nu weer in je hoofd gehaald?'

In het zwakke licht van het bedlampje zie ik hem steunend op zijn elleboog.

'Ik… ik ben zo bang om dood te gaan.'

'Neeee. Niet weer! Jeetje, je bent niet goed wijs. Iedereen is bang om dood te gaan. Maar je gaat niet zomaar dood.'

Lars-Ivar, mijn geliefde en echtgenoot, geeuwde en legde zijn hoofd op het kussen, zo'n ongemakkelijke lange rol (een Franse specialiteit) en maakte aanstalten om meteen weer in slaap te vallen.

'Lars-Ivar, je mag niet gaan slapen.'

'Reken maar van wel. En dat zou jij ook moeten doen. Over een paar uur moeten we op.'

Een normale jonge echtgenote, een vrouw die een normale jeugd had gehad, was al lang bij haar man in bed gekropen en in slaap gevallen tegen zijn warme lichaam.

Met een vest en lange broek over mijn nachthemd en sokken aan mijn voeten die ijskoud bleven, lag ik wakker en wachtte op de dood.

De wekker ging af. Lars-Ivar kwam met een ruk overeind.

'Schiet op en maak je klaar', riep hij.

'Maar, maar… ik ben écht ziek. Ik ga d…'

'Hou daar in godsnaam mee op! Wees flink en sta op. Buiten in de frisse lucht zul je je een stuk beter voelen. Deze kamer is een rattenhol.'

Ik rol mezelf op in foetushouding.

Lars-Ivar geschoren en gedoucht, gezond en razend.

'Verdomme! Lig je nou nog steeds in bed?'

De ogen van mijn geliefde staan koud en afwijzend.

'Je laat me hier toch niet alleen achter?' fluister ik.

'Daar kun je donder op zeggen. Het is je eigen schuld. Ík ga in elk geval over de blauwe heuvels naar Vence.'

'Maar als ik…'

'Nee, nee. Met zulke smoesjes hoef je niet aan te komen. Ik weet heus wel waar het om gaat. Je bent de hele tijd al jaloers op Anny en nu probeer je wraak te nemen.'

Zijn rugzak om. Veters zorgvuldig gestrikt. Een kam door zijn dikke haar. Een vluchtige blik in de spiegel. De deur die ongeolied knarst.

Een paar uur later komt de werkster.

'Maar madame, petite madame, wat is er? Bent u ziek? U ziet er ziek uit. Waar is monsieur?'

Kerels... ja ja, ze weet er alles van. Kerels denken alleen aan zichzelf... o lala. Madame moet naar de dokter.

'Ik zal met madame la patronne praten en daarna breng ik u een kopje thee.'

De werkster mocht haar werk laten liggen om met mij naar de clinique te gaan. Het was een klein ziekenhuis maar ze hadden er een vrouwenarts en een gynaecologenstoel. Druk op de maag en lager was pijnlijk. Ik had koorts, 38.5. Een infectie zeker? Ja, inderdaad. Mijn eileiders waren ontstoken. Ik kreeg medicijnen voorgeschreven. Rust en warmte. En zo snel mogelijk naar huis voor verdere behandeling in eigen land.

In de zon had ik het minder koud.

Toen Lars-Ivar uit de bus stapte op het plein beneden zat ik op een bankje in de gloeiende hitte. Alleen. Iedereen had zich in de schaduw teruggetrokken onder de bomen en markiezen. Mijn man zag er opvallend goed en gebruind uit toen hij uit de bus stapte.

Hij stond voor me en zei: 'Wat heb ik je gezegd? Je hebt de dag overleefd. Maar je weet niet wat je gemist hebt. De blauwe lucht verzadigd van de geur van pijnbomen, tijm en oregano. Ik heb trouwens wat geplukt. Je kunt het laten drogen en mee naar huis nemen.'

Hij hield een bos warrige takjes onder mijn neus.

Toen pas bekeek hij me eens goed.

'Je bent wel een beetje hangerig, zo te zien.'

Nu kon ik mijn bescheiden, nee, grote triomf vieren.

Hoge koorts. Ontsteking in het onderlichaam. Antibiotica. Rust. Het liefst bedrust.

Ach ja. Je begrijpt wel, Alberte. Dat was andere koek. Ze was écht ziek. Die arme meid.

24

Dus was ik weer ziek, holadié. En nog steeds niet dood.

Een lichamelijke aandoening bij vrouwen, met een Latijnse naam. Eierstokontsteking in gewone spreektaal. Alles wat eindigt op infectie of ontsteking en koorts veroorzaakt is iets wat ook normale, flinke mensen kan treffen.

Nog een keer naar de vrouwenkliniek. Particulier. Lars-Ivar durft niet anders meer. Ik deel een kamer met Inez Karlsson, die gesteriliseerd is. Alleen noemen ze het niet zo, maar een tijdelijke afsluiting van de eileiders. Als de vrouw dat later wil, kan het ongedaan gemaakt worden.

'Alsof ik dat ooit zou willen!' fluistert mijn buurvrouw. 'Zes kinderen in acht jaar. O nee, eindelijk verlost, zo zie ik het.'

Haar man is ook tevreden. Nu kan hij zijn gang gaan. Zij is tweeëndertig. Haar man veel ouder. Een rood aangelopen kerel met grote hulpeloze handen die haar over de ziekenhuisdeken heen strelen. Hij heeft een benzinestation. Haar ouders hebben de ingreep bekostigd. Een jonge tante heeft de zorg voor het thuisfront overgenomen. Maar de kinderen missen hun moeder, dat is duidelijk.

Inez Karlsson gaat naar huis en op haar plaats komt een oudere dame te liggen met nog niet gediagnosticeerde pijnen 'van onderen'.

Na een paar dagen wordt ze overgebracht naar een ander ziekenhuis voor radiotherapie.

En na haar komt Annalisa Burgren, die het risico loopt voor de vierde keer een miskraam te krijgen.

Vanwege de hardnekkige koorts houden ze me daar. Bovendien word ik niet zo node gemist als Inez, de moeder van zes kinderen. Oma, die graag een martelarengezicht trekt als ze hoort dat ze nog langer voor Peter moet zorgen, kan toch niet verbergen hoe leuk het is iedere ochtend door zijn vreugdekreetjes begroet te worden en zijn warme mollige armpjes om haar nek te voelen.

De oma van mijn kind bezoekt me iedere ochtend met steeds diepere zorgrimpeltjes. 'Dat dit je nu ook weer moet overkomen', verzucht ze.

Ik doe mijn best bedrukt te kijken.

Maar erg ziek voel ik me niet. De hoofdzaak is dat er cijfers en testuitslagen zijn.

Iedere dag krijg ik pijnstillers aangeboden, die ik afsla.

Ik verlang niet naar huis. Ik zie er tegenop om naar huis te gaan.

Als Lars-Ivar komt, lig ik op de dekens met een stukje sprei over mijn benen. Hij vertelt hoe het thuis gaat en dat het Deense textielbedrijf Den Lyseblaa Fabrik twee nieuwe dessins besteld heeft.

De cheffin is een ingetrouwde Zweedse dame van adel, weduwe inmiddels.

Lars-Ivar beschrijft haar als een Deense Colette. Een magere blonde vrouw van tegen de zeventig, vol esprit. Zijn ogen krijgen een speciale glans wanneer hij haar beschrijft. Haar charme. Haar spiritualiteit. Haar woning in een oude opgeknapte boerderij die in een Deens tijdschrift heeft gestaan in de serie 'Onze mooiste Deense huizen'.

'Het is niet normaal, ze is bijna zeventig en toch raak ik bijna opgewonden als we in haar knusse, extravagant artistieke kamer zitten te praten. Echt geil bedoel ik. Ze zegt dat ze je graag eens wil ontmoeten.'

Daar lever ik geen commentaar op. Ik geloof namelijk helemaal niet dat ze dat wil.

Ik verander van onderwerp door hem het briefje te laten zien met dingen die hij de volgende keer mee moet brengen. Lancôme-gezichtscrème. Reinigingslotion en nagellakverwijderaar. En boeken uit de bibliotheek.

Meer van Cora Sandel. Alice Lyttkens nieuwste roman over de achttiende eeuw. Detectives lees ik nooit. Iemand met chronische doodsangst beleeft geen lol aan een verhaal dat draait om een aantal lijken, al dan niet verminkt of geschonden of in zo'n vergaande staat van ontbinding dat een tandarts het slachtoffer moet identificeren.

Estelle Karr komt op bezoek, dit keer met rozen. Ze heeft het laatste nummer van *Kvinnans Värld* en *Bonniers Månadstidning* bij zich. Allebei verluchtigd met mode-illustraties van Signe Tornvall-Palm.

Estelle Karr noemt me inmiddels bij de voornaam en kan daardoor ook wat persoonlijker worden.

'Je moet echt zien dat je weer gauw op de been bent, Signe. Over twee weken hebben Mea en Nordiska Kompaniet hun modeshows. En de week daarop Leja en Märthaskolan. We rekenen op je.'

Op dat front word ik in ieder geval gemist.

Gesprek met de dokter. Mijn temperatuur is nog steeds een beetje aan de hoge kant. Hij vraagt zich af of ik niet beter naar een herstellingsoord kan gaan.

Voor mijn geestesoog draait zich een film af die ik al eerder gezien heb. Ook al zaten er goede episodes in, ik hoef hem niet nog een keer te zien.

Bij de post zit een brief van mijn moeder. Ze is verkouden, aangestoken door Peter waarschijnlijk, en ze wil niet het risico lopen dat ze mij aansteekt. Ze schrijft dat ze Peter in de wandelwagen had meegenomen naar de stad (hij kan zelf lopen, maar het gaat vlugger met de wagen) en dus toevallig meneer Ödéen, mijn oude godsdienstleraar tegen het lijf liep.

Ik kon aan de formuleringen merken dat mijn moeder een beetje vereerd was dat de man, een dominee nog wel, zo vriendelijk informeerde naar de gezondheid van haar dochter. De innemende en zo getalenteerde Signe van wie steeds vaker tekeningen in de tijdschriften stonden die zijn vrouw altijd bij de kapper doorbladerde. Maar had Signe geen serieuzere pijlen op haar boog?

Mijn moeder had in meneer Ödéen een bondgenoot gevonden. De wetenschap dat hij ook dominee was, maakte haar spraakzamer; dat kwam in haar brief duidelijk naar voren.

Signe had volhard in haar plannen om modetekenares te worden en was vervolgens dolverliefd geworden en getrouwd met de eerste de beste man die haar het hof maakte. Een kunstenaar van eenvoudige komaf.

Nee, zo zei ze het niet. Maar dat was wel wat ze bedoelde.

Meneer Ödéen had haar en het ongeduldige kleinkind Peter op koffie met gebak getrakteerd in het chique Brända Tomten. Het jongetje werd zoet gehouden met limonade en chocoladecake. Ondertussen kon mijn moeder haar hart luchten over de kwakkelende gezondheid van haar dochter en de docent had belangstellend geluisterd.

Om een lang verhaal kort te maken: hij had Signe een verblijf van een week aangeraden in het uitstekende hospitium in Svarttuna, verbonden met de vermaarde Svarttunastifelsen van christelijk-humanistische signatuur. Ze hadden daar ook een uitmuntende bibliotheek. Een verblijf daar was natuurlijk veel stimulerender voor onze beste Signe dan een gewoon herstellingsoord. Uiteraard ook duurder. Maar meneer Ödéen had contacten en dacht dat hij wel een prijsje kon bedingen.

Mama vroeg of ik erover wilde nadenken. Zij was bereid de kosten op zich te nemen.

Ik kan me indenken hoe ze dacht. Haar dochter zou ontwikkelde mensen ontmoeten, mensen van geestelijk en intellectueel kaliber.

Lars-Ivar had er vanzelfsprekend nooit meer met een woord over gerept dat hij me ziek en doodsbang had achtergelaten in een schimmelige kamer in Haute Cagnes. Hoe kon hij weten dat het niet een van mijn hysterische buien was?

Hij zou nooit de beteuterde schaamte vergeten toen hij halsoverkop in een taxi was gesprongen naar zijn misschien wel stervende jonge vrouw. Verlamd van top tot teen lag ze op een echte brancard. 'De dokter komt zo.'

Inderdaad. En in die korte tijd verdween de verlamming zomaar, vanzelf, en stond hij daar voor gek.

Zulke dingen heeft Sivert nooit hoeven meemaken. Jij was koppig en eigenwijs op die zwijgzame manier van je; daar kan een man ook geïrriteerd door raken. Maar Lars-Ivar had het veel erger gesteld.

Aan de andere kant – een vrouw had bijna altijd wel iets wat een man kon ergeren en zijn gemoedsrust kon verstoren. Maar een echte aandoening compleet met koorts en een medische prognose was wel een verademing (en het was immers niet levensbedreigend). Al was een ziekelijke vrouw natuurlijk wel een blok aan je been.

Je angstig overbezorgde en voortdurend poetsende schoonmoeder over de vloer te hebben was ook geen pretje. Maar ze respecteerde dat je rust nodig had om te werken: een vrouw van een generatie waar de belangen van de man altijd op de eerste plaats kwamen.

Dan nadert het tijdstip dat ik naar huis mag. Opnieuw een inwendig onderzoek. De echtgenoot wordt bij de dokter geroepen voor een informatief gesprek.

'De acute eierstokontsteking van uw vrouw is nog niet helemaal genezen. Het dreigt chronisch te worden. Maar', aldus de dokter, 'een van de eierstokken is niet helemaal uitgeschakeld, en dat betekent dat uw vrouw weer zwanger kan worden. De kans is niet groot, maar áls het gebeurt, zal de ontsteking vanzelf genezen.'

*

De eerste lunch in het hospitium van Svarttunastifelsen.

Uitgerekend die dag blijkt mijn oude leraar daar te zijn. Dezelfde kippige, ietwat waterige blik waar de meer ervaren meisjes uit de klas onderling de draak mee staken. De dikke lippen waar hij vaak zijn tong langs laat glijden; nee, erg vertrouwenwekkend ziet hij er niet uit. Mijn moeder, overgevoelig voor hoe de handdruk van een man aanvoelt, moet verblind zijn geweest door respect om niet te reageren op de sponzig weke rechterhand die de mijne veel te lang vasthoudt. (Nee, nu ben ik dom. Natuurlijk heeft hij de hand van mijn moeder niet op dezelfde manier gedrukt.)

Tijdens die eerste lunch zat ik dus aan de eretafel, waar een bisschop en twee gezette heren van de kerkenraad troonden. Ik en gastvrouw Ingrid Holmlund waren de enige dames.

In de loop van het gesprek kwamen we op het sociaal-democratisch bewind en de onrustbarende afname van het aantal kerkbezoekers. De Kerk was bezig terrein te verliezen, of liever gezegd zieltjes. Mijn godsdienstleraar verslikte zich in de mosterdharing toen hij hoorde hoe zijn godvruchtige, knappe leerlinge zich in het gesprek mengde door zuur op te merken dat de Kerk dat aan zichzelf te wijten had. De Kerk had niet begrepen dat er een ontwikkeling gaande was in de richting van gelijkheid en recht-vaardigheid voor iedereen, en was blijven steken in het uitreiken van manden aan de armen van de klassenmaatschappij...

Er waren er meer, bij wie het eten in de keel bleef steken toen ik in vuur en vlam raakte en oreerde dat de tijd van de slavernij voorbij was, dat we uit het donker in het licht traden...

Jammer dat Lars-Ivar er niet bij was, hij zou trots op me zijn geweest. Evenals mijn vader.

Mijn tafelheer, de meest corpulente van de twee, redde de situatie met een hartelijke lach.

'Oei, ik geloof dat we een "kleine rooie" aan tafel hebben.'

Dat doorbrak de verkramping. Ze glimlachten vergoelijkend. Een onnadenkend knap jong vrouwtje dat praatte als een kip zonder kop.

De volgende dag lag mijn servetetui op een andere, kleinere tafel. Mijn tafelgenoten waren twee deftige dames, voornaam ma-ger en broos. De ene hoorde slecht, maar niet zo erg dat ze volgens haar eigen maatstaven een gehoorapparaat nodig had. Ze praatten over een jong familielid dat zich zojuist verloofd had met een ingenieur.

De vrouw die beter kon horen riep: 'Toch zeker geen militair?'

De slechthorende liep rood aan.

'Wat dacht je dan, Marie-Louise en Sverker zouden Louise nooit uithuwelijken aan zo'n Skania-ingenieur.'

Een paar minuten was de sfeer niet erg prettig.

Svarttunastifelsen was een merkwaardig gebouw, waar trappetjes en smalle gangen afgewisseld werden door protserige zalen. De gastverblijven waren allemaal anders ingericht en genoemd naar grote schrijvers en filosofen: Runebergkamer, Heidenstamkamer, Ellen Keykamer, Kierkegaardkamer. En dan opeens uit de toon vallend: Oma's kamer, Dienstbodenkamer.

Je werd voortdurend verrast door wisselende niveaus en door-loopjes, onverwachte deuren en diepe nissen. Je kon makkelijk verdwalen en het pand was geknipt voor een detective: hier kon een moordenaar makkelijk ontkomen.

Het complex ademde ook de sfeer van een klooster. Witgeverfde tuinbanken verspreid over beschutte hoekjes. Onder de gasten zaten een paar bekende schrijvers met een alcoholprobleem. Een van hen ontdekte mij tijdens de avonddienst.

Deze werd gehouden in de rode salon. Een piano, waar bij voorkeur het koraalboek op de lessenaar stond. De dominee had om stilte verzocht en het psalmnummer opgegeven. Alle dames zaten klaar.

Toen moest ik opeens nodig plassen. Echt iets voor mij om me op zo'n ongepast moment ineengedoken uit de gewijde zaal te moeten haasten. Terwijl ook nog eens iedereen begrijpt waarom.

De gêne hoge nood te hebben op de verkeerde momenten, vooral als een toilet ver te zoeken is, is een fobie uit mijn jeugd waar ik nooit overheen gekomen ben.

Later op de avond ging ik naar de bibliotheek. Wij internen hadden vrije toegang en je kon er ook binnendoor komen via een ingewikkeld trap-en-deurensysteem.

Ik had geen speciaal boek in gedachten en liep doelloos langs de kasten.

Plotseling botste ik bijna tegen een grote, stevige man op die in *De elegieën van Duino* van Rilke stond te bladeren.

'Oei', zei hij en ik keek naar hem op.

Ik herkende hem van foto's. Arthur Bränndahl, een gevierd schrijver, maar vooral bekend vanwege zijn pro-sovjethouding. Hij had het grote standaardwerk over marxisme geschreven.

Vergeleken met een 'kleine rooie' was dit een heer met echt revolutionaire ideeën.

Hetgeen niet wegnam dat het een zeer beminnelijke man was, die Rilke meteen opzij legde om geschikte literatuur te helpen zoeken voor de jongedame met rode wangen.

Het verraste hem dat ik *Pelle de veroveraar* van Nexø had gelezen en bijna alles van Fridegård. Toen ik geen zin had in Ivar Lo-Johansson, zocht Arthur Bränndahl onder de letter D naar de Deense schrijfster Tove Ditlevsen.

'Of hebt u haar boeken al gelezen?'

Ik bloosde opnieuw. Ik had zelfs nog nooit van deze Deense schrijfster gehoord.

Hij zocht haar debuut; het lag op de kar met terugbezorgde boeken.

Ik draaide het boek om en begon de flaptekst te lezen. Echter zonder dat er iets van tot me doordrong. Zijn ogen brandden erdoorheen.

'Weet u', zei hij, en wat er toen volgde zou mijn leven beslissend veranderen. 'Het is me opgevallen dat u zulke prachtige heupen hebt.'

Het duizelde in me.

'Dat was toen u de salon uit holde. Toen zag ik het. Dat je zulke bijzonder mooie heupen hebt.'

Terloops wisselde hij daar van voornaamwoord. Ik kon mijn oren nauwelijks geloven.

Nooit had iemand zoiets tegen me gezegd.

Zelfs Lars-Ivar niet. Het was namelijk niet mijn lichaam waarop hij verliefd was geworden.

In een kort, eruit geflapt zinnetje kreeg ik een lichaam. Tot dan toe was mijn lichaam enkel een last geweest. Een vergissing van God, die twee kartonnen aankleedpoppen doormidden had geknipt en ze verkeerd aan elkaar had geplakt. Een leuk, bescheiden bovenlichaam en onder mijn taille al die schandelijke weelderigheid om te verstoppen in gerimpelde rokken, in een badlaken – zoals op het strand waar toch altijd vroeg of laat een moment komt waarop je je bedekking moet afgooien en een paar minuten blootgesteld bent aan alle blikken voordat je in het water kunt springen.

Mijn heupen waar ik me altijd zo voor geschaamd had.

Uitgerekend die waren Arthur Bränndahl opgevallen.

Mijn blos verdween niet. Ik probeerde mezelf een houding te geven door te vragen hoe dat ging met lenen, zo zonder bibliothecaris.

Hij legde het uit. Toen glimlachte hij. Dat was voor het eerst tijdens onze ontmoeting.

'Ik heet trouwens Arthur. Ik hoop dat je het niet verkeerd hebt opgevat wat ik zonet tegen je heb gezegd.'

Mijn god, wat was ik nerveus. In mijn hoofd ging een alarmbelletje rinkelen.

'Bedankt voor de hulp', mompelde ik voordat ik voor de tweede keer een zaal op een holletje verliet. Me er dit keer nog meer van bewust dat iemand me nakeek.

In de leeskamer pikte ik de laatste nieuwe *Veckojournalen* mee hoewel het ten strengste verboden was kranten en tijdschriften op je kamer te hebben.

Ik blader wat, maar de inhoud dringt niet tot me door. Hartkloppingen. Een zweem van de aloude ademnood. Slaappil. Toch klaarwakker. 's Nachts om twee uur nog een slaappil. Ik loop het ontbijt mis. Om tien uur glip ik de deur uit. Op een holletje voorbij de villa's met hun goedverzorgde tuinen; het is echt ongelooflijk prachtig in Svarttuna.

Aan het pleintje ligt een tearoom. Een broodje kaas en een kop koffie. Ik herinner me waar Bettan Skoghös huis ongeveer moet liggen. Vind het paadje naar het water. Enorme treurwilgen die verlangend over het water leunen.

Ik vind haar huis. Open een roestig hekje. Ik zie meteen dat het huis er gesloten uitziet. En inderdaad. Niemand doet open als ik aanbel. Terug naar het plein en de winkelstraat. Doelloos slenter ik langs de etalages. 'Mathilda Eks Stoffen en Fournituren'. Ik blijf staan voor een knalroze lap met turkooizen stippen. Ik ga naar binnen. Vraag of ik de stof van dichtbij mag zien. Hij is licht en voelt soepel aan. Ik hou de lap naast mijn gezicht en zie hoe goed hij bij mijn huid staat. In trance vraag ik de verkoopster om tweeënhalve meter. Voor een bloes, voeg ik eraan toe.

Ik sta er niet bij stil hoe vreemd het is dat een jonge vrouw die stof koopt voor een bloes nog geen spelden, naald en draad, een centimeter en schaar heeft.

Ik koop alles in een slaapwandeltoestand. Veroorzaakt door een exotische, in Zweden verboden, elixer.

Nuchter zou ik zoiets nooit gedaan hebben. Ik kan immers niet naaien. Zelfs voor de handwerkles op school moest mama me aan de keukentafel helpen om een schort af te maken, een onderdeel dat voor iedere leerlinge verplicht was om een voldoende te krijgen.

Op het moment dat de gong gaat voor de lunch ben ik terug in het hospitium. Ik smijt het pakje op mijn kamer. Vlieg de trap op, maar ben te laat voor het gebed. Om precies te zijn: ik kom midden onder het 'Amen' binnen. Met mijn blik op de grond loop ik naar mijn servetetui.

De lunch is altijd een lopend buffet. Je pakt je bord en schept op waar je zin in hebt. Vlug en zonder goed te kijken schep ik op. Gelukkig zit ik met mijn rug naar het andere deel van de zaal. Ik weet dat hij daar zit. Mijn dames praten over vriendin Edit, die is opgenomen in het Serafimer Ziekenhuis. Een delicaat onderwerp waar je liever niet over praat zodat anderen het horen. De niet dove dame schrijft dus de naam van de ziekte op de achterkant van een bonnetje dat ze uit haar handtasje had opgediept. Ik loer mee. 'Kanker', staat er. De dove slaat haar handen voor haar gezicht. Ik ben in een sterfhuis terechtgekomen. Maar mijn wangen branden, ik weet niet waarvan. Ik bedoel: ik wil het niet weten.

Heer, wij danken u voor deze spijzen... Amen. Dan, nog steeds uitsluitend recht voor me kijkend, weg van die plek; voor mij geen koffie in de salon.

Eenmaal op mijn kamer begin ik met het bloesproject. Ik leg de stof dubbelgevouwen op de grond, nog een keer dubbel. Ik zet driest mijn nieuwe schaar in de stof en knip de hals. Kijk, dat ging goed! Ik begin te spelden, rijgen zelfs, pas het voor de redelijk grote spiegel boven de wastafel. Maar je ziet gelijk dat de hals te wijd is. Dan begin ik te huilen, doe het ellendeding met een ruk uit en gooi me op bed met mijn gezicht in het kussen.

Het lukt niet om in deze houding te huilen; je stikt in je eigen tranen. Ik ga overeind zitten. Mijn hart slaat op hol. Op de grond stukken stof en spelden. Razend gris ik alles bij elkaar en prop het in de zak waar 'Mathilda Eks Stoffen en Fournituren' op gedrukt staat. Ik snuit mijn neus. Spoel mijn gezicht met koud water. Graaf in mijn handtas naar een tien-öremuntje en ga naar de telefooncel voor de gasten. Mijn moeder neemt op. 'Hoe gaat het? Hoe voel je je?'

Eerst sla ik helemaal dicht. Voelen? Wat bedoelt ze? Ze kan het toch niet weten?

'Heb je nog steeds verhoging?'

Diep ademhalen, in, uit. Waarom zit ik eigenlijk in dit christelijk hospitium?

Ik slaag erin mijn stem helder en toch een beetje zwak te laten klinken als ik antwoord dat ik 's ochtends 37,2 heb; volgens mama gaat het de goede kant op. 'En een zekere mevrouw Karr heeft trouwens gebeld. Ze wil dat je...'

'Is Lars-Ivar thuis?'

Nee. Meteen uit zijn deeltijdbaan op de drukkerij zou hij bij een reclamebureau langsgaan om zijn werk te laten zien. Nee, de naam van het bureau wist ze niet. Peter? O, twee aardige meisjes van een jaar of acht waren komen vragen of Peter mee mocht naar de speelplaats. Majvor en Greta-Lisa heetten ze.

Ik bevestig dat ze soms met Peter spelen.

Dan zeg ik waar ik eigenlijk voor bel. Dat ik wil dat Lars-Ivar me zondag met Peter komt ophalen.

Eén stap uit de telefooncel en daar staat hij, de verleider. Het is halfdonker in de gang. Opgejaagd loop ik naar mijn kamer. Hij volgt me op de voet. Pakt mijn ene arm.

'Niet zo'n haast. Ik wilde alleen maar vragen of we vanavond om negen uur naar Mozarts pianoconcert zullen luisteren. Het hele concert wordt op de radio uitgezonden.'

We staan bij een raam. Ik kijk hem openhartig aan terwijl ik probeer te slikken en te glimlachen, niet te veel en niet te weinig.

'Hoe weet u, je, dat ik van Mozart hou?'

'Veel levenservaring', antwoordt hij en hij kijkt te indringend.

'Ik moet gaan nu.'

Ik ren weg, terwijl zijn ogen gefixeerd zijn onder mijn taille.

Tijdens het warme eten ben je meer beschermd. Dan wordt er aan tafel geserveerd. Onder het toetje is er telefoon voor me in de receptie. Lars-Ivar. Hij had dus die afspraak bij dat reclamebureau...

'En...?'

'Ach ja, je weet hoe ze zijn. Ik zou het nog horen... Je moeder zei dat je opgewekt klonk.'

'O ja, ik ben binnenkort weer helemaal de oude.'

'Maar nu klink je een beetje mat?'

'O, niets aan de hand. Beetje slecht geslapen vannacht.'

'Hoe is het daar, trouwens? Saai?'

'Ja, nogal. Veel ouwe taarten. Hoewel ik gisteren Arthur Bränndahl gesproken heb. We liepen elkaar in de bibliotheek tegen het lijf.'

'God, wat leuk, hij is een van de grote linksen. En wat zei hij?'

'Hij heeft me een paar boeken aangeraden van de arbeidersschrijvers.'

'En toen heb je zeker gezegd dat je man je al...'

'Ja, o ja. Dat heb ik gezegd, ja.'

'Hoe oud is hij eigenlijk?'

'O, moeilijk te zeggen. Minstens vijftig. Kunnen jullie zondag komen?'

Ja, dat was geen probleem. Het leek Lars-Ivar wel interessant een van de giganten van de Zweedse literatuur de hand te schudden.

Alleen op mijn kamer. Mijn gewassen haar is nog vochtig maar de nagellak is al droog als er op de deur wordt geklopt. Daar is hij. Ja.

Zoals je je herinnert, Alberte, in het pensionaat in Parijs konden mannen aankloppen met maar één doel voor ogen. Maar dat betrof nooit mij. Ik heb dus geen ervaring met zulke situaties. Wanneer een man vraagt of ik nog een glaasje whisky bij hem kom drinken voordat het concert begint.

'Of wil je liever hier zitten?'

Ik ruik bij ieder woord de uitgestoten dranklucht. Uit een aktetas haalt hij een whiskyfles te voorschijn.

Ik doe een stap naar achteren.

'Dank je, maar ik drink geen alcohol.'

'Jammer', mompelt hij en op hetzelfde moment staat hij vlak bij me. Pakt me brutaal om mijn middel en kust me. Geen enkele andere man dan Lars-Ivar heeft me ooit zo op de mond gekust. Maar door de honderden meisjesboeken weet ik hoe een jonge vrouw handelt als een ongenode man zich zo gedraagt...

PANG. Daar knalde de oorvijg.

Hij stond werkelijk perplex. Het scheelde niet veel of hij had de aktetas met de kostbare inhoud laten vallen.

'Ah, op die manier', zei hij verbeten en hij was in een mum van tijd de kamer uit.

De knal van de deur kon wedijveren met de oorvijg. Arthur Bränndahl was niet overdreven hoffelijk.

Ik deed de deur op slot. We gingen op bed zitten, mijn ademloosheid en ik. Tegen mijn hartkloppingen en blozende wangen zei ik: wat dacht hij wel? *Dat ik er zo eentje was* (weer het meisjesboekregister). Bah. En hij stonk naar drank.

Toen, zonder overgang, had ik ineens spijt.

Ik had hem niet echt hoeven slaan.

Vanbinnen raasden de bekende tegenstrijdige gevoelens in een vrouwenziel en -lichaam, als in een keukenmeidenroman.

Een knappe rijpe man die op me valt vanwege mijn heupen en die me vervolgens op zinnelijke wijze kust.

Mijn moeder zou bezwijmen.

Een man die maling had aan mijn schone ziel en andere goede eigenschappen en verstandelijke vermogens. Ik, een muurbloempje op schoolfeestjes op de melodie van 'In the Mood'. Dat nooit ofte nimmer een donkere hoek in geduwd werd waar een jongen maar één ding wilde.

Een meisje met te veel lichaam en tegelijkertijd lichaamloos; wie dat raadsel kan oplossen, mag zijn gang gaan.

Maar nu was er een man die dat ene van me wilde. Die naar me keek met begeerte.

Vrolijkheid en triomf vermengd met hartzeer.

Goede God (al zou hij hier liever niet bij betrokken worden), wat was ik stom geweest! De terugreis vanuit Parijs, met de Deen Jens? Nee, dat was nobeler geweest.

Dit was recht voor zijn raap en...

In witte jumper en rode rok holde ik door de gangen en de gemeenschappelijke ruimtes in de hoop hem te vinden.

Ik wist ongeveer waar zijn kamer lag.

Maar niet het nummer, of liever gezegd de naam van de kamer.

De volgende dag kwamen we elkaar toevallig tegen boven aan de tuintrap die naar de weg voert. Ik vloog op hem af, pakte de mouw van zijn colbertje en hijgde: 'Sorry, sorry. Voor gisteren. Dat ik zo raar deed.'

Die avond liet ik hem binnen. Betoverd en tot overgave bereid lag ik naakt onder hem. Hij drong binnen, maar direct na de heftige kortstondige golf van genot ontwaakte mijn koele superego. Wild huilend duwde ik hem weg.

'Wat is er, Signe, wat gebeurde er? Heb ik je pijn gedaan?'

'Nee, nee, o helemaal niet', huilde ik tegen zijn grijs krullende borst.

'Maar ik mag niet. *Ik mag niet!*'

Hij tilde zijn hoofd op. Ging overeind zitten.

'Van wie mag je niet?'

'Vanwege mijn man', hikhuilde ik onderweg naar ontroostbaarheid.

Hij was zo aardig. Écht aardig. Hij werd niet boos. Wiegde me en fluisterde: 'Rustig, rustig maar, we hebben niets gedaan, we waren nog niet eens begonnen.'

'Maar, maar…' hikte ik. 'We deden het toch?'

'Nee hoor, zo kun je het niet noemen.'

Hij kuste mijn natte oogleden, streelde zachtjes mijn wangen.

'Denk erom, dit is niet iets wat je aan je man hoeft te vertellen, hoor.'

Hij kleedde zich aan. De manier waarop hij de deur uit sloop verraadde jarenlange ervaring.

Over vier dagen was het zondag. Lars-Ivar en Peter zouden komen en ik zou mee teruggaan naar Aspudden.

Arthur Bränndahl 'probeerde' het nooit weer. Hij deed sowieso alsof er nooit iets gebeurd was.

Maar de verleiding waar hij me vervolgens aan blootstelde was van een veel subtieler soort. Hij was aardig tegen me. Bekommerde zich om me. Later zou ik begrijpen dat Arthur Bränndahl niet bepaald bekendstond als een bijzonder prettig en aangenaam mens.

Maar deze warme herfstdagen in Svarttuna omringde hij me met warmte en genegenheid. Het mooiste voorbeeld daarvan was toen hij een deken en boeken meenam en we in het dorre gras voor de ene kerkruïne gingen zitten. Daar las hij me voor uit de gedichten van Gustaf Fröding.

Met uitzonderlijke intuïtie wist hij welke de jonge toehoorster het meest zou waarderen.

Arthur Bränndahl wist niet van mijn zo vroeg gestorven vader. Dat hij lange periodes waanzinnig was en opgenomen in een inrichting en dat hij in die tijd zong en gedichten schreef, rijmende ritmische verzen. Helaas vooral met conventioneel christelijke thema's, maar die lichte ritmiek had hij dus van Fröding.

Arthur Bränndahl koos er dus voor om niet zijn eigen gedichten voor te dragen of die van zijn favorieten Rilke en Hölderlin, maar de meest geslaagde dansende ritmes van de zieke Fröding. Hij vervulde me met alle coupletten van 'Het bal', die onweerstaanbaar vrolijke en trieste walsmelodie die zich wentelt in lust en melancholie, vergeefs verlangen en hemelbestormende euforie.

Op de maat van wals en polka.

Voordat iemand anders het doorhad, en ikzelf nog het minst, wist de gepokte en gemazelde vrouwenverleider Arthur Bränndahl dat ritme en dans deze jonge abstinente vrouw zouden doen bezwijken. In de ritmiek vond ze haar drug en roes.

Het was een lange dichtcyclus die me wikkelde in duizenden meters gouden zijdedraad en deze band tussen mij en die schrijver op leeftijd zou pas verbroken worden door zijn dood een jaar of tien later.

En gesprekjes parelden
comme il faut,
en walsjes warrelden
op tenen hoog,
in wijde kringen
van zwarte pakken
tussen vlindervleugels
van tule en floers
en reikende halzen
en witte hakken.

Het was een deinende
stroom van lente,
als fris verkoelend
de golf aanlandt

en alles zo rooskleurig
geregeld lijkt voor 't hart
— en op de golven meegevoerd
zit in nabije hoek
tegen kleurig damast
verzonken Elsa Roek.

Ze zat daar hijgend
rood en bemind,
een naar adem snakkend
jonge waternimf
in schuim van kant
en door tule omsloten
uit de walsende kringen
vol welbehagen
op de oever geworpen
door golvenslagen.

De dag na de poëzievoordracht kom ik Arthur Bränndahl tegen op een van die brede trappen buitenshuis waar het hospitium zo vermaard om is. Blijheid borrelt in me op. Een slap gevoel in mijn benen. Donkerogig en gelukzalig. Maar we passeren elkaar zonder een woord te zeggen.

Bij het eerste onbewaakte ogenblik trekt hij me bruusk opzij en zegt met lage, geïrriteerde stem: 'Wil je verdomme niet zo strálen als je naar me kijkt. Straks ziet iemand het. Denk erom dat ik getrouwd ben.'

Ziedaar, Alberte, nog een van mijn handicaps. Stralen bij ongepaste gelegenheden.

25

Op zondag kwamen man en kind dus om mama op te halen. De dames keken tevreden. Ze konden onmogelijk op de hoogte zijn van Bränndahl en mij, maar je weet het nooit. Luistervinken zitten overal.

Tijdens de koffie stelde ik Lars-Ivar aan Arthur Bränndahl voor en de heren schudden elkaar beleefd de hand terwijl ik me vooral op Peter richtte, die zoals het gezonde kinderen betaamt stuurs en zeurderig was nu hij zijn moeder eindelijk weer zag. Ze moest wel begrijpen dat ze hem vreselijk in de steek gelaten had...

Ik maakte een kop chocolademelk met slagroom bij de koek met vruchtengelei in het midden. Toen nam ik hem op de arm, oef, wat werd hij zwaar, en zei tegen de pratende en rokende mannen dat ik Peter de torenkamer zou laten zien.

Ik werd zenuwachtig van Lars-Ivars enthousiasme om met de communist Arthur Bränndahl over politiek te mogen praten. Het was dus een zegen dat ik me in beslag kon laten nemen door het kind.

Maar achter de nervositeit borrelde vrolijkheid.

Toen ik door de brede, openslaande deuren de leeskamer binnen liep wist ik dat twee paar ogen me nakeken, en intuïtief wiegde ik wat extra met mijn heupen; een beetje zoals de Françaises destijds deden en ik dacht toen: hoe durven ze! In rokken met een achterwerk dat uitstak.

Ook na thuiskomst bleef ik in een stralend humeur. Er lag veel werk. De modeshow bij Nordiska Kompaniet met de kwaadaardige moderedactrices van *Dagens Nyheter* en *Stockholms-Tidningen.* Hoe ze blasé tien minuten te laat komen en vervolgens halfluid tegen elkaar vertellen dat als je het origineel in Parijs gezien hebt, dan...

Estelle Karr zat op de voorste rij. Ik schuin achter haar. De roddel had mij al eerder bereikt. Op deze modeshow zou een jonge vrouw de nieuwe stermannequin zijn. Maar het interessante aan haar was van een andere orde. Deze achttienjarige Judith Serzler was de minnares van Estelle Karrs man.

Hoe de hele salon de adem inhield toen ze haar eerste entree maakte. Een mager langbenig meisje met zwart kort haar, een slungelig brutale manier van lopen. En knap ja, o ja.

Tijdens de collectieve uitademing gluurde iedereen naar Estelle Karr om te kijken 'hoe ze het opnam'.

Goed, natuurlijk. Ze vertrok geen spier. Ze had vooraf zeker iets kalmerends ingenomen, werd er achter mijn rug gefluisterd.

Opeens was het heerlijk om gezond te zijn. Je weet zelf zelden wat je uitstraling is. Maar ik zag het toen ik onverwacht langs een spiegel liep. Je weet dat ik normaal gesproken niet tevreden ben met zulke onvoorbereide ontmoetingen. Maar nu zag ik een blije uitdrukking op mijn gezicht. Je kon zien dat het goed met me ging.

Geen greintje angst te bespeuren.

Tussen Lars-Ivar en mij was een nieuwe erotische lading ontbrand en ons intieme samenzijn bereikte gelukkiger, gedurfder hoogtepunten dan in lange tijd.

Na een paar maanden konden we vaststellen dat ik zwanger was. De dokter van de vrouwenkliniek die de eierstokontsteking behandeld had, was oprecht blij en zijn felicitaties klonken welgemeend.

Hiermee was de ontsteking volledig genezen. Een zaadje met bijzondere kracht en doelbewustheid was erdoorheen gedrongen en had een eitje bevrucht.

De bijbehorende misselijkheid was al begonnen.

Niemand ter wereld heeft ooit kunnen verklaren hoe een hysterische, door angst bezeten vrouw tijdens de zwangerschap kan veranderen in het tegenovergestelde.

Voor Lars-Ivar was het andersom. Nog een mond om te voeden. Die gedachte was conventioneel en van die tijd. Dat de vrouw het zelf kon, telde niet. De man moest de hoofdkostwinner zijn. De vrouw mocht een steentje bijdragen. Maar niet succesvol zijn. Dat was een aantasting van de mannelijke potentie, die niet alleen zijn onderbroek vulde.

Mijn zorgeloosheid was ergens ook ongepast. Het was belastend materiaal dat verraadde dat ik me financieel uitstekend zelf kon redden.

Lars-Ivar was bang, al was het niet díé angst, maar meer een concrete, praktische zorg over hoe we alles moesten regelen.

We hadden bijvoorbeeld een groter huis nodig.

Het was bij deze problematiek dat ik serieus begon met het inbrengen (moderne term) van Svarttuna als onze volgende woonplaats.

Zoals gebruikelijk, dat wil zeggen zoals de vorige keer, was ik als aanstaande moeder opgewekt en onverschrokken. Aangezien die toestand maandenlang aanhield, konden we allebei vergeten dat het niet altijd zo zou blijven.

Ik weet niet in hoeverre mijn verliefdheid op Arthur Bränndahl mijn geluksgevoel nog vergroot.

Ik schrijf hem brieven, veel brieven. Ik schrijf als ik in de stad ben, in een tearoom waar ik ook de envelop dichtplak, frankeer en op de bus gooi.

Hij schrijft nooit terug. Maar ik bel en dan praat hij tegen me. Soms durf ik naar de bibliotheek te gaan waar hij verantwoordelijk is voor de sectie bellettrie. Ik bloos ontzettend. Hijzelf is zowel gevleid als nerveus om me daar zo tussen de leners te zien. Schoolmeisjesachtig verliefd interpreteer ik iedere verandering in zijn gezicht als een soort glimlach. Het gevaar dat ik begin te stralen is er overduidelijk.

Lars-Ivar weet niets van die correspondentie. Ik ben er best trots op dat ik dat geheim weet te houden. Bovendien heb ik nauwelijks gewetenswroeging, omdat ik nooit alleen met hem ben.

Zorgvuldig koester ik zijn bewering dat er toen, *die keer*, niets gebeurd is. Hij was opgehouden voordat we echt begonnen waren.

*

Mijn tweede zoon baar ik het Karolinska Ziekenhuis, particulier.

De tijd is voorbijgevlogen. Het is drie en een half jaar geleden dat ik in de gemeentelijke kraamkliniek beviel.

Nu mag de vader erbij zijn. Tijdens de persweeën hoor ik tussen mijn eigen gebrul een verpleegster roepen: 'Meneer Palm, voelt u zich niet goed?' En dat hij wordt afgevoerd.

De nieuwe zoon is al vanaf de eerste dag een heetgebakerde baby die melk naar binnen klokt zodat het van verre hoorbaar is. Het doet een beetje pijn, maar lang niet zoveel als de vorige keer.

Wat een luxe om met z'n tweeën op zaal te liggen. De zusters zijn aardiger. De dokter neemt meer tijd. Het eten is beter.

Een klassenmaatschappij in notendop, zegt Lars-Ivar en daar bedoelt hij mee dat dit een sector is waar de sociaal-democraten iets aan zouden moeten doen. Waarom zouden arbeidersvrouwen niet dezelfde service krijgen als vrouwen uit de middenklasse die een kind baren voor het land?

Peter is bang dat we hem door dit broertje, dat we Svante gedoopt hebben, zullen vergeten. Iedereen die bij ons thuis komt, staat alleen maar over Svantes wiegje gebogen te kirren hoe zoet hij is. Als we gaan wandelen met de kinderwagen is het hetzelfde liedje.

Op een dag gebeurt er iets wat een cruciale betekenis zal krijgen in mijn Svarttuna-propaganda. In de verte zien we Greta-Lisa en Majvor met een tweejarig kind in een wandelwagentje. Het kind brult luid. Peter kijkt bedenkelijk: 'Waarom huilt het jongetje, mama? Hebben Greta-Lisa en Majvor met hem gespeeld?' Zijn toon is zakelijk nieuwsgierig.

Ik durf niet nader in te gaan op wat er achter die alarmerende opmerking kan schuilen.

Maar als ik het voor Lars-Ivar herhaal, maken we een flinke sprong richting Svarttuna.

Bettan Skoghö doet haar best en als Svante drie maanden oud is, verhuizen we.

Helaas was ik tegen die tijd niet meer zo stralend positief. Ik had weer symptomen die deden denken aan hoe ik was na de eerste bevalling. Maar toen lag het aan mijn schildklier. De slapeloosheid en de plotselinge huilbuien waar ik nu ook aan leed, ik bedoel, waar we allemaal onder leden, konden dit keer niet op het conto van een lichamelijke ziekte worden geschreven.

'Postnatale depressie' was iets waar niet over gesproken werd. Na de derde bevalling zou ik precies hetzelfde krijgen en zodoende weer een bezoeking voor mijn man zijn. Al die angstaan-vallen, onberekenbare humeurwisselingen: allemaal hysterie en verwendheid. Een oorvijg op z'n tijd kon geen kwaad. Zodat ze zich een beetje zou leren inhouden.

Pas na de vierde bevalling werd uitgesproken dat ik een milde vorm van postnatale depressie had, een hormonale stoornis dus.

Maar dat was later. Lars-Ivar was niet langer de vader.

Zeven jaar waren verstreken sinds de geboorte van onze derde zoon. De kennis over de psyche van de vrouw in samenhang met de bevalling was verruimd. Het was niet langer vanzelfsprekend dat iedere nieuwbakken moeder straalde van moederliefde, zoals alle brochures van het consultatiebureau hadden beweerd.

Je begrijpt, Alberte, hoe baanbrekend dat inzicht was. Want de depressie die dus veroorzaakt wordt door hormonen, was vóór die tijd ook nog een schande.

Een échte moeder huilt niet als haar kindje gezond is en haar man een aardige en belangstellende vader.

Er is geen geldig excuus voor een moeder die niet blij is.

De laatste keer namen ze de melk weg om te kijken of dat de depressieve symptomen zou verminderen. Dat deed het niet. In plaats daarvan huilde ik nog meer omdat mijn zoontje geen moe-dermelk kreeg zoals de anderen.

In het licht van wat men nu weet, was poedermelk natuurlijk het beste. Deze baby was de meest harmonieuze. De melk die hij dronk was niet vermengd met mijn angsten.

Maar het hopeloze en achteraf onvergeeflijke was dat er van mijn korte huwelijk met Lars-Ivar, negen jaar in totaal, drie verpest waren door een psychose waarvan de oorzaak te maken had met het krijgen van kinderen.

We ruilden dus twee kamers en een keuken in een huurkazerne ten zuiden van Stockholm in voor het achttiende-eeuwse langgerekte, lage bouwsel in Svarttuna. Het huis was slecht onderhouden en primitief. Maar er was ruimte hier en het was mooi als je door het raam naar buiten keek.

Twee kamers beneden, drie boven, een keuken, badkamer en

voor de buitendeur een veranda met houtsnijwerk langs de dakrand en twee vaste banken om op te zitten. Op de flank een schuur waar we de brandstof voor het huis bewaarden: briketten. Ik heb nooit begrepen of het nu geperste turf was of dat het iets met kolen te maken had. De ketel stond in de keuken waar altijd gruis en schilfers op de grond lagen, hoe vaak je ook dweilde. In de badkamer hing een gasboiler.

De tuin waar we op uitkeken hoorde bij het hoofdgebouw en de deftige huisbazin, de wat gezette Beate von Lindenstoltz. Bij de huur was niet inbegrepen dat de kinderen daar mochten spelen. Wat langs onze eigen muur groeide was van ons, samen met een paar kruisbessenstruiken en het smalle grindpad naar ons hekje. De handige Lars-Ivar slaagde erin een plekje te vinden voor een zandbak.

De meest moederlijke in het gezin was Lars-Ivar. Hij was degene die lijfelijk met de kinderen in de weer was, ze 's avonds in bed stopte, samen met ze in bad ging.

Ik liep het liefst met een kind op de heup terwijl ik in een pannetje roerde, opruimde of telefoneerde. Mijn heupen van Afrikaanse breedte en mijn zachte borsten waren bedoeld voor een ander soort vrouw. Zo'n rustig, vertrouwenwekkend type met de geur van versgebakken brood om zich heen.

In Svarttuna begonnen we met kindermeisjes. Een kamer naast de woonkamer bood de privacy die een meisje met een vaste betrekking in een gezin nodig heeft.

Met deze onmisbare steunpilaren werd nog een defect in mijn persoonlijkheid blootgelegd. Ik kon geen leiding geven, 'personeel houden' zoals dat heette. Ik durfde niet te zeggen waar het op stond. We hadden bijvoorbeeld Anja, een meisje dat eerst bij een kapiteinsfamilie had gewerkt. De eerste drie dagen was ze energiek en efficiënt, maar toen zakte het af en na twee weken kwam ik terug uit de stad en lagen er drie vieze luiers in de badkamer op de grond. De keukenvloer, die vanwege de ketel minstens een keer per dag gedweild moest worden, was smerig en een pan met aangebrande pap stond nog op het fornuis. En ik besefte dat die andere 'mevrouw', de kapiteinsvrouw, een vermogen bezat dat ik ten enenmale miste.

's Avonds huilde ik vaak, om diverse redenen, maar een steeds terugkerende reden was dat ik de teugels niet durfde aanhalen, of hoe je het ook wilt noemen.

Onze allereerste kennismaking bracht een meisje als Anja al in de war.

Hoewel anderen het als stimulerend ervoeren. Ik zei: 'We werken hier allemaal op hetzelfde niveau, maar met verschillende dingen. Mijn man en ik tekenen en schilderen een groot deel van de dag, terwijl jij voor de kinderen zorgt, boodschappen doet, de keuken, badkamer, woonkamer en kinderkamer op orde houdt.

Je moet dit zien als een baan die je zelf kunt inrichten zoals het jou het beste uitkomt. En nog iets: we zeggen hier je en jij tegen elkaar.'

Tegen dat laatste protesteerden sommige meisjes. Meneer en mevrouw Palm moest het zijn.

Sommige meisjes begrepen wat we bedoelden en konden de verantwoording aan. Anderen dachten dat het hier niet zo nauw stak en zaten vooral tijdschriften te lezen.

En ik was niet in staat er iets van te zeggen.

Daar, Alberte, had je nog een van mijn handicaps als mevrouw zijnde.

Liever dan er iets van te zeggen, waste ik zelf stiekem dingen uit die nodig waren, ontfermde me over de stinkende luiers, schrobde het aangekoekte pannetje uit, enzovoort.

Lars-Ivar zei dat ik me moest vermannen en respect afdwingen. Me gedragen als een mevrouw uit de betere kringen, bedoelde hij zeker.

Maar ik kon het niet.

'Alsjeblieft', huilde ik 's avonds. 'Jij moet het tegen haar zeggen. Alsjeblieft, Lars-Ivar, kun jij niet tegen haar zeggen dat…'

Gedurende onze tijd in Svarttuna kwamen en gingen er meisjes van allerlei slag. Innemende, chagrijnige, ijverige, luie, domme, slimme…

Als ik Peter 's avonds toestopte, wilde hij soms over de kinder-meisjes praten. We namen ze stuk voor stuk door. Soms waren we het met elkaar eens, maar niet altijd. Viola, bijvoorbeeld, een tamelijk slordig (slonzig, zou mijn moeder zeggen) meisje was favoriet bij zowel Peter als Svante.

Haar bijzondere talent was dat ze kon strijken en tegelijkertijd vertellen over een film die ze pas had gezien. Als Lars-Ivar of ik bleven staan luisteren, begrepen we er niets van, maar de jongens zaten ademloos te luisteren als Viola met theatrale stem zei: 'Het was de boef, niet die ene maar die andere, dat was ook een boef maar het meisje was verliefd op hem want ze wist natuurlijk niet dat hij boef was en die eerste was eigenlijk politieagent...'

Een kind van drie en een van zes die vol aandacht deze onbegrijpelijke wederwaardigheden volgden.

Viola kon ook heel goed 'In het ziekenhuis op zaal, waar de witte bedden staan...' zingen.

Verder maakten de kinderen vooral ruzie. Toen Svante één was had hij al door dat als hij een stripboek van Peter pakte en erop begon te kauwen en zijn broer het afpakte omdat het immers van hem was en Svante het op een huilen zette, dat wij er dan aan kwamen stormen en een van ons natuurlijk eerst de baby optilde, terwijl het grote broertje boos aan zijn arm heen en weer geschud werd zodat ook hij begon te huilen.

En daar zat dan de net nog zo wanhopig gillende baby rozig en tevreden op de arm: verbluffend snel hersteld.

Toen Svante tweeënhalf was, won hij het van zijn ruim drie jaar oudere broer als het tot een handgemeen kwam.

Het was altijd een enorme herrie, ze ruzieden, ze vielen en bloedden, ze haalden zich open aan spijkers, ze liepen weg uit de tuin. Svante vooral. Geen hek hield hem tegen. Hij kroop eronderdoor, wurmde zich door twee spijlen heen. We speldden een briefje op de achterkant van zijn jasje: 'Hij heet Svante, bel tel. 501 36 dan komen we hem halen.'

En ze belden van het busstation, het postkantoor, de kiosk, de taxistandplaats...

Peter was een heel ander soort kind. Hij ging wel eens zonder toestemming naar zijn vriend George. Maar meestal zat hij gewoon thuis. Hij was angstiger, meer afhankelijk van zijn ouders...

Svante, het resultaat van een zaadcel die een bijna dichtgeslibde eileider geforceerd had, was eigengereid. Zou je hem achterlaten in een bos, dan vond hij beslist eetbare wortels en bessen en een verlaten huisje met water in de pomp. Algauw nam hij niet meer de moeite om thuis te komen eten. Hij bedelde in de keukens van bekenden, kreeg geld voor snoep van de taxichauffeurs; hij had als het ware geen tijd om naar huis te gaan.

Als er iets gebeurde, wilde hij van de partij zijn. Bij branden arriveerde hij tegelijk met de brandweer. Toen ze begonnen te bouwen in het andere deel van de stad, aan de bosrand, eiste de vierjarige de rugzak van zijn vader met boterhammen en een thermoskan chocolademelk. Tegen de schemering kwam hij thuis, gooide de rugzak en zijn wanten op de grond en riep: 'IK BEN THUIS!'

Om dan grote broer Peter te zijn met een koortslip, waar hij nerveus aan peuterde, en met een neiging tot stotteren, was natuurlijk verschrikkelijk. Als ze vochten, was het op leven en dood, voor allebei. Maar vooral voor Peter. En ik met mijn romantische ideeën dat het zo fantastisch was om broertjes en zusjes te hebben.

Lars-Ivar en ik hadden twee dingen gemeen in dat steeds hopelozer wordende huwelijk. Mijn tekeningen, die evenzeer van hem waren omdat hij de selectie deed, en onze kijk op de kinderen en hun opvoeding. Geen van beiden geloofden we in harde normen en straf. Maar het kwam voor dat we ze omkochten.

Lars-Ivar stimuleerde hun jongensachtigheid, hij stoeide met ze en leerde ze wijdbeens en mannelijk te lopen, net als hun vader.

Ik van mijn kant vulde het repertoire aan met sentimentele liedjes en ik was goed in toetjes.

Je vindt het misschien allemaal geweldig klinken, Alberte. Inderdaad. Het wordt namelijk zo eentonig als ik het voortdurend over mijn angstaanvallen heb. Ademnood, hartkloppingen, doodsangst.

Telkens als ik voor mijn werk naar Stockholm moest, wíst ik dat ik de dag niet zou overleven. Ik zou achterover van een trap vallen, overreden worden, een hartstilstand krijgen bij de ingang van Nordiska Kompaniet. Ik zou me onverwacht verslikken en stikken.

Dezelfde doodsvisioenen dus als destijds op het Gare du Nord. Te laat zag ik het verband tussen de doodswaarschuwing en de bevrijdende vreugde om met mijn tekenmap onder de arm Svarttuna te verlaten, in Stockholm verwelkomd te worden op de redacties, nieuwe leuke opdrachten te bespreken, geld op te halen bij de kas, de voldoening dat ik het verdiend had en in die euforie zomaar een onnodig paar schoenen te gaan kopen. Lila misschien met een dunne hoge hak waarvan ik weet dat ze me mooi staan.

Op dat alles moest een straf staan. De dood is niet alleen het loon der Zonde. De straf der Geneugten kan er ook zo uitzien. In de schoenaankoop zat de straf op een sluwe manier ingebouwd. Lars-Ivar zou razend zijn over mijn verkwisting en flink tegen me tekeer gaan...

De doodsangst, verbonden aan de uitstapjes voor mijn werk, was mijn straf omdat ik het veel leuker vond om te werken dan huisvrouw en moeder te zijn en het kindermeisje te moeten vertellen wat er die dag voor middageten op tafel moest komen. Er ontwikkelde zich een patroon waarin ieder pleziertje, ieder harmonieus moment direct de kop ingedrukt moest worden.

Ik zou het zover laten komen dat ik zo uitdagend gemeen was tegen Lars-Ivar, zo lastig en onhandelbaar, dat hij niet anders kon dan 'me op mijn ziel geven'. En als een man eenmaal begint met slaan, gaat het steeds makkelijker. Ik liep rare blauwe plekken op mijn bovenarmen op en soms een blauw oog. We hadden de gebruikelijke verklaringen: ze is van de trap gevallen, ze is tegen de deur gelopen. We slaagden erin de ruzies uit te stellen tot de avond, zodat de kinderen niet...

Alsof kinderen er niet wakker van konden worden en dat niet durfden te laten merken?

Maar er waren tijden die gekenmerkt werden door harmonie en saamhorigheid in het werk. Pas als de kinderen sliepen, kregen we de rust om te werken.

We hadden het echt goed als we allebei bezig waren in de grote kamer met het schuine dak. Een gezegende omstandigheid, vreedzaam bijna. Maar dan, uit het niets, kwam ik met een opmerking die hem irriteerde en daar gingen we weer. Ik werd steeds grover, hij cynisch, dat was zijn specialiteit en er was altijd wel een aanleiding om op te rakelen wat een verrot slechte moeder ik toen en toen was geweest, tot ik een inktpot greep, hem optilde en hij riep: 'Je gooit níét…!'

'Wél', gilde ik. En ik gooide de inktpot. Niet naar hem, maar tegen de muur schuin achter hem, zodat de pot aan diggelen sloeg en zwarte inkt in het rond spatte.

Zo'n mens begrijpt alleen slaag.

Maar hij besefte niet dat ik dat juist wilde. Slaag dempt de angst. Erotiek ook, en dan bedoel ik vooral de begeerte tijdens verliefdheid. Jij herkent het: er is geen overtuigender drug tegen angst dan dat. Een doktersmedicijn is bij lange na niet zo effectief.

Op de achtergrond tekende de overdreven vreugde van mijn vader zich af, de laatste keer dat ik hem zag. Ik was elf toen hij me hoog optilde en met jubelende stem zei hoe trots hij op me was, dat ik professor in de kunstgeschiedenis zou worden, 'en met de kerst krijg je een jong hondje', flapte hij eruit.

Al die heerlijkheid stortte hij over me uit voordat zíj kwam en hem van me afpakte door hem te laten afvoeren naar een psychiatrische inrichting.

En toen stierf hij. Die laatste minuten voordat hij me afgenomen werd, heb ik geleerd dat je uit moet kijken voor vreugde. Want dan komen ze om je in een dwangbuis te stoppen.

Voordat ze je doden.

Vreugde is gevaarlijk. Dan pakken ze je.

En op een lach vol vreugde staat de doodstraf.

26

In Svarttuna kregen we een sociaal leven. Bettan Skoghö introduceerde ons tijdens een eenvoudige party bij haar thuis waar de teneur was: we zien elkaar hier vaak maar zonder dat er burgerlijk witte tafelkleedjes en een kookster aan te pas komen.

Dol op feestjes was ook onze charmante huisbazin. In het tuinseizoen kon je haar zien spitten, wieden en planten poten, gekleed in een enorm versleten tweedjasje, dito rok en bijpassende kaplaarzen, zoals dat gebruikelijk was in de hogere kringen.

Ze was meer noblesse dan wie dan ook in Svarttuna, met uitzondering van de dokter wiens welluidende naam stamde uit een Zweedse oorlogsperiode, toen niet-gesneuvelde veldheren beloond werden met een adellijke naam. Een blijk van koninklijke waardering.

Beate von Lindenstoltz was van Duitse komaf van moederszijde. Haar moeder werd aangesproken met barones en zij was verwant met de meeste van de talrijke vorstendommen in het oude Duitsland. Haar naam verschafte toegang tot vele paleizen en landgoederen. Maar met macht en geld was het minder goed gesteld.

Onze huisbazin was onderhoudender dan je op het eerste gezicht zou zeggen. Ze had een donkere, sensuele stem waarmee ze Franse chansons met prachtig lange rrrs brouwde terwijl ze zichzelf op de vleugel begeleidde.

Er werd ook gefluisterd dat ze een zwak had voor jongere, enigszins gezette heren.

Wij, haar huurders in de westelijke vleugel, waren van eenvoudige komaf, maar mijn man was een jonge kunstenaar aan het begin van zijn carrière en bovendien in het bezit van die bijzondere aantrekkingskracht op vrouwen waar hij zijn hele leven, tot op hoge leeftijd, zoveel plezier van zou hebben.

Op een vanzelfsprekende manier gingen we onderdeel uitmaken van de kunstenaarskolonie waarin een bekend schrijver, Jerker Svedberg, de centrale figuur was. Zijn vrouw heette Valborg en schreef ook, zij het op bescheidener schaal. Leuke maar ernstige stukjes die gepubliceerd werden in de plaatselijke krant. Ze hadden vier kinderen. Verder hadden we nog Elis Lundin, kunstzinnig langharig en leraar Zweeds en filosofie aan een van de kostscholen alhier. Eigenlijk was hij voorbestemd tot andere, hogere roepingen. Hij wilde zich wijden aan theater, toneelkunst en regie en droeg het liefst een zwarte alpinopet, net als een leeftijdgenoot die in Zweden de kans had gekregen zijn visioenen te verwezenlijken. Elis was zo'n charismatische figuur die volgelingen om zich heen verzamelde. 's Zomers liep hij blootsvoets in jezusslippers en kon je hem op een lage boomtak zien zitten aan het pad langs de oever, met zijn aanhangers beneden in het gras.

Elis had overigens ook een vrouw, Ingalisa, en twee kinderen, een van vijf en een van acht jaar. Ingalisa had een halve baan op school. Zij gaf wiskunde.

De dokter, met de voornaam Jan Fredrik, was een ontwikkeld en belezen man; het is bovendien een voordeel een arts bij zo'n collectief te hebben. Zijn vrouw Bodil speelde viool. Ze had een tijdje in een strijkkwartet gespeeld en gedroomd van een solocarrière. Net als haar man was ze eerder getrouwd geweest. Ze had een halfvolwassen zoon die bij zijn vader in Denemarken woonde en een kleintje, George, de liefdesvrucht uit het huwelijk met de dokter, die op zijn beurt een paar tienerdochters had voor wie hij zorgde. In díé tijd was het zeer ongebruikelijk dat een vader na de scheiding de kinderen hield.

Bodil oefende toonladders, hield haar vioolspel op peil met diverse bekende vioolstukken en hoopte het weer op professioneel niveau te brengen. Maar ze was boven de veertig, George vijf en de meisjes twaalf en veertien. De financiële verplichtingen van de dokter waren aanzienlijk en boden geen ruimte voor een dienstmeisje.

Bodils koortsachtige creativiteit werd dus op George botgevierd. In navolging van Rousseau had ze een pedagogisch plan voor hem uitgedacht. De jongen mocht vrij en ongeremd opgroeien, regels noch strenge terechtwijzingen zouden zijn levensruimte beperken. Als we bij hen uitgenodigd waren moesten we allemaal stilzitten en aandachtig toekijken als de kleine George kunstjes uit zijn tover-doos deed. Hij had het altijd direct door als de belangstelling van een van ons begon te tanen of iemand iets tegen zijn buurman fluisterde.

Dan trok hij zijn onderlip in, smeet huilend zijn toverspullen op de grond en werd meteen door zijn moeder opgetild en getroost met snoepgoed terwijl ze een verwijtende, bijna hatelijke blik op het gezelschap wierp dat op zo'n manier de scheppende fantasie van haar kind had gekwetst.

Het was altijd een beetje gedwongen bij de dokter. Er kon geen gesprek worden gevoerd zonder dat de kleine George er doorheen kwam met zijn vragen of meningen. Iedereen moest zwijgen en wachten tot George zijn zegje gedaan had.

Je zag hoe Bodil nerveus met haar mond trok en hoe vaak de dokter zijn pijp wel niet opnieuw stopte.

Peter en George waren ongeveer even oud. Dus kwam George vaak bij ons over de vloer. Op een keer hoorde ik door een open-staande deur een gesprek tussen de jongens, terwijl ze hun sap aan het drinken waren.

George: 'Mijn moeder gaat volgende week weg om te herstellen.'
Peter: 'Hoezo? Is ze ziek?'
George: 'Nee, omdat ik zo lastig ben.'

Iedereen werd doodmoe van het pedagogische experiment met de vrije ontwikkeling van het ongeremde kind. We hadden graag gezien dat George een tijdje weg was gegaan in plaats van zijn moeder.

Zelfs Peter merkte dat George veel rustiger werd toen zijn oma tijdelijk werd ingezet als substituut voor de moeder.

Sommige mensen in Svarttuna vonden trouwens dat onze jon-gens ook wildemannen waren. Wij hadden immers ook een pro-gram. De kinderen mochten vrij rondrennen, in bomen klimmen, zich bezeren, op steigers spelen... het omgekeerde van de angst-vallige, al te beschermde opvoeding die ik had ondergaan.

Het was een geluk dat Lars-Ivar en ik dezelfde instelling hadden wat onze kinderen aanging. Geen inbreuk van ouderszijde, fysiek noch psychisch. Maar ook niet die volledig vrije opvoeding waarin alles aan het kind zelf werd overgelaten. We handelden volgens ons instinct. Een kind van drie midden in een gillende aanval van koppigheid moet een poosje zijn gang kunnen gaan, maar op een gegeven moment is het goed een ouderlijke hand te voelen die hem vastpakt en zegt: 'Nee, zo is het genoeg geweest. Nu is het klaar.'

Het kind gaat van gillen over in brullen, maar een minuutje later is het over. Je voelt zijn opluchting. Hij heeft zich niet zomaar gewonnen gegeven. Nu kan hij rustig verdergaan met het bouwen van zijn hut.

Wat betreft de kinderen was er tussen ons harmonie, net als in het atelier. De gegeven rolverdeling kwam ons allebei goed uit. Ik had Lars-Ivar immers nodig als mijn regisseur.

Wanneer onze ruzies Strindberg-achtige hoogten bereikten, bezigde Lars-Ivar altijd de sleutelrepliek: *'Ha, je kunt nooit bij me weg! Want je weet zelf niet welke tekening goed is.'*

Die afhankelijkheid was belangrijk voor hem, het maakte hem tot de sterkere.

Ik, die zo makkelijk geld verdiende met mijn talent maar geen beoordelingsvermogen had, zou met alle winden meewaaien als hij me niet aanstuurde.

Volgens mij was die verdeling ook onze nieuwe vrienden duidelijk. Tegelijkertijd zagen ze het op een of andere manier zo, dat Lars-Ivar zijn eigen kunstenaarschap opofferde om mij verder te laten komen. De ene helft van de mythe was hoe sneu hij was. Hoe ik van hem profiteerde. De andere helft was dat hij meer voor de kinderen zorgde dan ik.

En dat in kringen van mensen die zichzelf ruimdenkend en radicaal vinden. Maar het waren de jaren vijftig.

Behalve degenen die ik al heb genoemd was er ook een aantal ongetrouwde vrouwen, beroepsmatig verbonden met de literatuur. Ingegärd was vertaler en Marianne redacteur bij een boekenuitgeverij. Ze waren allebei rond de vijfendertig.

Later zou er nog een vrijgezelle vrouw bij komen, Solbritt Granell, een boekhandelmedewerkster uit Uppsala. Een ongelukkige liefdesgeschiedenis met een getrouwde man, die haar jaar in jaar uit had verzekerd dat de scheiding ophanden was, had haar uiteindelijk psychisch doen instorten. Toen ze de klap te boven gekomen was, had ze haar woning in Uppsala verlaten en had ze haar toevlucht bij ons gezocht. Solbritt Granell had ook dichtersbloed in haar aderen. De dunne bundel *Zonneschaduw* was zojuist bij de uitgeverij van Marianne verschenen. Hij had weinig stof doen opwaaien maar doordat hij in druk in de etalage van de boekhandel lag, was ze in onze coterie opgenomen. Ook hielp het dat ze bijzonder knap was op een interessante, niet-Zweedse manier.

Het waren vooral de mannen in de clan die daarover beslisten.

In het begin (en te lang) vond ik het geweldig om tot die kliek met zoveel spannende mensen te horen. Het gemeenschapsgevoel was bijna sektarisch. In deze tijd van onschuld kon je in een plaats als Svarttuna de keukendeur dag en nacht open laten. Een ongelukkige ziel, met slaapproblemen bijvoorbeeld, kon 's nachts behoefte krijgen aan een wandelingetje. Je wist dat je een tussenstop in andermans keuken kon maken. Je trok je niets aan van de afwas die er nog stond. Je pakte gewoon een glas melk, warmde het op in het steelpannetje, spoelde het om, zette het ondersteboven om te drogen en keerde terug naar je eigen bed dat in het beste geval van een vijand veranderd was in een warm nest.

Een man op wanhoopstocht kon een biertje nemen uit de vreemde koelkast, een sigaret of pijp opsteken en de geur van tabak zou zich een weg naar boven banen en de heer des huizes wekken die zich vervolgens in zijn ochtendjas zou hijsen om zich te voegen bij de ongenode nachtelijke gast.

De mannetjes waren solidair; ze vormden op dat moment ook een minderheid tegenover de vrouwtjes.

De loyaliteit tussen onze mannen had trekjes van bloedbroederschap. Een voor allen, allen voor een. Lars-Ivar werd meteen opgenomen als een gelijke, een van ons.

Ik verbeeldde me dat de vrouwen een vergelijkbare saamhorigheid met mij voelden. Ze waren allemaal een paar jaar ouder dan ik, uitgaande van het geboorteregister. Maar wat betreft ervaring en cynisme lagen er decennia tussen ons. Weer, net als op de Beckmanschool en bij Widengrens Mantelfabriek ergerden ze zich aan mijn naïviteit. De blinde onschuld. Of onwil om te zien en te begrijpen.

Het is trouwens echt waar, Alberte, dat ik dacht dat ze me als een gelijke accepteerden. Ik voelde me zelfs veilig in hun gezelschap. Kletste over de problemen met de kinderen, met mijn man: wat een opgave het was om getrouwd te zijn.

Ergens, in mijn onderbewuste, had ik beter moeten weten. Maar ik weigerde ernaar te luisteren.

Scène bij Jerker en Valborg in de tuin. De kinderen spelen in de zandbak, klimmen in de appelboom, maken ruzie, maar niet zo alarmerend dat de moeders zich genoodzaakt zien in te grijpen. We zitten net aan de tweede kop koffie. De zon brandt – we hebben allemaal 's zomerse decolletés. Ingegärd ligt met haar armen boven haar hoofd in een zonnestoel; haar geschoren oksels brengen het gesprek op wat beter is 'bij overtollige haargroei': ontharingscrème of een krabbertje?

Dan zeg ik blozend: 'Lars-Ivar wil dat ik het okselhaar laat zitten.'

Deze simpele opmerking slaat als een koudegolf door de hitte. Een secondelang zoemend zweterig stilzwijgen.

Er wordt vlug van onderwerp veranderd. Ivan Holmén is te gast in het hospitium van Svarttunastifelsen. Jerker en Valborg overwegen om hem te eten te vragen.

'Zijn laatste werk heeft geen beste kritieken gehad. Wat vond jij er trouwens van, Signe?'

De aanval treft doel, Ivan Holmén is een experimenteel dichter en wordt als 'moeilijk' maar geniaal beschouwd door de ingewijden.

Niemand gelooft dat dat onrijpe kindvrouwtje van Lars-Ivar zoiets kan lezen. Haar contacten liggen immers vooral op gebied van de geïllustreerde pers.

Ik heb er nog totaal geen weet van dat er achter mijn rug soms spottend wordt gegrijnsd. Dat ik erbij mag zijn, is enkel en alleen omdat ik de vrouw van Lars-Ivar ben. Ze misgunnen me die man tegen wie geen enkele vrouw nee zou zeggen. Als hij hen zou vragen. De andere onuitgesproken jaloezie is dat ik, in tegenstelling tot hen, veel geld verdien. Een oppervlakkig beroep, mode-illustratrice, bijna alsof je je prostitueert, nietwaar? Maar ze heeft talent, die

268

domme gans, dat kan niemand ontkennen.

Niet dat zij zulke 'blaadjes' kopen, maar ze liggen nu eenmaal altijd in wachtkamers. En bij de kapper. (In dat verband merkte Estelle Karr een keer op dat het vreemd is dat mensen niet leuker gekapt gaan, zoveel tijd als ze in de kapsalon doorbrengen.)

De jaloezie vanwege een eigen beroep en een man als Lars-Ivar, dwingt hen in mij een oppervlakkige jonge vrouw te zien die carrièrebelust commerciële tekeningetjes maakt en die zo egoïstisch is dat haar arme man niet de gelegenheid krijgt zijn eigen artisticiteit te ontwikkelen, die van aanzienlijk niveau en een heel ander kaliber is.

Die geweldige Lars-Ivar, die Signe af en toe 'mijn vrouw' noemt, had natuurlijk een heel andere wederhelft nodig. Eentje die hem steunde zodat zijn genialiteit tot bloei kon komen. In plaats van zo'n neurotisch strebertje dat naar de stad fladderde, vlot gekapt, leuk en modern gekleed met een tekenmap onder de arm. Af en toe wipte ze zelfs even over naar Parijs.

Ja ja, ze had het mooi voor elkaar…

Deze geschiedschrijving werd een axioma. Niemand heeft het ooit in twijfel getrokken. Niemand herinnerde zich dat er altijd een vast kindermeisje aanwezig was dat betaald werd van Signes inkomen.

Niemand vroeg zich af waar dat kunstenaarsgezin van had moeten leven als Signe zich tevreden had gesteld met de rol van echtgenote en moeder.

Lars-Ivars trots weerhield hem ervan reclameopdrachten aan te nemen, dat was beneden zijn waardigheid. Sommige van zijn schaarse opdrachten kreeg hij door toedoen van Signe Palm; zij had immers contacten.

O, Alberte, je hebt geen idee hoe onmogelijk het was! Een opdracht die ik had losgepeuterd bij een advertentiebureau en waar Lars-Ivar halfhartig mee aan de slag ging. Het resultaat werd iets waar ze geen van beiden tevreden over waren. Het compromisvoorstel was te vernederend om op in te gaan. De opdracht werd ingetrokken.

Beide partijen waren kwaad op mij.

Lars-Ivar kon het zich permitteren zijn tijd af te wachten. Dankzij mijn verkoopbare talent. Er was ook geen sprake van dat hij een baantje zou zoeken; wat zouden de mensen wel niet denken?

(Later zou het allemaal goed komen met Lars-Ivar, meer dan goed. Maar toen was ik al uit beeld.)

Ons tot de sociale dienst wenden als we krap zaten, daar kon natuurlijk geen sprake van zijn. Bij acuut geldgebrek nam ik de doos met zilver uit de pastorie mee naar de lommerd in Stockholm.

Ik ging altijd naar dezelfde, in Klara, en ik en mijn lepels werden glimlachend verwelkomd.

'Zo, daar hebben we die mooie lepels weer. Jammer dat u er niet meer van dit model hebt, ze zijn achttiende-eeuws, dat levert meer op dan negentiende-eeuws bestek.'

Ik denk dat ik het in Svarttuna naar mijn zin heb. Ik denk dat de mensen me mogen. Ik merk niet dat ik tussen een stel afgunstige brandnetels sta terwijl Lars-Ivar tussen respectvolle irissen en buigende gebroken hartjes wandelt. Zelf is hij als de statige, pas geplante rozenstruik in de hoek van de tuin die er voorheen zo leeg en ongezellig uitzag.

Vind je dat ik bitter klink?

Ik ben bitter.

Midden in deze bloeitijd zat ik daar met mijn ademnood, slapeloosheid, paniekaanvallen en vluchtpogingen. Dokter Jan Fredrik schreef ruimhartig kalmerende middelen voor, niet zozeer uit bezorgdheid om mij maar meer omdat ik Lars-Ivar dan minder last zou bezorgen.

Wat ik ze niet kon vergeven, zat in mijzelf.

De onmacht en woede van een pestslachtoffer, die de kracht mist om zich te verdedigen. Het slachtoffer ziet maar al te duidelijk in dat het niet beter verdient. Weer die strafbehoefte gepaard aan doodsangst. Iedere andere straf beter dan de dood.

Ja, je hebt gelijk, het was vreselijk dat iedereen meedeed.

Vooral Lars-Ivar. Hij liet me in de kou staan terwijl hij in warme keukens bier zat te drinken.

Het is tragikomisch of eerder absurd dat Lars-Ivar, die zich zo lang tegen de verhuizing naar Svarttuna had verzet, er echt onder vrienden was en er tientallen jaren zou blijven wonen. Terwijl ik, die zo dweperig gepleit had voor de charme en intimiteit van het stadje, er uiteindelijk slechts zeven jaar heb gewoond.

Maar in het begin liep ik over van vertrouwen.

Ook al besefte ik dat mijn angst, in al zijn verschillende vermommingen, in een stroomversnelling raakte in het idyllische Svarttuna. Of viel het toevallig samen met het feit dat mijn lichaam niet meer wilde samenwerken? Het hielp mij niet langer door voor een fysieke aandoening te zorgen waar ik me achter kon verschuilen.

Van nu af aan waren het hartkloppingen, oorsuizingen, duizelingen, moeilijkheden met slikken of ademhalen. Allemaal duidelijke symptomen voor mij. Maar nooit gaf een dokter ze een naam waarmee ik kon schermen. Ik had zelfs geen last van koorts, alleen een beetje verkoudheid. Nee, met lege handen stond ik daar, overgeleverd aan mijn zenuwen en Lars-Ivars spottende commentaar als ik weer eens naar adem snakte: 'Oeps, is de lucht weer op?'

In Svarttuna begonnen mijn vluchtpogingen. Hoe dan? Waar vluchtte ik naartoe? Naar wie? Of met wie? Dat zul je je wel afvragen, Alberte.

Ik verstopte me bijvoorbeeld in een kast en ging tussen de kleren zitten huilen.

Maar het vaste stramien was dat ik overdag een tasje met benodigdheden om te overnachten meesmokkelde en onder een struik of in de schuur achter een kist verstopte. Ik was aanwezig bij het naar bed brengen van de kinderen. Ik las Svante voor terwijl Lars-Ivar iets moeilijkers voor Peter voorlas. Vervolgens kneep ik ertussenuit tijdens een bezoek aan het toilet. Opende zachtjes de buitendeur. Ademde niet. Als er geen sneeuw lag, moest ik twee grote passen nemen om op het gras te komen. De tas te voorschijn wurmen. Langs de oever hollen naar een bushalte waar ik niet gezien kon worden door een kennis die uit het raam keek. Het ging dus het makkelijkst in een jaargetij waarin het vroeg donker werd. Ik stapte in de bus; dit bracht het grootste risico met zich mee. Dat er iemand die we kenden... Maar er gingen maar weinig mensen naar Stockholm op deze tijd van de dag.

De trein naar Uppsala die knarsend remde. Vlug instappen. Een coupé zoeken. Oppassen dat je niet in het donkere raam kijkt en je eigen hologige, geteisterde gelaat ontmoet: treinvensters zijn meedogenloos. Ik had een boek bij me en kon in ieder geval proberen iets te lezen. Aankomst in Stockholm. Op het Centraal Station hadden ze tegenwoordig een hotelservice. Een kamer, zo goedkoop mogelijk, maar het werd toch duur omdat ik een kamer met bad wilde. Ik kocht een paar tijdschriften in de kiosk voordat ik naar het hotel ging. Bij de receptie bestelde ik twee broodjes kaas en een groot glas melk. Op mijn kamer. Ik liet het dienblad staan terwijl ik in bad ging, mijn haar waste, een grote boodschap deed. En dat allemaal zonder dat een boze kinderstem me riep, op de deur bonsde of er iets tegenaan smeet.

Eén keer was het een speelgoedtractor die Svante zo hard tegen de deur gooide dat er een gat in het fineer kwam.

Hier kon ik mezelf een grote beurt geven zonder dat ik gestoord werd. Daarna nam ik een slaappil en trok mijn nachthemd aan, sokken aan mijn voeten. Onder het dekbed, rechtop in de kussens en mijn avondboterham eten. Het dienblad onder het bed, naar huis bellen en zeggen dat ik morgen weer terug was.

Wat in godsnaam, wel verdomme...

Dan hing ik op. Soms huilde ik een poosje. Soms sloeg ik dat over en kroop lekker diep onder het dekbed en bladerde in de nieuwe weekbladen.

De slaap nam mild bezit van me. Ik liet het tijdschrift op de grond vallen. Deed het bedlampje uit en sliep.

Ja, zo zag een vlucht er gewoonlijk uit.

Geen enkele vlucht was náár iemand toe. Er was niet ergens iemand die op me zat te wachten. Ik vluchtte altijd ergens van wég.

Hoewel, één keer was er een object. Toen ik naar Florence ging was dat omdat ik naar iemand verlangde, Krister Davidsson.

Krister was ook tekenaar en Lars-Ivar en ik hadden hem in dat verband ontmoet. Maar tussen Krister en mij was die speciale toon van vertrouwelijkheid ontstaan. We hadden dezelfde smaak en lachten om dezelfde dingen. Bovendien was hij een buitengewoon knappe man.

Lars-Ivar, anders altijd jaloers en op zijn hoede, had er niets op tegen dat Krister en ik elkaar af en toe in Stockholm ontmoetten, door Gamla Stan struinden, naar stoffen en antiek keken en soms naar de film gingen. Lars-Ivar had begrepen dat mijn gezelschap homoseksueel was en dus volstrekt ongevaarlijk. Iets wat ik zelf niet doorhad.

Dus toen ik een ansichtkaart uit Florence kreeg waar op stond dat ik hem poste restante kon schrijven, ben ik er in een opwelling naartoe gegaan. Ik miste hem, ik had hem lang niet gezien.

Voor mij was Krister een ander soort vlucht. Samen met hem vergat ik dat ik echtgenote en moeder was. We waren maatjes van dezelfde leeftijd en soms voelde ik zo'n vertrouwelijkheid en nabijheid dat het wel verliefdheid leek. Ja, een poosje wás ik zelfs verliefd.

Maar in Florence kon ik hem niet vinden.

Hoewel ik niet besefte dat Krister de voorkeur aan jongens gaf, was het dus eigenlijk heel ernstig, die vlucht naar Italië. Als de man een mán was geweest, was ik volgens de wet een vrouw die huis en haard in de steek gelaten had.

Nu was dat niet zo. Dat ik verliefd werd op Florence, haar straatjes en pleinen, kerken en paleizen, kantelen en torens, arcaden en bruggen, schilderijen en beeldhouwwerken – ik ken geen andere stad die zo veel erotische gevoelens wekt als Florence – is geen overspel.

Maar, ik hoor hoe je me verontwaardigd onderbreekt, *hoe kon je zomaar naar het buitenland gaan zonder dat ze thuis iets wisten? En hoe kwam je aan het geld?*

Ik telegrafeerde vanaf Stockholm Centraal. Aangekomen in Florence stuurde ik nog een telegram met een adres en telefoonnummer. Het geld kwam van mijn bankboekje.

Ik weet het. Ook al had ik dat geld bij elkaar verdiend, het was niet van mij maar van óns.

Nee, ik vind niet dat er echt geldige excuses zijn voor een moeder die halsoverkop haar kleine kinderen in de steek laat en 'm smeert naar Italië.

Ik kwam thuis en de kinderen huilden en vochten, klikten en schreeuwden om blijk te geven van hun terechte misnoegen. Lars-Ivar schold natuurlijk en de vrienden gingen aan zijn kant staan en vormden een front tegenover mij.

Iedereen behalve Bettan Skoghö.

Het ergste was nog dat ik geen berouw toonde. Dat ik niet kruipend over de vloer smeekte om vergeving: 'Vergeef me, vergeef me, ik zal het nooit meer doen.'

Ik wist dat ik die belofte niet kon waarmaken. Ik wist ook, constant, ieder wakend en slapend moment van de dag hoe slecht ik was, wat een vreselijke moeder, wat een onvergeeflijk lastige echtgenote. Kortom, wat een lor.

Terwijl Lars-Ivar stond voor geborgenheid, stabiliteit, iemand die er altijd was.

Een vader in de diepste betekenis van het woord. Een echt buitengewoon fantastische vader.

Bijna altijd nuchter bovendien.

En waarom vluchtte ik?

Ja, dat weet je inmiddels wel.

Omdat ik het niet uithield.

Ik vluchtte en huilde.

Arme man, arme kinderen en arme moeder die zo'n dochter had.

27

Met frisse moed probeer ik het opnieuw.

Maar dan lijkt het of de duivel losbreekt. Bijvoorbeeld die keer in de keuken, een paar dagen na mijn laatste vlucht. Lars-Ivar is nog steeds kwaad op me, met het volste recht. Dat vind ik ook. Echt. Ik hou een pot bietjes in mijn handen die ik in de kast wil zetten. En zonder dat ik begrijp hoe het komt, glijdt de pot uit mijn handen en spat hij op de keukenvloer uiteen.

Ik hoop, Alberte, dat je nooit zoiets hebt hoeven meemaken. Maar je weet vast hoeveel vloeistof er in zo'n pot zit en hoe sterk de rode kleurstof is en hoe ongevoelig voor schoonmaakmiddel.

Bij die explosie stroomt er rood langs de deuren van de keukenkastjes, het spat tegen de dichtstbijzijnde keukenstoel, tegen de tafelpoten, maar ook schuin omhoog en de volgende dag vind ik bietensap op de blaadjes van de geraniums en de vensterbank.

Lars-Ivar gelooft geen moment dat dit een ongelukje is. Hij weet zeker dat ik het doe om hem te treiteren.

Vloekend en hoonlachend verlaat hij het huis, roept de jongens en neemt ze mee naar de speelplaats. Het kindermeisje heeft die middag vrij.

Maar opeens, midden in alle ellende, is er een dag met zon en vrolijkheid. Zoals dat weekend (mijn moeder komt weer oppassen) dat hij me meeneemt naar Den Lyseblaa Fabrik om proefdrukken van zijn laatste twee dessins te controleren. Dan krijg ook ik de gelegenheid kennis te maken en gefascineerd te raken door de zeventigjarige Danielle Klemenz en haar prachtige huis, dat zo uit een film lijkt te komen. Of uit een reportage in een exclusief blad over interieurs. Met onze werkelijkheid vertoont het geen enkele overeenkomst.

Een maand later moest Danielle Klemenz in Stockholm zijn en nam ze de moeite bij ons in Svarttuna langs te komen.

Ze bekeek ons huis zonder commentaar te leveren, maar later stond ze op onze kleine veranda bij de voordeur en op het grindpad ruzieden de jongens om Peters fiets. Peter was zo groot dat hij een echte fiets had gekregen terwijl Svante zich als peuter moest behelpen met een driewielertje en razend jaloers was en probeerde om...

'Haha, je bent er toch veel te klein voor', jende Peter. Toen schopte Svante Peter zo hard dat hij de greep op het stuur verloor en de nieuwe fiets kletterend op de grond viel en Peter luid huilend naar zijn vader holde die hem optilde.

De fantastische mevrouw Klemenz was getuige van deze scène en zei bedachtzaam, met verlangen in haar stem: 'Ik hoop dat jullie beseffen dat dit het hoogste geluk is. Jong zijn en twee gezonde zoontjes hebben en zo wonen...'

Ik kreeg weer een nieuwe leuke opdracht. Het was voor *Kvinnans Värld.*

Een kijkje in de garderobe bij bekende societydames. Ik moest dus zo'n vrouw bezoeken, haar kleren natekenen en een kort interview afnemen. Een spannende opdracht en eens wat anders.

Valborg Svedberg, die blijkbaar voor een uitgebreide behandeling bij de kapper was geweest, had een paar nummers van het tijdschrift doorgebladerd.

'Je schrijft goed, Signe, ik bedoel als je bedenkt dat het niet je vak is.'

Ik bloosde en mompelde (zoals mijn moeder me had geleerd) dat er geen aan kunst was. Ik schreef alleen maar op wat ze zeiden.

Valborg Svedbergs onthutste gezicht. En er school nog iets anders in. Een soort onrust.

Een nieuwe opdrachtgever was Märthaskolan. Ze hadden mij aangetrokken voor het tekenen van de advertenties voor kleding uit de goedkopere collectie. Kopieën dus van wat genaaid werd op de haute-coutureafdeling.

Om de week bezocht ik hun charmante lokalen op de eerste verdieping aan de Birger Jarlsgata om de advertentiekleding te tekenen.

Een meisje poseerde voor me. Iedereen die hier werkte was van adel, van de jongste bediende tot de directrice zelf, gravin Von

Schuben. Drie dochters werkten mee. Er was ook een echtgenoot en vader, graaf Eugen von Schuben, maar ik had geen idee wat hij deed.

Ik had het meest te maken met de oudste dochter, die getrouwd was met een baron. Ze had twee kinderen van dezelfde leeftijd als de mijne. Als ik daar zat met mijn tekenplank en een mantelpakje met klokrok geshowd kreeg, converseerde de barones met mij.

'En, mevrouw Palm, bent u al geslaagd in het vinden van een nieuw kindermeisje?'

Als ik geantwoord had met: 'En de barones is ook nog steeds tevreden?' zouden de verhoudingen verstoord zijn.

Ik was dat handige vrouwtje, Signe Palm, getrouwd met kunstenaar Lars-Ivar Palm. Een reportage in de weekbladen had verrukkelijke foto's laten zien van hun huis in het idyllische Svarttuna.

Men sprak dus van bovenaf tegen mij, nooit arrogant of snobistisch, nee, altijd op vriendelijk geïnteresseerde toon.

Het grafelijk echtpaar had een zomerverblijf in de buurt van ons stadje. Een keer kwamen ze zowaar op bezoek, ze waren toch in de stad en kenden onze huisbazin Beate von Lindenstoltz.

Met veel kleine kreetjes van hoe enig, origineel en charmant, keken ze nieuwsgierig om zich heen. De gravin struikelde bijna over een brandweerautootje en de voornaam rijzige graaf moest flink bukken om zijn hoofd niet te stoten tegen de lage deurposten.

Een voortdurende ramp bij ons thuis was de telefoon. Als die rinkelde, verstijfden we allebei. De telefoon hing achter Lars-Ivars werktafel aan de muur. Maar hij weigerde op te nemen.

'Het is toch voor jou', zei hij.

Ik vloog overeind. Goede God, zorg alstublieft…

Het zat in de genen. Om God, de Almachtige erbij te halen…

Mijn moeder was net zo. Al wisten we allebei dat je op hem niet hoefde te rekenen.

Soms ontstond er ook in mijn werkstroom een tijdelijke windstilte. Dan begon ik rond te bellen.

'Je bent gek', schold Lars-Ivar. 'Dan weten de mensen toch dat je zonder werk zit…'

Hij bedoelde dat als dat algemeen bekend werd, de naam Signe Palm zou kelderen op de tekenbeurs.

'En wat dan nog', schreeuwde ik terug. 'Ik héb toch geen werk. We hebben geld nodig en aangezien jij niet…'

Oei, dat was niet best! Zijn spottend razende ogen wanneer ik toch doorging met bellen.

Maar kijk, bij *Bonniers Månadstidning* was het raak. Ik lanceerde het voorstel voor een maandelijkse rubriek 'Bonniers jongedame'. Kleding en accessoires voor de tienerdochter. De hoofdredacteur vond het een geweldig idee. Een paar jaar lang was ik verantwoordelijk voor die rubriek, zowel wat ideeën, illustraties en tekst betreft. Ik hád een neus voor wat er speelde. De jaren vijftig zouden de basis leggen voor de explosief groeiende jeugdcultuur in de jaren zestig.

Inderdaad, ik was een goede, ijverige werkbij. Als ik in een fabriek of ziekenhuis had gewerkt zou me dat ook nog morele punten hebben opgeleverd. Maar er was niets flinks aan als je geld kon verdienen door alleen te doen wat je leuk vond.

Nee, flink was ik toen ik mijn tweede zoon eruit perste.

'Flink gedaan, mevrouw Palm. Kijk eens wat een mooie jongen. Een echte rakker.'

Flink? Alsof je iets te kiezen had. Het kind verdiende eerder lof. Het kind dat niet opgegeven had en de moeder gedwongen had mee te doen.

Ik heb een donkerbruin vermoeden dat het flinke eraan was dat ik nog een zoon had gebaard. Een gebruikelijke formulering in geboorteadvertentie uit die tijd was: *o wat zijn we blij, het is een hij.*

Een kind baren is nog het minst prijzenswaardige; dat kan iedereen. Daarna komt de echte test. Wordt ze een goede moeder of niet? Is deze vrouw het überhaupt waard een kind te hebben?

In Svarttuna wist men het antwoord. Maar ze had er wel voor gezorgd dat de kinderen een goede vader hadden. Er zijn er die zelfs dat niet voor elkaar krijgen.

Ja, hij was geweldig met de kinderen. Hij heeft grote warme veilige handen. Hij loopt met ze rond. Hij rolt ze om in bed en speelt met ze. Hij slaapt met allebei de kinderen in zijn bed.

En al die tijd, Alberte, ben ik jaloers, jaloers op hen.

Ik wil ook gewiegd, geknuffeld, over mijn rug gestreeld worden en hem zacht en teder horen zeggen: 'Zo, nu doet het geen pijn meer.'

Nooit heeft hij begrepen hoe veel aardiger ik dan had kunnen zijn. Misschien had het zelfs mijn angsten weten in te dammen?

In plaats daarvan was het: 'Neem een Preparyl, verdomme. Neem er twee. Jan Fredrik heeft toch gezegd dat je drie per dag mag.'

*

Gelukkig had ik mijn werk. Dat heeft me nooit in de steek gelaten. Mannen en verliefdheden kwamen en gingen, medicijnen maakten me misselijk. Maar mijn werk was altijd het beste middel tegen angst. Niets was ook zo creatief als mijn angst.

Zonder mijn angst waren we verhongerd, mijn kinderen en ik. Ook zij hebben me nooit bedankt voor het feit dat ik zo flink was als kostwinner.

In de hel van Svarttuna was er altijd de late avond, de vroege nacht als alle anderen sliepen en ik het potje Oost-Indische inkt opendraaide, vers water in een bakje deed, een wit schoon blad opsloeg en met mijn tekenplank op schoot ging zitten, leunend tegen de werktafel.

Het blok wacht op me, ik doop een penseel in de inkt en maak me op voor de eerste lijn...

Ik zweer je, Alberte, wat ik dan voel is niets meer en minder dan puur geluk, het is vrijheid, overmoed en vreugde. Hier deug ik. Dit kan ik. Om de euforie nog te vergroten kan ik een plaat van Mozart opzetten. Zachtjes. Soms sloot ik zo'n orgie af met een brief aan Arthur Bränndahl; de envelop stopte ik in een binnenvakje van mijn handtas.

Om halfdrie 's ochtends kroop ik in bed.

Als het zomer was, viel ik in slaap als de vogels al volop aan het fluiten waren.

Het huidige kindermeisje was misschien maar zozo als kokkin, maar ze was hoe dan ook in staat om de kinderen uit bed te halen, hen aan te kleden, ontbijt te geven en hen mee te nemen naar de speeltuin.

's Ochtends bekeek Lars-Ivar wat ik 's nachts had vervaardigd. Hij maakte zijn keuze, legde het in de map en knoopte de bandjes dicht.

Op de redactie reageerden ze luidruchtig op mijn nieuwe kapsel, nog korter dan voorheen. Echt heel stijlvol. Een van de medewerksters, een wat oudere vrouw, keek me droog aan en zei: 'Je moet echt ongelooflijk sterk zijn. Dat je er zo jong en meisjesachtig uitziet met kleine kinderen thuis en al dat werk dat je doet...'

Ik bloosde.

'Maar ik heb mijn man. En het kindermeisje.'

'O, is je man thuis? Is hij soms ziek?'

De aanval van ademnood kwam onverwacht. Ik haalde vlug een zakdoek te voorschijn en deed alsof ik moest hoesten. Dat is een goeie camouflage als je geen adem kunt krijgen. 'Nee', antwoordde ik vlug. 'Integendeel. Mijn man is kunstenaar en heeft een atelier aan huis. Hij heeft twee succesvolle exposities op zijn naam staan', schepte ik op en opeens had ik haast om nog op tijd bij de kas te zijn.

Op dezelfde verdieping lag de eetzaal voor het personeel en daar vlakbij hing op de gang een telefoon die gratis was. Ik draaide het nummer van Arthur Bränndahl. Van zijn bureau in de bibliotheek. Het was bijna twee weken geleden dat ik van me had laten horen. Ondertussen had hij vier brieven ontvangen. Een ervan afgestempeld in Sala.

Het is een beetje eng dat ik me helemaal niet herinner waarom ik in die stad was. Ik weet alleen nog dat ik daar heb overnacht. Was het een van mijn gebruikelijke vluchten?

Maar waarom Sala? 'Onze graven', zoals men placht te zeggen, lagen op een kerkhof twintig kilometer achter Sala. Daar lagen ze, oma, opa, tante Dagmar en papa.

Maar kerkhoven zijn plekken die mensen met doodsangst en ademnood het liefst vermijden.

Hoe dan ook, over mijn brief uit Sala zei Arthur Bränndahl: 'Ik moet zeggen dat je soms verdomd goed schrijft. Je hebt een stilistische eenvoud waar ik jaloers op ben. Zoals in die brief uit Sala. De twee oudere dames in de trein op weg naar het ziekenhuis om op bezoek te gaan bij Einar die *kanker* heeft en hoe je de *magie* in dat woord te voorschijn weet te halen. Alsof de dood al aanwezig is. Het winderig verlaten marktplein met een paar dronken jongelui en dat je bang bent dat ze je in de gaten krijgen. De geborgenheid van de lelijke hotelkamer. Het onbehaaglijke gevoel wanneer je 's nachts wakker wordt en je in je slaap het bovenlaken te hoog hebt opgetrokken zodat je voeten contact hebben met de smoezelige deken en je je herinnert dat je moeder eens overnachtte in Östersund en de pensionhoudster zich verontschuldigde dat ze geen schone lakens had om op het bed te leggen, maar dat er een dominee onder geslapen had... Zo'n volmaakt stukje schrijf je bij elkaar alsof het niets is; het is gewoon niet eerlijk. Als ik je zou zeggen dat je schrijfster kunt worden, breekt de hel los. Je bent immers goed en succesvol in je tekenwerk...'

Je begrijpt, Alberte, dat ik meteen stiekem begon te schrijven, ik had verscheidene invallen voor korte verhalen. Ik stuurde alles naar hem toe. Na iedere nieuwe zending maakte mijn angst plaats voor een koorts die in me brandde totdat ik redelijkerwijs kon bellen om te vragen of hij het had gelezen.

Deze 'underground'-activiteit verrichtte ik in de trein, in tearooms, in een lunchroom nadat ik het dienblad opzij had geschoven om plaats te maken voor een schrijfblok. Ook gebruikte ik mijn oude toevluchtsoord: een bank in de wachtkamer van Stockholm Centraal.

Arthur Bränndahl was echt aardig en geduldig. Een paar keer slaagde ik erin met het registratieboekje van mijn man een kwart liter brandewijn te kopen voor mijn lector. Als dank voor zijn hulp. Ik wéét dat ik het heb gedaan en hoe enorm groot het risico was gesnapt te worden. Maar ik kan me niet herinneren dat ik ooit ter verantwoording ben geroepen. Ik ging in ieder geval door met schrijven. Arthur Bränndahl becommentarieerde, bekritiseerde. 'Je moet de novellen van Hemingway eens lezen', zei hij in mijn telefoonoor. 'Bah,' antwoordde ik, 'ik hou niet van Hemingway.' 'Dat hoeft ook niet', merkte hij droog op. 'Je moet hem lezen om je zijn concentratie eigen te maken. Je had het zelf ook in je brief uit Sala. Die had de onbewuste genialiteit van een kind. Lees Hemingways novellen en je zult herkennen wat ik bedoel.'

Alberte, zoals je merkt, is hier weer een man die me beoordeelt, snoeit en vormt en ik ben de gehoorzame leerling die haar best doet iemand tot tevredenheid te stemmen.

En op een dag, het was een vroege herfst en ik stond in een telefooncel op Kungsgatan in Stockholm, hoorde ik Arthur Bränndahl zeggen: 'Die novelle *Het regent in Florence*, die is goed. Echt goed. Je begint het te pakken te krijgen.'

Het werd opeens benauwd in die telefooncel. Mijn brillenglazen besloegen. Toen ik stuntelig de hoorn had opgehangen begon ik te huilen. Van geluk: wat zou mijn vader blij geweest zijn, zeiden de tranen. Stel je voor dat hij nog geleefd had! Mijn gestoorde vader die ze opgesloten hadden.

Maar de dochter hadden ze niet te pakken gekregen. Ogenschijnlijk meegaand en aardig, maar zo eigenwijs, koppig. Is geworden wat ze zelf wilde. Getrouwd met een man die haar moeder absoluut niet...

Zo veel eigenzinnigheid kan niet ongestraft blijven, dat is wel duidelijk. Opstandigheid kan je ver brengen, maar angst is de prijs die je betaalt.

Lars-Ivar was tevreden met mijn beroepskeuze. Een activiteit die enkel kon gedijen onder zijn begeleiding.

'Ha, je kunt nooit bij me weg. Je ziet zelf niet welke tekeningen goed zijn.'

Intuïtief wist ik dat Lars-Ivar mijn geheime leven met Arthur Bränndahl sterk zou afkeuren. Ik was met iets bezig waar Lars-Ivar geen heer en meester over kon zijn (hij was immers woordblind).

Tegelijkertijd was het voor een bekentenisneuroot als ik niet eenvoudig de vreugde en het enthousiasme dat Arthur Bränndahl in me had ontstoken, verborgen te houden. Ik voelde me schuldig over mijn zwijgen en over mijn 'ontrouw' aan onze werkgemeenschap. En dat er een andere man was, een belangrijk schrijver die Lars-Ivar zelf bewonderde, die zo'n greep had gekregen op de ziel van zijn vrouw.

Om mijn morele positie enigszins te verbeteren begon ik als een bezetene te schrijven aan een meisjesboek. Ik vroeg aan Elis, docent Zweeds en goeroe, of hij dertig pagina's van die tekst wilde bekijken.

Zijn oordeel kwam vlug en loog er niet om.

Hij zei: 'Lieve, beste Signe, zet het maar uit je hoofd. Dit is helemaal niet goed. Wat je me hebt laten zien, is veel te bedreven geschreven om van een amateur te zijn. Het heeft niets van het onzekere aftasten, de moeite die een debutant zich moet getroosten. Het is veel te oppervlakkig, te babbelachtig, banaal is het woord. Nee, hou jij je nou maar bij het tekenen voor weekbladen. Daar past zo'n vluchtige en vlotte stijl.'

Lars-Ivar had als eerste dit oordeel te horen gekregen. Dat besefte ik toen ik teleurgesteld vertelde wat Elis had gezegd en hij me teder omarmde, op de mond kuste en zacht, warm en innig zei: 'Lieve schat, je moet niet knoeien op een terrein waar anderen veel beter in zijn. We weten toch waar jouw talent ligt?'

Na dit intermezzo intensiveerde Lars-Ivar zijn betrokkenheid bij mijn werk nog meer. Hij ontdekte dat wat ik tekende terwijl ik telefoneerde – in de marge van een krant of op een gebruikte envelop – een speciale vrijheid en avontuurlijkheid in zich hadden.

Deze onbewuste tekeningetjes begon Lars-Ivar uit te knippen en in een album te plakken. 'Dit,' zei hij, 'dit moeten we ook zien te treffen als je bewust tekent.'

Hij deed zelfs extra aardig na mijn door Elis onthulde poging ons tekenverbond ontrouw te zijn.

Maar harmonie was iets wat ik niet lang uithield. Daar kreeg ik de kriebels van en ik moest het bederven.

Door opnieuw te vluchten, bijvoorbeeld. Ik bereikte het punt dat ik het geen dag langer uithield. De muren kwamen op me af, de kinderen klampten zich aan me vast, de claustrofobie werd nog versterkt als het kindermeisje voor me stond en vroeg wat voor eten ze voor het weekend moest kopen.

'Opgejaagd' is een populair thema in films en avonturenromans. Opgejaagd door wolven, boeven, kakkerlakken zo groot als paarden, demonen... binnen de kortste keren verorberd, geradbraakt, ondersteboven vastgebonden aan een boomtak.

Ze zaten achter me aan. Allemaal.

28

Het 'tot één vlees worden' uit de huwelijksinzegening werd steeds meer een kwestie van techniek.

Lars-Ivar was zeer bedreven op dat gebied. Hij wist mijn begeerte op te wekken en me tot een hoogtepunt te brengen.

Hij was in staat lang door te gaan, het nog een keer te doen. Ik wist niet dat er mannen waren die helemaal niet... of die alleen hun eigen genot zochten; ik besefte gewoon niet hoe goed ik het had.

In plaats daarvan beklaagde ik me erover dat de spontane begeerte die je hele lichaam in vervoering brengt, dat onweerstaanbaar verlangen, de hunkering naar de geliefde, was verdwenen. Dat de magie van de verliefdheid er niet meer was.

Ik wilde niet tot begeerte gedreven worden. Ik wilde dat het er gewoon zou zijn.

Ik wilde dat sterren van verlangen in me zouden ontbranden alleen al als ik naar hem keek, mijn vriend tussen de jongelingen. Ik wilde dat het zou blijven als in het Hooglied, waar het heerlijk is om in de schaduw van de boom der liefde te zitten – ja, het moest net zo vanzelfsprekend zijn als in het begin – en klaaglijk te roepen: *'Sterkt mij met rozijnenkoeken, verkwikt mij met appels, want ik bezwijm van de liefde',* en hij zou zeggen: *'Mijn duif in de rotskloof, in de schuilhoek van de bergwand, laat mij uw gedaante zien, laat mij uw stem horen, want zoet is uw stem en uw gedaante is bekoorlijk. Vangt ons de vossen, de kleine vossen, die de wijngaarden verderven, nu onze wijngaarden in bloei staan.'*

Het mocht niet zo zijn dat de kleine vossen al vergevorderd waren met hun vernielingen. Toen ik Bodil toevertrouwde dat ik wilde dat de begeerte bleef, glimlachte ze veelbetekenend en begon vervolgens over George die zowaar al woorden op reclameborden en in de koppen van de krant kon lezen...

'Dan zal het eerste jaar op school saai voor hem worden', zei ik afwezig met de smaak van de teleurstelling nog in mijn mond. Ik had zo graag willen horen wat de ervaren Bodil te zeggen had over erotiek in het huwelijk.

Een tijd later hadden we de hele kliek bij ons thuis voor een glaasje wijn en een hapje. De kinderen waren eindelijk in slaap gevallen, of dat dachten we tenminste omdat Lars-Ivar al een hele tijd boven was.

'Hij slaapt altijd als eerste', zei ik lachend tegen de gasten. Marianne bood aan hem wakker te gaan maken. Ondertussen zette ik een swingende plaat op en riep: 'Laten we het kleed oprollen en een beetje dansen.'

Dit was volgens het programma. Mijn repliek.

Typisch iets voor mijn kinderlijke ik om, als de enige die de hele avond fris dronk, voor te stellen dat we zouden dansen. Beschaafde volwassenen waren uitgedanst. Die wilden rond de tafel zitten met kaarsjes die weerspiegelden in de donkere wijnflessen en glazen, voor de helft gevuld met donkerrode vloeistof. Terwijl het intelligente gesprek lacherig, ja, zelfs een beetje dubbelzinnig werd. En onder de beschutting van het tafelkleed legde de jonge dominee, vader van drie kinderen, hier pas komen wonen en ingelijfd bij onze coterie, deze dienaar Gods dus, zijn hand op mijn linkerdij en fluisterde tussen de lachsalvo's door: 'Niemand in Svarttuna heeft zulke zachte dijen als jij.' En recht tegenover zat zijn vermoeide echtgenote, de tweeling pas twee maanden oud, en keek op haar horloge. Ze moest zo naar huis voor de laatste voeding.

Dus ze was er niet meer bij toen ik een paar vrouwen zover kreeg me te helpen met het kleed; ze hadden net zo veel zin om te dansen als ik. De mannen deden hun best om ongeïnteresseerd te doen, maar algauw kwamen ze van hun stoel en in een mum van tijd waren er paren gevormd en was het dansen in volle gang. Lars-Ivar, die zich een keer openhartig had afgevraagd waarom je op een dansvloer zou rondhopsen als je thuis in bed toch wel kreeg waar je zin in had, kon eigenlijk best goed dansen.

Zoals veel Zweedse mannen als ze 'wat op hebben'.

Ik was buiten nog wat bier en frisdrank gaan halen, zette de flesjes op het hoektafeltje, draaide me om en zag hoe hartstochtelijk onze dokter wang tegen wang danste met Ingegärd en dat ze daar tijdens het volgende nummer mee doorgingen. De doktersvrouw was ondertussen in een intellectueel gesprek met Elis verwikkeld, die veel te serieus was om op de maat van een foxtrot wat aan te rommelen met een van die gewone vrouwtjes. De jonge dominee had mij gevraagd, maar ik hield niet van de manier waarop hij me vasthield. Bovendien raakte hij steeds uit de maat. Dus danste ik vooral met Lars-Ivar en we kwamen echt los op een levendig New Orleans-nummer. Zuchten van vrolijke wellust weerklonken in het ritme en maakten ons allebei aan het lachen.

De belofte van liefde was er nog toen de gasten vertrokken waren en we de kamer luchtten, asbakken leegden, serviesgoed opstapelden en de mooie glazen omspoelden. Ik waste mijn handen en zei: 'Maar het was toch wel een beetje raar van Jan Fredrik om zo innig met Ingegärd te dansen... Hoe moet Bodil zich wel niet hebben gevoeld?'

Lars-Ivar keek me een beetje aangeschoten aan toen hij me met een teder gebaar naar zich toe trok, me in de hals kuste en zei: 'Nou ja, misschien is ze wel dankbaar. Ingegärd heeft Jan Fredrik een beetje opgewarmd en daar heeft Bodil straks profijt van. Jan Fredrik is op een leeftijd dat het moeilijk kan zijn om op gang te komen.'

Ik probeerde me uit mijn mans armen te wurmen. Merkte ineens hoe moe ik was. Mijn ogen brandden van de sigarettenrook. Het was alsof ik, zojuist nog onder invloed, een natte washand in m'n gezicht kreeg en razendsnel ontnuchterde.

Lars-Ivar had die schokkende opmerking op alledaagse toon gemaakt. Zo van, zo gaat dat nu eenmaal onder vrienden.

Maar er had ook iets verachtelijks in zijn stem geklonken. Ik had graag willen vragen wat hij precies bedoelde...

Maar eigenlijk wilde ik het niet weten.

Nee.

Er bleven alsmaar vragen door mijn hoofd spoken. Hoe voelt dat als je Bodil bent en je moet toekijken hoe de jonge Ingegärd je man 'op gang krijgt'? Als de erectie waar ze na thuiskomst mee gepenetreerd wordt eigenlijk bedoeld was voor iemand anders.

En Ingegärd? Alleen naar huis te moeten met glanzende ogen en een brandend onderlichaam? Hoe voelt het als je Bodil de volgende dag in de supermarkt tegen het lijf loopt. Wil je dan vragen: 'Nou, hoe was het? Is het gelukt? Ben je tevreden?'

Dat waren gedachten waar ik van walgde en die me stoorden. Ik weigerde te accepteren dat het zo kon gaan.

Natuurlijk bedreven we die nacht de liefde, want zijn trucjes werkten altijd, ondanks mijn onwil in het begin.

Mijn man Lars-Ivar, potent en altijd in staat.

Bettan Skoghö kwam thuis na een vakantie in Griekenland met een jonge, donkerharige knul. Zelfs voor mij bleef niet verborgen dat dit geen goede daad was, bedoeld om een arme Griekse jongeling aan een hogere opleiding te helpen.

Andreas was achttien, Bettan negenenveertig, bijna vijftig.

Maar zoals ze het deed, zo ongekunsteld en natuurlijk, wist ze alle boze tongen tot zwijgen te brengen. We moesten ons er maar bij neerleggen dat ze een liefdespaar waren. Alleen Beate von Lindenstoltz was openlijk cynisch.

'Mijn god', zei ze. 'Toen ik laatst in Rome was kon ik wel víjf van zulke knulletjes meekrijgen. Ik zou het alleen discreter hebben aangepakt.'

Vanzelfsprekend. De adel had seksuele uitspattingen en andere schandalen altijd verborgen gehouden voor de buitenwereld.

Dat Bettan Skoghö het tegenovergestelde deed paste bij haar warme, vanzelfsprekende manier van doen.

Maar ook Bettan had zenuwen. Deze pendelden tussen euforische creativiteit en diepe somberheid. Ze was twee keer gescheiden. Had meer dan eens te veel pillen genomen en was vervolgens per ambulance afgevoerd.

Iedereen hield van Bettan Skoghö. Vooral ik.

Ik bedacht dat ik net als Bettan wilde zijn als ik ouder was. Zo levendig en loyaal. Maar niet zoals met die jonge Griek, nee, zoiets zou ik nóóit...

Bah! Om zo je waardigheid en trots te verliezen!

Want de jongen was niet eens trouw. Ze deed hem naar de volkshogeschool waar hij onrust veroorzaakte onder de meisjes met zijn brutale, donkere ogen en oneerbare praatjes.

Hij zag er ook geen been in om Bettans vriendinnen eens beter te bekijken. Toen hij mij in de gaten kreeg, de jongste onder hen, begonnen zijn ogen te glanzen. Bij een volgend dansavondje en een nieuwe plaat met Italiaanse schlagermuziek, *Amore Amore*, drukte hij me al dansend in een hoek en mompelde in mijn haar dat niemand zo sexy danste als ik.

Weer riep dit een angstaanjagende walging bij me op.

'Je bent niet goed wijs', fluisterde ik terug en ik vluchtte bij hem vandaan naar de kinderkamer.

De dingen begonnen me steeds duidelijker te worden. Er zat onrust in de lucht.

Rampspoed lag om de hoek op de loer en betrof niet alleen mij. Het was meer een algemene waarschuwing voor naderend onheil.

Op een gegeven moment verzucht Valborg Svedberg tegen ons meisjes dat Jerker haar nooit 'met rust' laat, zelfs niet als ze ongesteld is. De ervaren en ingewijde vrouwen in het gezelschap worden van deze opmerking duidelijk nerveus, verslikken zich in de koffie, peuteren een nieuwe sigaret te voorschijn en Marianne vraagt luid of we de opkomende ster Mauritz Andersson niet eens moeten uitnodigen. Na zijn bejubelde debuut doet hij onderzoek naar de Heilige Birgitta in Stiftelsens bibliotheek.

'Heeft hij zijn vrouw bij zich?' vraagt Ingegärd.

'O, ik wist niet eens dat hij getrouwd was', haast Bodil zich te zeggen. 'Wie is ze. Kennen we haar?'

'Vast niet. Minstens tien jaar ouder en lerares Zweeds.'

Daarop nemen we allemaal nog een kop koffie.

En Valborgs probleem is handig van tafel geschoven.

Iedereen behalve ik weet dat Jerker legio affaires heeft. Ook binnen ons groepje. Later zou ik begrijpen dat ik de enige was bij wie hij het niet 'geprobeerd' had. Ik voelde me een beetje gekwetst toen ik daar achter kwam. Maar realiseerde me algauw dat hij dat niet had aangedurfd. Lars-Ivar en hij waren dikke maatjes.

Als verleider was Jerker van de verraderlijke soort. Een gedrongen, stille kerel, maar met een indringende blik die een duidelijk hypnotiserend effect had op degene die erdoor getroffen werd.

Toen zijn vrouw tijdens het koffie-uurtje klaagde over zijn opdringerigheid, wisten bijvoorbeeld Marianne, Ingegärd en Bodil dat hij overspel pleegde met Bettans dochter, de beeldschone Hedvig. Ze studeerde kunstgeschiedenis in Uppsala. En Jerker moest om onderzoeksredenen vaak naar de universiteitsstad.

Twee weken later, in april, kwam de vulkaan tot uitbarsting. De oudste zoon van Jerker en Valborg, Sven-Erik, schoot bij een vriendje thuis per ongeluk op zichzelf. De allang overleden grootvader was een fervent jager geweest. Zijn wapens hingen als decoratie aan de muur in de hobbyruimte.

De veertienjarige jongens hadden spelenderwijs wat wapens van de muur gehaald en op elkaar gericht. Eentje, een pistool, bleek geladen te zijn. Daar kwamen ze achter toen Sven-Erik het voor de lol tegen zijn slaap hield en afdrukte.

Hij was meteen dood.

Er volgde natuurlijk een politieonderzoek. De vader van het vriendje had in zijn wildste fantasieën niet kunnen bevroeden dat een van de wapens...

Verschrikkelijk is een te klein woord in dit verband.

Woorden schoten sowieso te kort.

Ten slotte werd het gebrek aan woorden symptomatisch toen de normale werkelijkheid ophield te bestaan en de nachtmerrie om zich heen greep.

Met Pasen waren Bettan en Andreas op vakantie naar zijn geboorte-eiland. Het was niet alleen om zijn familie te bezoeken. Bettan hield van Griekenland, de godenverhalen, de witte eilanden omspoeld door het blauwe water en een al even blauwe hemel.

Ze was een groot verhalenvertelster. Alles wat ze vertelde werd levensecht.

Ze had de dramatiek van het Griekse paasfeest beschreven. Daar leefde men daadwerkelijk mee met de zeven staties van het paasevangelie. 'En op paasochtend, ja de hele paasdag, omhelzen de mensen elkaar en roepen uit: "Christus is opgestaan – ja, hij is waarlijk opgestaan."'

En terwijl ze dat allemaal meemaakte, werd haar dochter Hedvig dood gevonden na een overdosis slaappillen. Vrienden in Uppsala die tevergeefs hadden opgebeld en aan de deur waren geweest, hadden begrepen dat er iets aan de hand moest zijn. Hedvig werd eenentwintig jaar.

En ik, door paniek bevangen vanwege mijn doodsangst, maakte een afspraakje met een man in het Strand Hotel in Stockholm en bedroog mijn man.

Wat nou? Welke man? roep je nu vast uit. Daar heb je me niets over verteld. Is het iemand die je eerder genoemd hebt, iemand uit die burenkliek waar de moraal tamelijk losjes lijkt, op z'n zachtst gezegd?

Jerker was het dus niet, want je hebt je er eerder over beklaagd dat jij als enige van de vrouwen niet... Het is toch zeker niet die hondsbrutale Andreas? Of is er uiteindelijk toch iets seksueels ontbrand tussen jou en Arthur Bränndahl?

Geen van allen.

Nee, het was iemand die ik nog niet eerder genoemd heb, een onbekende. Het was pure opzet. Of eerder bezwéring. Ja, dat is een beter woord. Uiteindelijk werd het ondraaglijk om in mijn eentje te moeten vechten tegen mijn demonen. Mijn ademnood was inbeelding. Mijn slapeloosheid een slechte gewoonte of een soort gemeenheid tegenover Lars-Ivar. Ik gebruikte het om mijn man midden in de nacht te kwellen. Ik sliep in mijn eigen zijkamertje met het rozenbehang. Daar was het rustig en stil. Als de kinderen wakker werden, slopen ze naar hun vader en kropen bij hem in bed. Ze deden het zachtjes en voorzichtig, zodat hij niet echt wakker werd, maar in zijn slaap een plaatsje voor hen maakte.

Terwijl zijn vrouw daarentegen kwam binnenstormen en hem door elkaar schudde en dwong wakker te worden, alleen maar om te zeggen dat ze zo bang was dat ze niet kon slapen omdat ze dan nooit meer wakker zou worden.

Geen enkele man zit daarop te wachten. Er zijn echt grenzen aan hoeveel begrip een echtgenoot moet opbrengen. Hem niet eens zijn welverdiende nachtrust gunnen. Ik was het allemaal roerend met hem eens.

Maar als de angst bezit van me nam, mijn hart deed stilstaan, de lucht opraakte, mijn speeksel opdroogde...

'Heb je de slaappil genomen? Die Jan Fredrik voorgeschreven heeft?'

'Ik heb Preparyl genomen en die nieuwe pil, maar het helpt niet. Het wordt alleen maar erger.'

Op klaarlichte dag en wanneer ik volkomen rustig was, had ik meer dan eens voorgesteld dat ik op zoek zou gaan naar een psycholoog of psychiater.

Maar Lars-Ivar vond het niet nodig. Met mijn werk ging het goed en ik had voortdurend nieuwe ideeën.

De jonge vakvrouw die chic hooggehakt en opgemaakt naar Stockholm ging om mensen te ontmoeten van redacties en reclamebureaus was zonder meer fris en gezond. Er was niets met haar aan de hand.

Nee, je zag het niet aan me dat ik constant bezig was eronderdoor te gaan. De tijd die ik met de kinderen doorbracht had ook niets ziekelijks. Dat ik keer op keer wegliep van huis en haard waren symptomen van hysterie en verwendheid.

Als ik doorschoot in agressief gehuil en lastig gedrag, wist Lars-Ivar dat een oorvijg op z'n tijd een hysterica tot inkeer kon brengen. Dat had hij zelfs ergens gelezen.

Het vreemde was dat ik alleen in Florence, voortdurend achtervolgd door kerels die iets van me wilden en niemand om mee te praten en stapels van mijn lichtblauwe enveloppen in het vakje poste restante onder de letter D, dat ik in zulke extreme omstandigheden helemaal geen angst had. Dit was zeker iets wat ik met een psychiater had moeten bespreken.

Of toen het stortregende en ik schuilde onder de arcaden aan de Piazza della Signoria, waar een jong stel tegen me begon te praten. Mario was Italiaan en Daisy Amerikaanse en ze waren echt zo aardig. We aten samen. Mario vroeg in welk hotel ik zat en vond dat ik naar iets goedkopers moest verhuizen, bijvoorbeeld naar het gezellige Pensione Agathe, waar hij en zijn verloofde logeerden. Ik volgde hun raad op, hij stelde me voor aan de signora en een paar kerels in hemdsmouwen keken allemaal lachend op me neer. Het was wel een beetje onbehaaglijk en 's nachts drong hij het hokje binnen dat ik toebedeeld had gekregen, ging hijgend boven op me liggen, zijn hand over mijn mond, maar ik slaagde erin te bijten en op hetzelfde moment krijste een vrouwenstem verderop in de gang; het klonk als een vogeltje dat vastzat in een net. (In Italië vangt men op zo'n manier vogels en serveert ze gebakken in restaurants.) 'Mario, Mario', gilde ze, en ergens op de achtergrond de tuberculeuze hoest van een oude man. Ik griste mijn bagage bij elkaar, deed zachtjes het slot van de buitendeur open en vluchtte de straat op. Het was nog donker, een bus stopte op de hoek, hij was leeg op een paar oudere vrouwen met eeltige werkhanden en zware lijven na. De veelbetekenende grijns van de conducteur toen ik betaalde, alsof ik een allemansvrouw ben, en ook weer toen ik uitstapte en een taxi nam. Dezelfde glimoogjes keken me na in de achteruitkijkspiegel.

Maar ik wist mijn eigen hotel te bereiken en wonder boven wonder was mijn kleine eenpersoonskamer nog beschikbaar…

Ik bedoel dat al dat soort dingen, die een normale jonge vrouw angst zouden aanjagen, mij helemaal niets deden.

Er stak een logica achter waarnaar ik alleen maar kon raden.

Na zulke onvergeeflijke uitspattingen kwam de straf. Lars-Ivars razernij, de zuur verwijtende blikken van onze vrienden en de afstand. Als dat in volle gang was, liet de angst mij met rust, om wanneer alles geluwd was met hernieuwde kracht toe te slaan.

Ik zit er middenin nu, in de verkramping die me totaal blokkeert. Ik zie op tegen het moment dat mijn werk klaar is en ik ben tegelijkertijd doodmoe en klaarwakker, maar moet uiteindelijk toch naar bed.

Ik had er geen flauw idee van dat ik een voodoopatroon ontdekt had; dit speelt decennia voordat ik me voor Afrikaanse kunst begon te interesseren.

Eenzaam in de verstikkende kilte van de angst zie ik dat kwaad met kwaad verdreven moet worden. Ik moet het meest verbodene, het absoluut onvergeeflijke doen. Ik moet overspel plegen.

Er staat me niet een bepaald iemand voor ogen. Het moet sowieso niet iemand zijn die ik ken.

Op een feest voor tekenaars waar de nodige alcohol wordt geschonken, wordt later op de avond gedanst. Ik ben de enige die alleen fris op heeft. Koelbloedig test ik ze uit. Ik word namelijk keer op keer gevraagd, dat is iets nieuws in mijn leven. Het werkt als een drug, ik word vrolijk en flirterig; dat laatste heb ik nooit eerder uitgeprobeerd. (Dat kunstje maakte geen deel uit van de opvoeding van een christelijk meisje.) Plotseling is er iemand met wie het een beetje spannend is en na twee dansen laat hij me niet gaan maar houdt me vast. Het is absoluut niet als met die Noorse student, op dat eindexamenfeestje langgeleden. Ik verlies mijn hoofd niet, integendeel, het is met mijn volle verstand dat ik beslis... Hij moet het worden.

En ik lach, druk me dichter tegen hem aan, schud met mijn haar en voel door mijn dunne rimpelrok heen hoe hij een erectie krijgt.

Het wordt erg laat. Lars-Ivar en ik gaan met de eerste ochtendtrein naar huis. De volgende dag bel ik mijn slachtoffer. Hij is een bekend architect. Zijn secretaresse neemt op. Als ik mijn naam zeg, word ik meteen doorverbonden. Ik vraag of we volgende week niet ergens samen kunnen lunchen. Donderdag misschien?

Geen enkel probleem, hij lijkt zowel gevleid als verrukt.

Hij mag het restaurant uitzoeken. Maar ik ben degene die van tevoren een tweepersoonskamer heeft geboekt in het Strand Hotel. Onder de naam Ingrid en Bertil Gustafsson uit Arboga.

Zijn echte naam is Stig.

Stig begrijpt niet dat hij deel uitmaakt van een groter plan. Gehoorzaam wordt hij geil en is bereidwillig om verder te gaan. Natuurlijk verbaast hij zich over mijn doelbewustheid, maar ik ben jong en aantrekkelijk, ik straal sex-appeal uit. Hij is belachelijk makkelijk te verleiden.

Stig bleek een seksueel gefrustreerde en uitgehongerde man te zijn. Zijn vrouw was er niet bepaald in geïnteresseerd, helemaal níét, om eerlijk te zijn. Maar ze was een fantastische moeder en een representatieve gastvrouw bij de dineetjes die zijn werk met zich meebracht.

Op het moment dat hij penetreerde kwam hij al klaar. Ook al had hij een condoom om. (Ik had een doosje gekocht in een zaak met medische artikelen.)

Ik begreep er niets van. Maar het kon me verder niet schelen. Het was niet voor een fantastische vrijpartij dat ik hem hierheen had gelokt. Zelf was hij gebroken. Half huilend vroeg hij me keer op keer hem te vergeven. Als we even zouden wachten konden we het misschien nog eens proberen?

Nee, daar was geen tijd voor. Ik moest de trein van vier uur halen. Maar ik was onthutst. Ik wist niet dat de liefde bedrijven voor de man een probleem kon zijn.

Onze bagage was erg bescheiden. Een linnen tasje. Een aktetas. De kamer was van tevoren betaald. Toen we de sleutel afgaven, zeiden we tegen de receptionist dat we een wandelingetje door de stad gingen maken. Op het trottoir liet ik hem achter. Bij Nybroplan zag ik een tram aankomen. Ik begon te rennen en haalde hem. In een vreemde mengeling van triomf en snel toenemende wroeging bezocht ik de dominee bij wie we vroeger aan huis kwamen voor een gespreksgroep in levensbeschouwelijke vragen en die ons later getrouwd had.

Goede God, zorg dat hij thuis is.

Dat was hij. Zonder te gaan zitten, gespannen voor hem staand begon ik. Deze kwestie was zo spoedeisend dat er geen tijd was een stoel bij te trekken…

Struikelend over mijn woorden bekende ik.

Hij hield zijn gezicht in plooi. Hij was niet achterlijk. Daarom gebruikte hij vooral veel tijd om mij te verbieden het aan Lars-Ivar te vertellen.

'Denk eraan, nooit doen. Wat je gedaan hebt, heeft namelijk niets met hem te maken. Het was een soort rituele handeling. Je bent niet ontrouw geweest. Je werd niet gedreven door begeerte. Het was je angst. Het is echt heel jammer dat hij niet inziet dat je hulp nodig hebt. Waarschijnlijk durft hij dat niet te zien.'

Deze dominee was bijzonder onorthodox en getuigde van veel inzicht.

Ik ging naar huis. De angst die ik van nu af aan zou voelen was één brok ontzetting, die door me heen gutste wanneer ik me de bijbelse woede voorstelde die bij Lars-Ivar gewekt zou worden als…

Als hij het wist.

Maar verder ging het ademhalen goed tot midzomer. Ik had iets koortsachtigs stralends. Het viel mensen op. Lars-Ivar ook.

Mijn voodooactie had eind april plaatsgevonden.

Ik was gewoon twee maanden lang een goede moeder en echtgenote. Lars-Ivar interpreteerde het zo dat ik eindelijk mezelf onder controle had. Mezelf had aangepakt, vermand, allemaal uitdrukkingen die normale medemensen gebruiken tegen degenen die het moeilijk vinden te leven en te zijn zoals er van hen verwacht wordt.

De onbedoelde uitstraling die ik had veroorzaakte nieuwe blikken van bepaalde mannen in de trein, in de lift van de uitgeverij en in de lunchroom wanneer ik met mijn blad naar een leeg tafeltje liep.

Het was me gelukt. Ik had een misdaad begaan zonder ontmaskerd te worden. Het was me ook gelukt mijn mond te houden.

Niet slecht.

Alberte, sta je nog steeds aan mijn kant? Je mag niet boos op me worden. Dat zul je toch nooit doen? Niet op die kille manier, bedoel ik.

Bij jou ging het om iemand naar wie je verlangde, iemand die ook verboden was, maar hij zat in je bloed, in je systeem.

Dan wordt het midzomeravond. Onze coterie is nog maar nauwelijks hersteld van de tragedies van het afgelopen voorjaar. Maar een midzomerfeest moeten we onszelf gunnen.

Wij, de overlevenden.

Bettan Skoghös zus Anna-Greta woont met haar gezin aan de rand van de stad. Daar verzamelen we, het weer staat een tuinfeest toe.

Er is drank, er zijn haring en nieuwe aardappeltjes, aardbeien met slagroom. Veel gesmoord gelach tussen de schemerige schaduwen... Plotseling is Lars-Ivar verdwenen. Ik zoek achter bomen en struiken, maak een rondje door de serre en keuken. Giechelig vraag ik: 'Heeft iemand mijn man gezien? Ik ben mijn man kwijt.'

Iedereen lacht. In de stralende ochtendzon wordt hij teruggevonden en hand in hand lopen we samen naar huis. De hulp die we op dat moment hebben is lid van de pinkstergemeente en vond het dus geen probleem om thuis te blijven bij de kinderen.

De ochtend is goddelijk mooi. Bloemengeur, gegons van vliegen en vogels die om het hardst kwetteren. Het gebeurt niet vaak dat je 's ochtends zo vroeg buiten bent. De lucht is heerlijk knisperig. Voor het bankgebouw kussen we elkaar op het bankje dat de gemeente uitgerekend daar heeft neergezet.

Bij ons thuis slaapt iedereen. Als kabouters, trippel trappel, sluipen we de oude trap op die de neiging heeft te kraken.

We zijn op mijn kamer: het ziet er echt heel erg uit als een meisjeskamer met in de hoek het witte bureautje uit mijn jeugd. Tienerachtig laat ik me op bed vallen en glimlach uitnodigend naar mijn man.

Maar Lars-Ivar blijft op de blauw-wit gestreepte loper staan. Hij moet iets vertellen.

'Vannacht,' zegt hij, 'ik vind dat je moet weten dat ik je vannacht ontrouw ben geweest met Beatrice, de oudste dochter van Anna-Greta en Harald.'

Hij schraapt zijn keel om verder te gaan met zijn tekst. Waarschijnlijk iets in de trant van dat het niets om het lijf had, dat het de wijn was, de glimlach van de midzomernacht...

Maar zover is hij nooit gekomen.

Ik vlieg overeind. Warme wangen. Mijn hart bonst overal waar het de kans krijgt.

'Maar dan kan ik ook vertellen over mijn...' Borrelend, hakkelend van geestdrift vertel ik het omdat ik denk dat we daarmee quitte staan, de een geen haar beter is dan de ander en dat hij me dan in zijn armen zal nemen, kussen, en zeggen nu zetten we er een streep onder, het betekende niets, de enigen waar het om draait zijn wij tweeën, wij houden van elkaar.

Maar nee, zo gaat het niet. Van geen kanten.

Dat had je zeker allang zien aankomen?

Hij veranderde in een razende Othello. Hij tierde, sloeg me tegen de grond, schopte me, sleurde me weer overeind, kneep gemeen in mijn blote zomernachtarmen en schreeuwde: 'Slet, vuile hoer, vervloekt loeder. Het is toch verdomme niet waar, hè? Je liegt toch zeker, je zegt het alleen maar om wraak te nemen, hè...?'

'Nee', zeg ik luid en duidelijk. 'Ik heb het niet verzonnen.'

Tevergeefs probeer ik iets te zeggen over het waarom, mijn angst, mijn vertwijfelde ideeën over dat kwaad met kwaad…

Hij hoort me niet. Hij is buiten zinnen. Hij kan me ieder moment doodslaan.

Ik heb een hoorndrager van hem gemaakt. Hoorndrager, het ergste woord wat er is. Een bedrogen echtgenoot, bestaat er iets meewarigers?

En dan nog een verhaaltje opdissen dat het niet was omdat je van die man hield, maar iets veel ergers, pure lust, verdomde geilheid of was het soms om hem te kwetsen, vuil rotwijf. Hoer. Dat is wat je bent, een HOER.

Ik krabde en schopte mezelf los, liep met mijn rug naar de rozen op de muur en zei: 'Ik heb me er niet voor laten betalen.'

29

Samen met een goede vriendin waren we toevallig in de buurt van een zwaar auto-ongeluk vlak nadat het had plaatsgevonden. Het was op de autoweg tussen Nice en Genua. Het viel haar op hoe de mensen in de lelijke huurhuizen, met uitzicht op het drukke auto-verkeer, zich op hun balkons verdrongen; sommigen hadden zelfs een verrekijker.

'Er is iets aan de hand', zei mijn vriendin. Het volgende moment zagen we het. Een vrachtwagen was gekanteld. Een personenauto stond dwars over de weg. Op de voorbank twee roerloze mannen, de een over het stuur geworpen, de ander achterover geduwd tegen de rugleuning.

Je hoorde helemaal niets. Het was alsof je naar een foto keek.

De stilte. Die ademloze stilte. Hij duurde vast maar een paar minuten, maar in mijn herinnering was het een eeuwigheid.

Eerst was er het getoeter van auto's achter ons die niet konden zien waarom we stilstonden. Ook vanaf de andere kant waren de eerste auto's gestopt en achter hen loeide eveneens het ongeduld. Het duurde echt eeuwen voordat we de eerste politie- en ambulancesirenes hoorden. (In die tijd waren auto's nog niet uitgerust met een telefoon.) Waarschijnlijk had iemand van het balkonpubliek het ongeluk doorgegeven.

'De man die achterover zit is dood', zei mijn vriendin. 'Maar de man die over het stuur ligt, leeft nog.'

Daarna werd de stilte volledig vervangen door sirenes en knipperlichten en het gehuil en geschreeuw van mensen...

Precies deze scène komt in me boven als ik het beeld oproep van de kamer met het rozenbehang en ik net heb gezegd: 'Ik heb me er niet voor laten betalen.'

Doodstil was het in de eerste seconden daarna. Het leven stond volledig stil. Lars-Ivars furieuze aanval doofde. Zijn armen hingen als verlamd langs zijn lichaam. De gordijnen voor het open raam waren opgehouden te wapperen. Buiten zwegen de vogels. Uit loyaliteit met de bedrogen man hield de natuur zijn adem in.

Het korte zinnetje 'Ik heb me er niet voor laten betalen' sloot de mogelijkheid uit dat de vrouw het gewoon had verzonnen om wraak te nemen op haar man die zojuist echtbreuk gepleegd had.

Zodra deze wetenschap in hem was neergedaald zou hij me doodslaan. Met gesloten ogen en ingehouden adem wachtte ik de eerste klap af. Die kwam niet. In plaats daarvan werd de verstening van de levende wezens verbroken door een deur die piepend openging en een slaapdronken jongetje dat 'papa, papa' jengelde en het volgend moment bij de man stond die zojuist zijn rechterhand geheven had om zijn moeder dood te slaan.

Nu kwam dat er dus niet meer van.

Want Lars-Ivar moest Svante optillen die algauw begreep dat er hier iets vreselijks aan de gang was en hard brullend water eiste, en troost, en papa's zakdoek en naar papa's bed gedragen wilde worden waar hij in kroop en waar ook papa moest gaan liggen, nadat hij zich eerst onder Svantes toeziend oog had uitgekleed.

Zelf sloop ik de trap af, door de keuken naar het portaaltje. Mijn levensdrang was weer ontwaakt. Beate von Lindenstoltz was altijd vroeg op. Zij zou me horen als ik gilde. Ik herinner me niet de omschakeling, hoelang ik daar gezeten heb. Wat ik nog wel weet, is hoe Lars-Ivar, grauw en hologig, me toebeet dat hij naar de stad ging en er dreigend aan toevoegde dat hij niet wist wanneer hij terugkwam. Áls hij terugkwam. En nog iets van dat als hij 'zichzelf iets aan zou doen', ik wist waarom. En wie in dat geval de schuldige was.

Een mededeling die me nauwelijks angst inboezemde. Na een schok en een slapeloze nacht ben je als verdoofd. Of ziek in je hoofd, zoals kinderen zeggen.

Ik vond het wel best dat hij wegging. Het was midzomerdag, de hulp Lily was vrij. In haar zondagse jurk met een psalmboek in de hand wuifde ze me gedag en wenste me een prettige dag.

De kinderen en ik vierden de dag met een picknick. Dicht bij het water legde ik een kleed neer, het was maar een meter of tien bij ons tuinhekje vandaan. Langs de oever hadden ze een strook gras gemaaid en bij elkaar geharkt tot een hooiberg die naar zomervakantie geurde. De jongens doken erin, rolden rond en gooide gras naar elkaar, terwijl hun moeder met een kussen tegen een boomstronk op het kleed lag. Ik deed mijn ogen dicht tegen de zon en achter mijn oogleden verdrongen zich rode en groene kleuren. Jerker en Valborg kwamen langs met hun jongste dochter, elf jaar, te groot om met kleine jongetjes te spelen. Valborg verbaasde zich erover dat Lars-Ivar niet thuis was. Ik loog gewiekst dat hij naar zijn ouders in Uppsala was.

Valborg deed ongewoon vriendelijk tegen me, complimenteerde me met mijn jurk en meende dat het vervelend moest zijn om op midzomerdag alleen gelaten te worden. Ik lachte en zei dat ze met mij geen medelijden hoefden te hebben. Ik had de kinderen en bovendien was het prachtig weer.

Ze wisten toch zeker van niets?

Zelfs toen ook Elis en Ingalisa toevallig voorbijkwamen begreep ik niet dat iedereen op de hoogte was van Lars-Ivars midzomernachtslippertje en dat het plotselinge bezoek aan zijn ouders kon duiden op spanningen tussen de echtelieden.

Midden in het oog van de storm bevond ik me in de vredige bijnadoodtoestand waar geen pijn en smart wonen maar slechts vrede, zalige vrede…

Toen de jongens wegen en forten gingen bouwen in de zandbak verhuisde ik naar de hooiberg, liet me erin wegzakken en door de aromatische geuren meevoeren in een doezeling. Ik was zelfs niet bang voor insecten die me er normaal van zouden weerhouden daar te gaan liggen.

Zelfs aan het avondeten verscheen papa niet. We openden een blik met lange knakworsten, warmden ze op en legden ze tussen dubbelgevouwen boterhammen. Om de beurt mochten ze warmeworstman spelen en er mosterd en ketchup op smeren; heerlijk geklieder en lekker gesmikkel. Als toetje aten we een zak frambozenbootjes.

Ze gingen ongewoon braaf naar bed en slapen.

Toen pas realiseerde ik me hoe vreemd het was dat ze niet één keer naar hun vader hadden gevraagd.

Ik zat op de buitentrap. In de verte hoorde ik muziek, gelach en luid gepraat. Ik liep over het paadje naar de oever en zag dat er bij Bettan Skoghö een feestje aan de gang was.

Ik trok mijn sandalen aan en ging op een holletje die kant op. Ik kon niet langer dan tien minuten van huis, maar ik was nieuwsgierig.

En feest was het. Toneelvrienden van de gastvrouw. Ze hadden foerage meegebracht, wijn, vleeswaren, brood, aardbeien en andere lekkere hapjes. Bettan wenkte me verder te komen naar haar grote veranda.

'Ja, kom verder', riepen een paar jonge mannen. 'Alle mooie meisjes zijn welkom.'

Nee, ik kon niet. Helaas. Ik moest meteen weer terug.

Een derde jongeman bemoeide zich ermee: 'Waar woon je? Is het ver?'

Toen Bettan duidelijk had gemaakt hoe dichtbij het was, besloten ze dat ze later op de avond met de wijn mijn kant op zouden komen. Inmiddels was duidelijk geworden dat mijn man niet thuis was. Dus terwijl die arme bedrogen echtgenoot misschien wel in het water of voor een trein was gesprongen, kwam er een feestje naar zijn huis en die hoer van een vrouw van hem. De klep van de oude tafelpiano ging open, we musiceerden en zongen Bellman en Birger Sjöberg. Iemand ontdekte mijn stem en sloeg het boek met oude volksliedjes open en vroeg of ik er daar niet een paar van kon vertolken.

Natuurlijk kon ik dat. Slapeloosheid kan hetzelfde effect hebben als amfetamine en ik was alle verlegenheid en schaamte voorbij. Ze bejubelden niet alleen mijn heerlijke stem, maar ook de artistieke uitvoering van deze eenvoudige stukjes.

Bettan merkte dat ik op het punt stond in te storten (het was immers haar nichtje dat mijn man onder de bessenstruiken genomen had).

Ik had last van pijn in bepaalde aangezichtsspieren die geactiveerd worden als je veel lacht. Bettan dirigeerde de hele bende naar buiten, lokte ze mee door te onthullen dat ze nog een paar flessen witte wijn in de koelkast had staan. Een van de mannen, een jongen nog eigenlijk, werd aangewezen om mij te helpen met opruimen en afwassen. Hij bleek bij de tragisch omgekomen Hedvig in de klas te hebben gezeten. Hij was een leerling van Elis geweest, die zijn literaire aspiraties had aangemoedigd. Zo was deze Pelle Olsson bij de schare volgelingen terechtgekomen die ook na hun schooltijd aan Elis Lundins voeten zaten.

Daar stonden we ons dan te verdringen in die kleine keuken en we raakten elkaar meer aan dan strikt noodzakelijk en er waren elektrische vonken en ademnood.

Toen hij het laatste glas had afgedroogd trok hij me naar zich toe en ik liep over van wellustige vrolijkheid en liet me kussen. Ik zou alle contact met de grond kwijtgeraakt zijn als niet een van die vreselijk waakzame kinderen plotseling geroepen had. Het was Peter, hoorde ik. Hij had zowaar om zijn moeder geroepen. Trillend over mijn hele lichaam slaagde ik erin me uit Pelle Olssons greep los te maken en vroeg hem fluisterend te vertrekken. Nu, meteen.

'Maar morgen', fluisterde hij opgewonden. 'Zie ik je morgen?'

'Je bent niet goed wijs, je weet niet waar je het over hebt. We zien elkaar nooit meer. Nooit.'

Morgen. Dat woord deed de prisma's van veelkleurig kristal stollen in één schel snerpend akkoord.

'Ga, ga, gá dan.'

Ik duwde hem naar buiten en trok de deur dicht, draaide hem op het nachtslot en stoof toen naar boven naar Peter die kleumend midden in het atelier stond en een ouder nodig had.

Maar zijn eerste vraag betrof degene die er niet was.

'Papa, wanneer komt papa', jammerde hij tegen mijn hals. 'Ik wil dat papa komt.'

'Papa komt morgen. Vooruit, naar bed, dan kom ik even bij je zitten om "In een huzarenhutje" voor je te zingen.'

'Alle coupletten.'

'Ja. Allemaal, tot…'

'Niet van tevoren zeggen.'

Zich verkneukelend kroop hij onder het dekbed en legde een arm onder het kussen. Van alle trieste liedjes, waarin mijn zonen en ik ons soms verloren, was dit het enige met een gelukkig einde. Na achttien coupletten in onzekerheid komt het. Maar na het vijftiende sliep hij.

Een uur later sliep ik ook. Zonder slaappil viel ik in een duisternis zonder bodem.

De volgende dag kwam papa inderdaad thuis. Hij zag er doorwaakt en ellendig uit. Maar herstelde zich snel. Hatelijk zwijgend lunchte hij met ons voordat hij naar een paar vrienden ging voor begrip en steun.

Nu zouden ze te horen krijgen wat voor soort vrouw zijn echtgenote was.

Nóg een ernstige onvolkomenheid zou aan de andere gebreken worden toegevoegd.

Alsof het al niet erg genoeg was.

Zijn vrouw, de troela die hen zo geïrriteerd had met haar plukjes okselhaar – maar dat was ruim een jaar geleden, ondertussen was ze wel wat bijgetrokken – zij had dus haar man bedrogen.

Het inlevingsvermogen en de verontwaardiging van de vrouwen was onvoorwaardelijk. Dat van de mannen ook, trouwens. Al waren er die me vanaf dat moment met andere ogen bekeken.

Hoe het ook zij, gesterkt door bier en sympathie keerde hij terug naar de basis om mij een afstraffing te geven. Bodil had ondertussen gebeld en gevraagd of de kinderen naar Georges nieuwe spel wilden komen kijken. Lilly stond te strijken toen hij thuiskwam. Met een innemende lach stuurde hij haar naar de verfhandel voor een paar belangrijke kleinigheidjes.

Toen zo alle getuigen het veld hadden geruimd deed hij het raam dicht en de buitendeur op slot. Als een gehypnotiseerde dansmuis liet ik alles gebeuren zonder protest of vluchtpoging.

Hij had geen zweep of iets anders dat dienst kon doen als wapen. Maar met zijn vuisten kwam hij een heel eind. (Al zorgde hij er intuïtief voor niet te slaan waar de blauwe plekken in het oog zouden lopen.)

'Hoe kon je?' schreeuwde hij. 'Hoe kon je, vuil rotwijf? Geef antwoord. Hoe kon je?'

Toen greep hij mijn verbazend dunne bovenarmen en schudde me krachtig heen en weer. Later zou die vraag als een lopend vuurtje door het dorp gaan: *Hoe kon ze? Hoe kon ze?*

En zonder uitzondering waren ze vergeten dat er nog iemand was die gekund had.

Zijn razernij zou haar in ieder geval op de knieën krijgen vanwaar ze zou uitroepen: 'Vergeef me, vergeef me, alsjeblieft vergeef me. Ik hou alleen van jou, dat weet je toch. Jij bent de enige man in mijn leven.'

En dat was hij ook.

Toch kon ik die woorden niet over mijn lippen krijgen.

Koppig en ongezeglijk, hardleers en verdorven, dat was ze. Het ontrouwe loeder.

Heden ten dage, vijfenveertig jaar nadat ik ben weggelopen, worden ontrouwe echtgenotes nog gestenigd.

Slechts een dun vliesje beschaving weerhield de Svarttuna-clan ervan mijn handen op mijn rug te binden, me op een kar te gooien en 's nachts naar het middeleeuwse dorp Håby te brengen en me daar tegen een muur te zetten en mijn echtgenoot de eerste steen te laten werpen.

Zusterschap was een woord dat nog niet was uitgevonden. In de positie waarin ik me bevond zou niemand, behalve jij, Alberte, mij te hulp komen.

Ik heb geprobeerd uit te leggen waarom ik het had gedaan. Hij heeft niet geluisterd. Of het in ieder geval niet begrepen. Maar ik wilde natuurlijk ook dat hij me zou slaan. Want zoals je al wist: straf verminderde de angst.

Het weerhield me er niet van weerstand te bieden, hem in zijn kruis te schoppen, waar dat apparaat zat met genoeg sperma om een miljoen vrouwen te bevruchten. Door de pijn moest hij loslaten en ik ging ervandoor, vloog mijn rozenkamertje binnen waar een raam open stond. Met krachten die mezelf verbaasden tilde ik de grote spiegel in nep-empire, die we van zijn ouders hadden gekregen, van de muur; het was een familiepronkstuk. Dat ding dus tilde ik van de haak en smeet het door het open raam naar buiten. Met een klap kwam het de grond.

Buiten adem en triomfantelijk draaide ik me naar hem om. Beneden klonken stemmen, luid en verontwaardigd.

Daar ging de deurbel.

Even dacht ik dat hij, de enige, mijn vriend onder de jongelingen, een hartaanval zou krijgen.

Lars-Ivar hechtte veel waarde aan hoe dingen naar buiten toe overkwamen. Onze vriendenkring bevond zich niet in dat 'buiten'. Maar de mensen die nu aanbelden wel.

Ik weet dat als die spiegel op iemands hoofd was terechtgekomen, die persoon dood had kunnen zijn.

Maar hij was recht naar beneden gevallen, een stuk naast het pad waar mensen liepen. Natuurlijk lagen er scherven en stel je voor dat blote kindervoetjes...

Ik weet niet wat voor verklaring hij heeft gegeven. Op een of andere manier wist hij de indruk te wekken dat het een ongelukje was geweest. De spiegel was uit de handen van zijn vrouw gegleden toen ze... Ja, toen ze wat? Ik heb het nooit geweten.

Lars-Ivar ging aan de slag met stoffer en blik. Zelf stond ik te rillen voordat ik naar de badkamer ging en drie witte tabletjes in mijn gekromde hand schudde.

De strijdbijl werd een dag of twee begraven. Ik belde een paar vrouwen uit onze vriendenkring, maar ik kreeg telkens te horen dat er 'iets stond aan te branden in de oven'.

Toen begon Lars-Ivar aan de volgende ronde. We ruzieden altijd 's nachts, als de kinderen en het kindermeisje sliepen. Voor de verandering sloeg hij een stoel kapot en hield een stoelpoot omhoog als wapen.

'Je mag doen wat je wilt, als je mijn moeder maar niet belt.'

Het ontglipte me. Ik was moe en bang.

Je begrijpt dat dat het eerste was wat hij deed. En wel direct. Om twaalf uur 's nachts.

Mijn moeders eerste reactie: *'Het is de erfelijkheid.'*

De volgende dag kwam ze langs om de erfelijkheid eruit te praten. De geestesziekte van mijn vader had ook een sterk vergrote seksuele begeerte met zich meegebracht. Zij had het weten te verdragen. Ze had zich door de jaren heen geleden. Het was haar echtelijke plicht het vat te zijn waarin de man zich kon legen. 'Je vader', zei ze, 'was ook oversekst als hij gezond was.'

Als getrouwde vrouw moest haar dochter het ook maar zien te dragen.

Maar als het meisje het deed met iemand waar ze het niet mee moest doen, dan was dat een teken dat ze overseksd was en waarschijnlijk bezig om net als haar vader geesteziek te worden.

Haar dochter was rein in gedachte, woord en daad opgegroeid, onschuldig in de diepste betekenis van het woord.

Een rein jong meisje; bestaat er iets mooiers?

De jongeman die ze aan haar moeder had voorgesteld had verontrustend doorleefde trekken, de onbetrouwbare glimlach van een verleider en een blik die wegkeek. Als een verleider had hij voor haar moeder gestaan, ze hadden het vóór het huwelijk gedaan, voor de verloving zelfs. Maar dochterlief had tegen haar moeder geschreeuwd dat zíj het wilde, niet hij...

Maar hij had zijn verantwoording genomen en was met het meisje getrouwd. Hij had laten zien dat hij betrouwbaarder was dan je zou denken. In moreel opzicht. Als kostwinner viel het wat tegen. Maar Signe was succesvol met haar tekeningen en haar werk werd afgedrukt in aardige damesbladen.

Het gebeurde vaak dat een van haar vriendinnen uit het onderwijs lovende woorden sprak over een tekening van Signe die ze in een tijdschrift bij de kapper had gezien.

En dan belt midden in de nacht haar schoonzoon om te vertellen dat zijn vrouw, haar dochter, echtbreuk heeft gepleegd en wat klonk hij vertwijfeld en verbitterd.

Na deze catastrofe werden ze vrienden, mijn man en mijn moeder. In mijn dromen vormden ze een koppel en joegen ze me keldertrappen af.

De hoorndrager ging vroeg in de avond weg om ergens te eten en drinken. Ik zag voor me hoe ze bij elkaar kropen rond restjes uit de koelkast en goedkope wijn. Alsof er oorlog ophanden was en het zaak was een front te vormen.

Ik stelde me voor hoe hij, verwarmd door wijn en sympathie, met zijn platte hand op tafel sloeg en uitriep: 'Wacht maar, straks komt ze met hangende pootjes terug', en de vrouwen hapten naar adem wanneer ze zich voorstelden hoe dat dan zou gaan.

Naar mij toe hadden ze dus altijd iets in de oven staan. Bettan en Andreas zaten in Griekenland. Ik had niemand. Behalve Leman dan. Leman had geen voornaam. Hij was de outcast van het stadje. Een Noorse oud-zeeman die tegen de zeventig liep. Een grote kerel, altijd gekleed in een blauwe overall. Hij woonde op een boot en de deftige dames van de stad hadden via hun vereniging geprobeerd de oude man in een of ander tehuis te krijgen. Of hem zover te krijgen dat hij wat meer deed aan zijn persoonlijke hygiëne. Nu kwam zijn zuster twee keer per jaar en dwong hem mee te gaan naar het badhuis. Bij haar bezoek hoorde ook een nieuwe overall. De oude werd verbrand.

Leman was zwijgzaam en hij praatte niet tegen iedereen. Tussen onze vrijbuiter Svante en Leman had zich een warme vriendschap ontwikkeld. Leman noemde de jongen bij zijn beide voornamen, Per Svante. Soms ging hij een eindje varen met Per Svante. Wij konden hen vanaf de oever zien tuffen en Per Svante zwaaide enthousiast naar ons achterblijvers. Het bijzondere van Leman was dat hij tegen de jongen praatte alsof ze leeftijdgenoten waren. Niets geen getut. Respect en waardering van weerszijde.

In de periode dat ik buitengesloten werd, liep ik Leman een keer tegen het lijf. Hij tilde zijn armoedige pet op, boog en zei in het Noors: 'Ja, dat wil ik maar even zeggen, mevrouw Palm, u bent een goed mens.'

Toen ik het tegen Lars-Ivar vertelde lachte hij sarcastisch.

'De enige die dat vindt, is die gek.'

De enige van de 'normalen' die af en toe langskwam voor een praatje, was Solbritt. Zij was er later bij gekomen en werd misschien niet zo makkelijk geaccepteerd, vooral niet door de vrouwen. Het is een bekend verschijnsel, een man alleen is altijd welkom. Zelfs op dineetjes voor paren is een losse cavalier geen probleem. Misschien dat zo'n soort sfeer ervoor zorgde dat Solbritt niet volop meehuilde met de wolven in het bos. Er zaten natuurlijk al twee ongehuwde vrouwen bij de club. En Beate von Lindenstoltz. Maar die vormde een klasse apart. Bewoog zich in grotere kringen dan ons stadje te bieden had. Ze ging vaak naar Rome of Parijs. Haar huis was groot en de feesten overdadig luxueus. Tijdens de koffie na de maaltijd liet ze de gasten in de salon plaatsnemen en vertolkte achter de vleugel Franse chansons. Haar donkere stem was geschoold, ze was in jongere jaren een professioneel diseuse. Het was een genot om naar haar prachtige, goed gearticuleerde Frans te luisteren.

In de zomer liet Lars-Ivar het jaloeziespoor varen. Iemand had hem erop gewezen dat hij niet zo prat moest gaan op het recht van de bedrogen man om zijn echtgenote te slaan. Hij voelde het misschien als zijn morele recht, maar er stond feitelijk in de wet... 'Signe kan een aanklacht tegen je indienen, denk daarom.'

'Wel verdomme, mag je niet eens je eigen vrouw slaan', was Lars-Ivars commentaar.

Zij het min of meer ironisch.

30

De zomer loopt ten einde, die hete rampzalige zomer. De herfst brengt het leven van alledag terug waarin iedereen weer aan het werk gaat.

Een van de vrienden, Jan Fredrik of Elis (alweer) had serieus met Lars-Ivar gesproken. Het was zonneklaar dat Signe naar een psychiater moest.

Ze zeiden het. Van man tot man. Recht voor z'n raap.

Lars-Ivar voelde dat het ernst was. Hij was erg afhankelijk van de waardering en loyaliteit van de groep. Misschien waren ze zijn roep om wraak zat. En men begon in te zien dat Signes wanhopige misstappen verband konden houden met dwanggedachten. Angst.

Jan Fredrik schreef een verwijsbriefje.

Lars-Ivar had zijn eigen angst die voortkwam uit de gêne dat hij een vrouw getrouwd had met psychische problemen. Zoiets kwam niet voor in zijn familie van eerzaam Upplands boerenbloed. Wat als het zijn ouders ter ore zou komen, met name zijn moeder?

Ik gok dat Sivert dezelfde opvattingen zou zijn toegedaan. Jij hield je angst meer voor jezelf. Jij had geen last van uitbarstingen. Jij huilde niet en liep niet weg. Ik wilde dat ik meer op jou had geleken.

Lars-Ivars reactie als het misliep en er geen werk was en geen geld voor de huur, bestond uit op de bank gaan liggen en slapen. Tegenwoordig weet men dat te pas en te onpas slapen een teken van depressie is. Maar als je getrouwd bent met een hysterica die aan slapeloosheid lijdt, lijkt het eerder een blijk van gezondheid en sterke zenuwen.

Dat het bij mij in de familie zat, was van het begin af aan al verontrustend geweest. Zolang mijn angst zich uitte in fysieke aandoeningen was er niets aan de hand. Maar nu waren mijn lichaam en geest dat rollenspel zat en kon ik nergens meer heen.

Mijn angst zette zich om in nukken, verzet, opstandigheid zoals toen ik die inktpot tegen de muur smeet. Enkel om Lars-Ivar te tarten en een klap in mijn gezicht te krijgen.

Dokter Enar Sundbom zal mij onder handen nemen en me rustig en blijmoedig, tam en volgzaam maken. Tot een moeder die in staat is te slapen met een kind bij zich in bed.

En met een man.

Dokter Sundbom is een wat gezette heer van in de vijftig. Een joviaal figuur, zou je kunnen zeggen. Gemoedelijke glimlach. Vriendelijke blik achter dikke brillenglazen.

Terwijl hij luistert, klikt hij zijn balpen open en dicht, klik klak, klik klak. Het is een chic ding met zijn naam erin gegraveerd. Af en toe maakt hij een aantekening. De derde week wordt de rorschach-test afgenomen. (Een serie inktvlekken waarvan de patiënt moet zeggen wat hij erin ziet. De antwoorden geven informatie over zijn instelling en reactiepatronen.)

Ik blader door de afbeeldingen waar de inktvlekken lukraak lijken neergekwakt. Er zijn kleine en grote, sommige hebben duidelijke contouren of vloeien uit aan de randen. De dokter zit gespannen naar voren en luistert naar mijn aarzelende overwegingen. Hij maakt maar één opmerking. Het betreft een blad met grotere vlekken. Ik beschrijf ze stuk voor stuk: een hond, een voet, een kast enzovoorts.

'Aha', zegt hij. 'Dus je ziet niet de contouren die in groter verband de afbeelding van een olifant vormen?' Nee, dat had ik niet gezien, maar nu de dokter het zegt...

Het komt in me op dat het een slechte vrouwelijke eigenschap is om in details te blijven hangen. Sivert en Lars-Ivar hadden vast meteen de olifant ontdekt.

Toen de sessie bijna afgelopen was, verzamelde hij de kaarten.

'En, wat denkt de dokter ervan? Wat komt eruit?'

Hij glimlachte vaderlijk en zei dat we het daar in een later stadium van de behandeling over zouden hebben. Een veel later stadium.

Ik was dus nog niet rijp om mijn onderbewuste te ontmoeten.

We hadden best hooggespannen verwachtingen van het contact met de psychiater, Lars-Ivar en ik. Ons was nadrukkelijk verteld dat het om een *proces* ging dat langere tijd kon gaan duren. Maar we waren er niet op voorbereid dat ik opeens slechter kon worden. Mijn angsten die tijdens het zomerse wapenbestand hadden liggen sluimeren, ontwaakten, rekten armen en benen en sloegen met onverminderde kracht toe. Daar hadden we de spoken weer uit de gordijnen van mijn jeugd, de geesten die overdag in het oude schuurtje op de binnenplaats woonden maar in de schemering door mama's tochtstrips naar binnen kropen en fluisterend, giechelend, ritselend en sissend de kamer vulden met hun uitdrukkingsloze gezichten en hun klamme vingers over mijn luchtpijp legden om me te doen stikken.

Mijn zelfbedachte shocktherapie had haar magie verloren en de professionele therapie werkte nog niet. Gelukkig bracht de herfst ook de Zweedse modeshows met zich mee en veel tekenwerk voor *Bonniers Månadstidning* en *Kvinnans Värld*. Voor Märthaskolan kon ik weer een serie advertenties tekenen aan het begin van het winterseizoen. Van een uitgeverij kwamen twee opdrachten voor de omslag van tienerboeken.

Lars-Ivar had zicht op een nieuwe klant. Jerker had een vriend die artistiek directeur was. Misschien hadden zij een opdracht voor Lars-Ivar waarin zijn bijzondere talent tot zijn recht zou komen?

Onze zonen begonnen het najaar met door de zon gebleekte haren en ze waren uit hun opgelapte broeken gegroeid. Voor Svante lagen in een doos op zolder de afgedragen kleren van zijn grote broer. 'Voor Svante later' had Lars-Ivar erop geschreven. Het meeste in de doos was op de knieën en ellebogen versteld. In de handwerkles had ik ondanks alles geleerd kapotte broeken en overhemden te verstellen.

Veel later kwam ik erachter dat onze jongens het gesprek van de dag waren met hun armoedige kleren.

Ik bezat dus twee moederlijke eigenschappen. Ik was goed met de stopnaald en in het vinden van lapjes die pasten bij het blauw van de broeken en het een seizoen uithielden. En ik was goed in het bakken van verscheidene soorten cake en koningsrol. Toetjes behoorden ook tot mijn terrein. Maar je moest van mij geen flink baksel tarwebolletjes verwachten of een partij broden die lagen te rijzen onder een roodgeruite theedoek.

Ik had ook nooit, zoals veel anderen, een breitas bij me. De rantsoenering van textiel in oorlogstijd was nog merkbaar in de breimanie. Die speciale beweging van de elleboog om de bol in beweging te krijgen en meer wol los te trekken. Of de manier waarop vrouwen midden in een zin ophielden om steken te tellen. En dan had je er nog die patronen inbreiden en meerdere bollen in de gaten moesten houden. Alle damesbladen voorzagen in breipatronen. Er waren zelfs gespecialiseerde breiboeken.

Je kent het wel, Alberte. Jeanne die Marthe kleedde in prachtige gebreide kleding die nog leuk stond ook, terwijl bij jou voortdurend mislukte waar je zo ambitieus aan begon voor Lillen, je zoontje.

Voordat Svante geboren werd heb ik trouwens een roze truitje gebreid met bijpassend mutsje (ik wilde namelijk zo graag dat het een meisje werd. Voor een modetekenares is het veel leuker om kleren voor een meisje te kopen.) Het stelletje dat ik gemaakt had was wel héél klein. Een meer ervaren vriendin wees erop dat ik te dunne wol had gebruikt.

Het werd een jongetje dat op de kraamafdeling het roze stelletje aankreeg dat precies paste. Een paar weken later was hij eruit gegroeid.

Alberte, we wilden zo wanhopig graag een capabele, zelfvoldane, perfecte echtgenote en moeder zijn. Zo eentje die 's nachts goed slaapt, haar man eraan herinnert dat hij een schone onderbroek moet aantrekken en er altijd voor zorgt dat er een schone in de kast ligt.

Mijn kindergebedjes aan de Almachtige gingen over de Dood en Goede God zorg dat ik een normaal meisje word.

Het was me zelf niet helemaal duidelijk wat ik bedoelde met 'een normaal meisje'. Maar in ieder geval niet zoals ik was, dat was de boodschap. We herinneren ons allebei dat je in extase tegen de zon fluisterde: 'Doe met me, Leven, wat je wilt, maar laat me begrijpen, zien en tot inzicht komen.'

Dat was een veel mooier en verhevener gebed dan het mijne en God moet het met achting hebben ontvangen en een beetje extra over je gewaakt hebben. Ook al was het niet direct aan God gericht maar aan het Leven. Maar volgens hem was dat vast hetzelfde.

Aanvankelijk zag het er misschien naar uit dat ik een heel normaal meisje was, ik bedoel op het eerste gezicht. Een heel innemend normaal meisje waar een moeder tevreden over kon zijn.

De reine en onzelfstandige, hem adorerende jonge vrouw op wie Lars-Ivar verliefd werd, was niet mijn ware ik.

Dat was het meisje dat ik wilde zijn. Tegelijkertijd werd ik voor mijn moeder een koppige en ongehoorzame dochter. Ik deed niet langer wat zij wilde. Ik deed wat Lars-Ivar wilde.

Tot dan toe had God verhinderd dat ik echt abnormaal werd.

Maar toen ging het mis. En God wendde zijn gezicht af. Was het überhaupt mijn kant op gericht geweest?

Ik ontspoorde. Als een mooie plant die Lars-Ivar voor een zacht prijsje op de kop had getikt en waarvan tot zijn ergernis de bloem de verkeerde kant op groeide en daarmee een groot deel van zijn charme verloor. Wat overbleef, was dat ik goed kon tekenen, maar zelf niet wist welke tekeningen goed waren.

Het was mooi dat ik geld verdiende, maar het ware beter geweest als hij het verdiend had.

Ronduit slécht waren al die uitbarstingen, aanvallen en hysterische buien die absoluut niet pasten in het repertoire van een normaal meisje.

De eerste herfst met dokter Sundbom betekende dus een terugval. De angsten werden erger en er kwamen nieuwe bij. Zoals wanneer mijn moeder ons kwam helpen in het weekend of als er een gat tussen twee kindermeisjes viel. Dan lag ik blèrend op de badkamervloer en riep: 'Haal haar weg. Haal haar weg!'

In Lars-Ivar had mijn moeder inmiddels een bondgenoot gevonden. Het was twee tegen een. De hele stad tegen een. God, mijn moeder, Lars-Ivar en de stad tegen een.

Maar ik werkte door. Mijn hele leven heeft mijn werk ervoor gezorgd dat ik niet langdurig ben opgenomen in een psychiatrische kliniek. Mijn beroep verschafte me plezier, vrijmoedigheid, zelfverzekerdheid en roekeloze creativiteit. Ik probeerde nieuwe vormen en combinaties uit. Ik maakte een collectie voor een fabriekje dat zich gespecialiseerd had in linnen stoffen. Ik bemoeide me ook met het verven. Fel turkoois, paars, indigoblauw, vermiljoenrood, ceriserood, smaragdgroen.

Ik werd gevraagd de kostuums te ontwerpen voor een openlucht-voorstelling. Ulla, de weduwe van onze geliefde Svenne, hielp me de stoffen te verven in vergane aardkleuren. Tegenover het lindegroen van de acteurs waren de kleuren van het koor gebrand omber en kanariegeel. Ik was altijd vrij van angst in mijn scheppende perio-des. Iedere minuut was een feest.

Toch was de angst zelf de motor. Die joeg me voorwaarts.

Als dokter Sundbom erin geslaagd was me van mijn angsten te bevrijden, zou dat voor het gezin een enorme terugval in inkomsten betekend hebben.

*

De kersttoestanden waren voorbij. Dit jaar hadden we het koorts-achtig ongeduld van de kinderen en hun gekibbel in afwachting van de kerstcadeautjes verkort door al om vier uur 's middags te begin-nen met uitdelen. Het schemerde en de kaarsjes konden kerstachtig schitteren en schijnen.

De buurkinderen, door uitgeputte, jachtige ouders op ons dak gestuurd, bleven met stomheid geslagen staan toen ze onze kinderen rozig en uitgelaten tot over hun oren tussen het kerstpapier zagen zitten terwijl uit de platenspeler kerstliedjes klonken.

'Wij', zei Lars-Ivar vriendelijk, 'gaan zo met de kerstcadeautjes beginnen.'

De kinderen maakten rechtsomkeert en stormden naar huis om verslag uit te brengen. In dit soort dingen waren we het altijd eens, Lars-Ivar en ik.

In januari zou ik naar de gebruikelijke haute-couturemodeshows in Parijs gaan. Volgens dokter Sundbom zouden mijn zenuwen het wel redden.

Ook in de ogen van Lars-Ivar en de rest van mijn omgeving leek ik rustiger, minder lastig en vluchtgevaarlijk. Als beloning was hij opgehouden mijn misstap op te rakelen en me er iedere ruzie mee om de oren te slaan. Hij en dokter Sundbom wisten niets van de angst en het verdriet die over me kwamen wanneer de dokter ritueel zijn pen neerlegde en zijn 'Ja, dat was het dan voor vandaag' uitsprak, en ik de hal in liep, mijn jas aantrok en de assistente de deur achter me dichtdeed.

Al op de deurmat begon ik te huilen. Snikkend liep ik de pompeuze trap af die in de bocht verlicht werd door een glas-in-loodraam in Jugendstil. Daar hield ook de leuning even op. Hier durfde ik mijn tranen de vrije loop te laten. De praktijk van de dokter lag op de derde etage en er was een lift. De kans dat ik iemand op de trap zou tegenkomen was klein.

Na iedere sessie besefte ik dat ik het belangrijkste niet had gezegd. Nu denk je misschien dat ik dat dan volgende week wel te berde zou brengen. Maar zo ging het niet. Je kent de Franse uitdrukking 'l'esprit de l'escalier'. Daar leed ik aan.

Er was *Bonniers Månadstidning* veel aan gelegen dat ik naar de seizoenmodeshows in Parijs zou gaan.

'Maar als ik nou bang word?' had ik tegen dokter Sundbom gezegd. 'Als ik last krijg van eenzaamheidsangsten. Het Vingåker-syndroom.'

Hij herinnerde me eraan dat ik daar nooit last van had wanneer ik in een hotel logeerde. Omdat ik wist dat er altijd iemand in de receptie zat. Ook 's nachts.

Lars-Ivar moedigde me ook aan te gaan. We hadden toevallig net een opmerkelijk goed kindermeisje, de Duitse Hildegardt, een joods oorlogskind dat aan het begin van de oorlog gered was en geadopteerd door een Zweeds gezin. Maar in haar genen had ze de Duitse ordelijkheid en grondigheid. Mijn moeder, die altijd kritiek had op deze meisjes die in ons gezin een gastrol speelden, was erg tevreden over haar.

Lars-Ivar vond ook dat ik dit keer wel een tweedeklas zitcoupé kon nemen. Naar continentale maatstaven betekende dat met flu-weel beklede banken, opklapbare armleuningen tussen iedere zit-plaats en een nekkussentje met een stukje schoon wit linnen om je hoofd tegen te laten rusten. Leeslampjes van melkglas, in de vorm van geopende tulpen.

De coupé biedt plaats aan zes passagiers tegen acht in de derde klas. We zijn slechts met z'n drieën. Ik en een oudere heer met vrouwelijk gezelschap. Ik denk niet dat het zijn echtgenote is. Ze zit te rechtop en constant schuin naar de oudere heer toe, een magere edelman in lange jas met persianer kraag. Op dit moment ligt de jas als een plaid over zijn benen. De man voert het woord. Hij heeft grote, gelige tanden die een beetje uit elkaar staan. Hij praat tegen de dame, die ongetwijfeld betaald krijgt om hem te begeleiden en naar zijn nasale, krakerige oudemannenstem te luisteren.

Nu praat hij over een party waar hij naartoe is geweest. Hij zegt dat het bijzonder aangenaam was geweest, helemaal niet langdradig, maar de gastvrouw was dan ook zo innemend en 'toujours' en wist het iedereen naar de zin te maken. Ik begrijp dat ze vanuit Parijs zullen doorreizen naar Nice. Ze hebben kamers in het vermaarde Hôtel Angleterre, dat richting Cimiez ligt. De Engelsen hebben het altijd al begrepen. In deze tijd van het jaar moet je niet aan zee verblijven. Dat is te guur, volstrekt niet prettig.

31

Ik arriveer in Parijs. Het is koud en guur; mijn reisgenoot zou het bijzonder onaangenaam hebben gevonden. Alberte, niemand kent beter de grijze nevel en de wind die door de nauwe straatjes huilt en door mantels, truien, sjaals, mutsen en handschoenen heen dringt. Nee, niets is zo erg als Parijs in januari. De ruiten van de cafés zijn beslagen door adem en vochtige kleren. Jij weet ook hoe slecht het gesteld is met de verwarming in mijn kamer op de vierde verdieping in het eenvoudige hotel op Rue Mabillon. De enige radiator, drie, hoogstens vier buizen breed, staat bij de deur naar de gang. Het raam, eerder een balkondeur, waarvoor twee dunne, smoezelig witte gordijnen opwaaien als het kraakt en knarst in de raamstijlen.

Jij weet wat je allemaal aan moet trekken voordat je in het ijskoude bed kruipt, veel te breed om ooit door één persoon op-gewarmd te worden. Gezegend degene met een lange, brede sjaal – die heb ik – om rond je buik en onderrug te wikkelen.

Achter een kamerscherm een wastafel en bidet. De kraan waar 'froid' op staat, geeft weerbarstig een dun straaltje wárm water af.

Bij aankomst, na anderhalf etmaal in een trein en roet in al je poriën en je haar zo stug als stro, wil je wel een bad, s'il vous plaît. Jij weet, je ziet voor je, hoe madame geïrriteerd haar schouders op-haalt, zucht, haar mondhoeken laat zakken, een achteloos gebaar met haar rechterhand maakt en ten slotte zegt dat ze het met monsieur zal bespreken. Het etablissement heeft twee badkamers. Een op de eerste en een op de tweede verdieping. Er moet een warmwaterinstallatie opgestookt worden en dan duurt het nog een halfuur. Een bad kost extra, uiteraard, dat begrijpt mademoiselle?

Ik zeg dat ik graag extra betaal, wat het ook moge kosten.

Dan kijkt ze me verontrust aan. Ik ben toch niet zo'n gast die iedere dag een bad wil? Zoals de Engelsen? Het was tijdrovend om water op te warmen en na afloop het bad schoon te maken, alsof ze nog niet genoeg te doen had…

Dan komt monsieur erbij. Een krom figuur, met dun haar en een veel te zware buik. Hij ademt wijn en Gauloises over me uit en maakt niet de indruk van grote hulp te kunnen zijn. Maar het is in ieder geval een kerel en madame trekt een veelbetekenend gezicht dat ze altijd al gezegd heeft dat je beter aan heren kunt verhuren. Die vragen niet te pas en te onpas om de badkamer of doen wasjes in het bidet en hangen het goed stiekem aan een lijntje tussen de kraan en het kamerscherm te drogen…

Ik maak me weinig geliefd met mijn verzoek om een bad als ik net gearriveerd ben.

De gebruikelijke blijdschap over het feit dat ik in Parijs ben, blijft uit. Is het vanwege de kou? Maar in de drukke modehuizen is het warm genoeg en boven in het hokje van 'madame qui s'occupe de la presse' is het een sauna, klam en benauwd, ellebogen in je zij, gemene porren, hakken die zich niet bekommeren om waar ze op trappen.

Zo is het altijd geweest.

Op de derde dag krijg ik last van diarree. Zeker van die kalfs-ragout in dat studenteneethuisje aan de Rue Jacob.

Het is geen pretje om steeds weer je schoenen aan te trekken en je jas over je nachtgoed om de dichtstbijzijnde wc op te zoeken, verstopt in een nis bij de trap. Van zulke omzwervingen raken zelfs minder angstig aangelegde mensen in paniek. In mijn nek vraten kleine vossen zich een weg naar mijn zenuwgestel. In elkaar ge-kropen, in een deken gerold lag ik de hele nacht wakker, wederom in afwachting van de dood.

Nee, ik was nooit eerder bang geweest in een hotelkamer in Parijs. Daar waren dokter Sundbom en ik het over eens geweest. Maar om de verafschuwde docent Duits van de middelbare school te citeren: 'Geen regel zonder uitzondering.'

Ik bel Lars-Ivar. Zodra ik zijn stem hoor begin ik te huilen. Mijn snikken zijn als waterbestendige censuurinkt over de regels in een brief. Er komt geen woord doorheen.

Midden onder deze waterval roept hij dat ik later opnieuw moet bellen.

Ik hoor hem iets zeggen over Preparyl.

Maar in eerste instantie is het mijn maag die opspeelt.

De schoonmaakster die de kamer wil komen doen, deinst geschrokken achteruit als ze mijn gezicht ziet. 'Malade', fluister ik.

'Probablement la grippe?'

Ze klinkt bezorgd en maakt dat ze wegkomt met haar zwabber en emmer water.

Ik probeer twee Preparyl in te nemen, maar ik braak ze gelijk weer uit. De angst die nu bezit van me neemt verdrijft mijn tranen. Een voorwaarde voor tranen is toch een bepaalde mate van ontspanning.

Ik bel naar madame beneden en vraag of ze nog een keer een gesprek wil aanvragen met Svarttuna, Suède. Haar verzuchting onthult dat ze dit vanaf het eerste moment gevreesd had. Dat ik een lastige klant was.

Dit keer weet ik me verstaanbaar te maken. Hij hoort wat ik zeg en dat bevalt hem niets. Ik zeg dat ik wil dat hij me in Parijs komt ophalen.

Zijn lach klinkt droog en geïrriteerd. Wat een idiotie. Hij kan de kinderen toch niet zomaar achterlaten? Een van de ouders moet toch bij ze zijn?

'Ja maar Hildegardt, die is toch zo...' snik ik.

'Geen sprake van. En het geld, waar moet ik verdomme het geld vandaan halen?'

'Je bent toch bezig met die opdracht voor die vriend van Jerker? Kun je niet om een voorschot vragen?'

'Ben je helemaal gek geworden? Bij een nieuwe klant? Ik ben nog maar in het ontwerpstadium met de opdracht.'

'Maar ik ben zo bang, ik ben zo vreselijk bang, Lars-Ivar. Ik heb niemand en hier in het hotel zijn ze de hele tijd kwaad op me omdat mijn diarree zoveel extra werk meebrengt voor de werkster, anders gaan de andere gasten klagen...'

'Signe, raap jezelf bij elkaar, verdomme. Die buikklachten zijn over een paar dagen over, het is logisch dat je daar slap van wordt. Probeer je een beetje te beheersen. Wees flink, dokter Sundbom heeft toch gezegd...'

'Ja, dat weet ik. Dag.'

Ik hing op en realiseerde me dat ik niet eens had gevraagd hoe het met de kinderen ging.

Een telegram van *Bonniers Månadstidning*. 'Neem direct contact op met madame Jeannouis, de persdame van Schiaparelli. Het tijdschrift heeft een interview gekocht met madame Schiaparelli. We willen een tekening van het interieur van haar huis plus drie modetekeningen uit haar nieuwe collectie. Neem contact op met de Engelse fotograaf James Hood, Hôtel Notre Dame, voor een portretfoto. Deadline de negende.'

Het wonder voltrekt zich nog een keer. Als een afgepeigerd wedstrijdpaard kom ik bij mijn positieven voor een nieuwe race. Ik raap mezelf bij elkaar en bestel een bad, het is nog vroeg in de middag. Geen tijd om mijn haar te doen, maar een beetje lippenstift en mascara, de ranke schoentjes met hak; hier kun je niet met sportieve wandelschoenen verschijnen.

De zwarte alpinopet, schuin naar mijn linkerwenkbrauw getrokken. Het sjaaltje twee keer rond de nek zoals de Parisiennes het dragen. In het café op de hoek drink ik een kop thee en werk een tartine met boter naar binnen.

Mijn maag protesteert verbaasd. Maar ik word niet misselijk.

Modehuis Schiaparelli ligt aan de Place Vendôme. Een uitnodiging met de handgeschreven aanbeveling om s'il vous plaît deze Zweedse tekenares te ontvangen. Alles gaat heel snel.

Eenmaal in Faubourg Saint Honoré ga ik een poort binnen en weer door een deur naar buiten zodat ik in de tuin kom, weliswaar in winterslaap maar toch prachtig met mooie bomen en rozenstruiken waar nog een enkele bloem in zit.

Recht voor me ligt een kasteeltje uit de achttiende eeuw. Daar woont madame Schiaparelli. Een dienstbode in zwart-wit pakt mijn mantel, alpinopet en sjaal aan en vraagt me de salon binnen te gaan met hoge Franse deuren naar de tuin toe. Madame maakt haar entree. Een elegante, magere vrouw met scherpe trekken. Kort zwart haar. Lange, bordeauxrode nagels. Zwart mantelpakje met sterk getailleerd jasje. Enkellange, strakke rok. Achter haar wacht de dienstbode met de jas van sabelbont.

Madame is bijzonder vriendelijk en welwillend. Ze moet helaas weg, maar la petite mademoiselle moet maar doen alsof ze thuis is, s'il vous plaît, en natekenen wat haar bevalt; de kamer is de komende uren vrij. 'La bonne zal een kopje thee brengen, het is frisjes vandaag, nietwaar mademoiselle? Bonne chance, ma petite.'

Ik ben alleen. Het is erg koud. De thee verwarmt meteen, maar kortstondig. De pracht van de kamer kan de tocht langs de vloer niet verhullen, waardoor mijn tenen als klompjes ijs in mijn nette schoenen liggen. Maar ik ga zo zitten dat ik mijn voeten half in een langharig kleed kan schuiven.

Ik had nog nooit een interieur getekend en nu zat ik hier dus met rococostoelen, een secretaire met gedraaide poten, een tweezitscanapé voor verliefde stelletjes, een prachtige kast met handgeschilderde taferelen van herders en herderinnetjes, cupido's die zwaar fluwelen gordijnen ophouden...

Met dunne inktlijnen wist ik het weer te geven. Ik had met vooruitziende blik een geruite doek uit oma's handgeweven, inmiddels versleten linnen uitzet bij me. Die legde ik op een tafeltje, zodat ik er het water, de pot Oost-Indische inkt en het droogdoekje op kon leggen.

In mijn map kwamen twee verschillende tekeningen van de kamer. Een ervan heb ik nog steeds. De tekening die paginagroot in *Bonniers Månadstidning* werd afgebeeld. Ingelijst. Helaas is hij op goedkoop papier gemaakt dat licht sepiabruin geworden is.

Door en door koud, maar voor de rest fris en monter, ging ik naar het dichtstbijzijnde restaurant en at warme groentesoep, een kalfslapje met aardappelpuree en crème karamel. Mijn maag had zich eerst afwachtend opgesteld, maar werkte algauw gewoon mee. Een jongeman schuin tegenover zat de hele tijd naar me te kijken. Toen ik het laatste restje karamelsaus van mijn bordje schraapte, glimlachte hij waarderend, maar ik wendde blozend mijn blik af en vroeg om de rekening.

Buiten op het plein kreeg ik spijt. Als hij met me mee was gegaan naar het hotel had ik in ieder geval deze nacht niet eenzaam, bang en kleumend hoeven doorbrengen. Maar Madame zou hem vast niet hebben binnengelaten. Of misschien juist wel? Om vervolgens een tweepersoonskamer in rekening te brengen?

Mijn angst voor de eenzaamheid was niet erg kieskeurig, er was geen voorkeur voor een speciaal iemand. Iedereen die leefde en ademde kwam in aanmerking.

In mijn sleutelvakje lag een bericht. Monsieur James Hood had gebeld en wilde dat ik terug zou bellen.

De volgende dag klopte hij compleet met foto-uitrusting op mijn deur. Ik weet niet wat hij heeft gedaan om zo makkelijk voorbij de 'zedenmeester' beneden te komen. Of had hij gewoon een bankbiljet onder het gastenboek geschoven?

James, tweeëndertig jaar, dun van haar, vierkante bril zonder montuur, een glimlach die in het begin wat nerveus en stijfjes was en een blik die direct en oprecht was, vooral wanneer hij veranderde van afwachtend in blij verrast.

Als iemand het antwoord was op het gebed van de Maagd, was het op dat moment James Hood wel!

De zakelijke kant wikkelden we snel af en toen doken we tussen de lakens. Zie je wel, met z'n tweeën werd het vlug warm. Dat kon ik nog net denken voordat de roes zich van me meester maakte. De eerste keer hielden we het nog bij kussen en strelen.

Daarna nam hij me mee naar de buurt rond het Gare Montparnasse, waar we lunchten in een crêperie. Dunne, opgerolde flensjes gevuld met ham, uien en champignons. Als toetje flensjes van een lichtere meelsoort met chocola en slagroom erin.

Je hoorde er cider bij te drinken. Eerst smaakte het zoet, maar het had een bittere nasmaak en ik ging over op mineraalwater.

Voor het eerst in al die dagen en nachten die ik in Parijs had doorgebracht liep ik met de arm van een man rond mijn schouder, een hand die me plotseling vastgreep, omdraaide en kuste midden onder een straatlantaarn. Als in de bioscoop, ja, net als in de film.

Bij de apotheek kocht hij condooms terwijl ik aan verscheidene gezichtscrèmes rook die voor dat doel stonden uitgestald. Franse apotheken hebben altijd IJdelheid verkocht naast geneesmiddelen op recept.

Toen we terugkwamen in het hotel zat er niemand in de receptie.

James stapte kalm achter de toonbank om de sleutel te pakken.

Ja en toen, Alberte, was ik niet meer eenzaam.

Lars-Ivar belde kort, twee gesprekseenheden, en ik zei dat alles goed ging, ik werkte en hij klonk zo tevreden toen hij zei: 'Wat heb ik je gezegd? Ik wist wel dat je het zou redden.'

'Zeg,' zei hij toen gehaast, 'kun je me telegraferen welke trein je neemt en hoe laat die in Kopenhagen aankomt? Ik was van plan je daar op te halen. Dan kunnen we een paar dagen samen doorbrengen.'

Klik en het gesprek was ten einde.

Mijn hand die de hoorn vasthield trilde licht. Over tien minuten had ik met James afgesproken bij Café Flore om een aperitiefje te drinken.

Voor hem een calvados, voor mij ananassap.

Daarna aten we in het restaurant schuin tegenover École des Beaux-Arts, waar ze een van de beste en goedkoopste spijskaarten van de stad hadden. Die avond hoefde ik niet te werken. Alles waar haast mee was, was per expres verzonden. Het was dus vrijavond, zogezegd. We zouden de avond besluiten in een kleine boîte achter de kerk Saint Germain des Prés. Daar speelden twee zwarte artiesten blues. Die nacht bracht ik door in zijn hotel. Vanuit zijn raam had hij uitzicht op de met schijnwerpers verlichte Notre Dame die zich spiegelde in de Seine.

Het was mijn laatste nacht in Parijs. Ik was vergeten dat hij alleen maar iemand was die op het juiste moment op het toneel was verschenen toen ik bang was.

We wilden elkaar met hart en ziel.

We durfden het nooit onder woorden te brengen; ook James was getrouwd, hij had vrouw en kinderen in Leicester, Engeland. Zijn vrouw was katholiek en een scheiding uitgesloten. Ze bleven dus in de echt verbonden, ook al woonde hij lange perioden in Parijs.

Nooit vergat hij het condoom. Daarna konden we ons woordloos, hitsig buiten adem en gloeiend van wellust overgeven en meer, meer, tot we met een gesmoorde kreet in elkaar verzonken en één werden.

De laatste dag. Ik ben aan het pakken. Ik heb een nacht extra betaald om de kamer overdag te kunnen houden. De Nordexpress vertrekt pas 's avonds laat. Ik ben net de tekeningen in de map aan het sorteren als hij onverwacht langskomt. Zijn haar zit in de war en zijn gezicht staat gekweld.

'Mijn god, Signe, ik wil niet dat je gaat.'

Hij omhelst me, we staan heel stil, heel dicht tegen elkaar als hij me heftig begint te kussen en we op de grond glijden en hij in de tocht van de balkondeuren weer in me komt.

Later beseffen we dat we het onverantwoord zonder hebben gedaan.

Daarom was het ook zo heerlijk en extatisch wild. De Fransen geloven in het bidet. Als de vrouw meteen haar schoot in warm water dompelt, laten de zaadcellen zich gehoorzaam wegspoelen, ja falderaldera.

Je weet, Alberte, dat dat een sprookje is; een wensgedachte van mannen. Toch doet iedereen het.

James ging met me mee naar het Gare du Nord. De noordenwind bulderde over de perrons. De gereedstaande trein was hier en daar bedekt met sneeuw. Hij droeg mijn bagage de trein in, legde ze op het bagagerek, pakte vervolgens mijn koude handen en kuste ze aan de binnenkant en rillingen van verlangen sloegen door me heen. Mijn knieën hadden moeite me overeind te houden.

'Ik wacht niet tot de trein vertrekt. Ik kan het niet verdragen daar te staan zwaaien terwijl jij verdwijnt.'

Ik draaide natuurlijk toch het raampje naar beneden en zag zijn rug snel verdwijnen.

Hij keek niet om.

Ook op de terugreis had ik geluk. We zaten maar met z'n tweeën in de coupé. Mijn medepassagier was een oudere Deense dame die bij haar dochter en kleinkinderen in Parijs op bezoek was geweest. We gingen een comfortabele nacht tegemoet. We hadden ieder een bank om op te liggen en in de coupé was het een stuk warmer dan in mijn hotelkamer. Zoals gebruikelijk werden we aan de grenzen gewekt. Mannen in uniform rukten bruusk de coupédeur open en wachtten ongeduldig terwijl slaapdronken mensen in zakken en tassen naar hun paspoort zochten. Soms bevalen ze ook de bagage uit het rek te halen en te openen, maar ons vielen ze daarmee niet lastig. Twee vrouwen, allebei met een trouwring aan de linkerhand, waren geen potentiële smokkelaars.

Ik had diep geslapen. Af en toe was ik wakker geworden wanneer de trein stopte. Mijn lichaam herinnerde zich dan blij hoe heerlijk we het op het laatste moment hadden gehad. Ik probeerde aan andere dingen te denken, aan een toekomst waar ons vast minder prettige dingen te wachten stonden. Ik haalde een Preparyl te voorschijn. De coupé uit op zoek naar water. Alle karaffen leeg. Boven het fonteintje in de wc stond in drie talen dat het water ongeschikt was om te drinken. De afschuwelijke smaak als je zo'n tablet droog inslikt, het bittere zuur valt nergens mee te vergelijken. Alle poriën in je lichaam trekken zich samen als bij plotselinge kou.

Bij de Duitse grens werd het drukker. We moesten onze spullen bij elkaar rapen en rechtop gaan zitten. De smaak van een dood vogeltje in mijn mond. Ik moest nodig plassen. De restauratiewagen ging vroeg open. Ik was een van de eerste gasten.

O, dat simpele lichamelijke genot van een kop hete koffie met melk en een vers broodje met boter en marmelade. De primaire bevrediging warm en verzadigd te raken, jezelf tot de rand toe te vullen zodat er geen ruimte meer is voor angst. Nog een broodje opensnijden misschien, 'ja' zeggen tegen nog meer koffie en weer opnieuw beginnen terwijl je ogen de regen volgen die langs de ruiten stroomt, en daarachter modderige akkers, kale wilgen, rijen lage huizen, een groter huis met stal, een groepje schapen dat zich onder een grote boom staat te verdringen, tingelingeling, een spoorwegovergang met onuitgeslapen mensen over hun fiets geleund, wachtend tot de spoorbomen weer open gaan.

De regen gaat over in natte sneeuw. Op de veerboot over de Grote Belt mogen een paar rijkelijk belegde sneetjes smørrebrød de beschermlaag van lome verzadiging komen versterken. Daarna kun je in de rij gaan staan om te kijken naar mensen die sterkedrank en sigaretten kopen. Zelf doe ik ook inkopen. Een slof Camel, twee grote repen chocola en een blikje vruchtenzuurtjes.

Door water over te steken krijg je meer het idee van het ene land naar het andere te gaan. Ineens is Kopenhagen heel dichtbij en komt het besef boven.

Het besef van wat ik gedaan had. Ik zag de zinloosheid ervan in. Toen kwam eindelijk de spijt. Dikke proppen slijm in mijn keel die ik nauwelijks kon wegslikken. Het kleine flesje citronil dat ik op de boot gekocht had was gauw leeg. We zitten weer slechts met zijn tweeën in de coupé als we door de natte sneeuw het station naderen waar we allebei moeten uitstappen.

De terugreizen in januari door Denemarken hebben mij het idee gegeven dat dit het land is van natte sneeuw. Als we het centraal station binnenrijden vallen er eindelijk echte sneeuwvlokken.

Daar staat hij op het perron zijn vrouw op te wachten. Zijn ogen speuren langs de wagons. Ik zie dat zijn pet en schouders wit zijn van de sneeuw. De conducteur maant ons ongeduldig op te schieten met uitstappen, een Franse conducteur zoals je begrijpt. Toch helpt hij me met de grote koffer. Als altijd is de map met tekeningen mijn kostbaarste bagage. Ik had er bruin pakpapier omheen moeten doen. Stel je voor dat er vocht binnendringt.

'Lars-Ivar, Lars-Ivar, hier ben ik.'

Hij draait zich om, zijn gezicht licht op, hij kijkt gelukkig, hij rent naar me toe.

Ik heb besloten niets te vertellen over James. Nee, niets zeggen over James.

Sneeuw valt van Lars-Ivars pet en plamuurt mijn brillenglazen dicht.

'O Signe! Eindelijk. Ik heb zo lang op je gewacht. De trein was twee uur vertraagd. Welkom, mijn liefste.'

Hij kust me. Zijn lippen zijn ijskoud. Ik realiseer me hoe warm de mijne aanvoelen en dat hij natuurlijk denkt dat die warmte van binnenuit komt. Maar het is slechts een klimaatkwestie. Vanbinnen zit een steenkoud hart dat doodsbang tekeergaat.

Hij laat me los, lacht om mijn besneeuwde brillenglazen, pakt een zakdoek en veegt ze schoon, glimlacht liefdevol als hij de bril op mijn neus terugzet. Hij zegt: 'Signe, ik heb erover nagedacht. Als je het gered hebt in Parijs, zetten we een streep onder alles wat er gebeurd is.'

En ik weet dat hij met 'gered' bedoeld: zonder gedoe met een andere man.

'Wees braaf in Parijs', had hij gezegd. 'Een braaf meisje.'

En ik zeg het: 'Nee, ik heb het niet gered in Parijs.'

Dan ruk ik me los, storm huilend en nagenoeg verblind weg, ik weet niet waarheen. Ineens ben ik op een brug, ik huil, het snot bevriest onder mijn neus, ik zie nauwelijks iets, moet blijven staan, grijp me vast aan de met ijs bedekte reling, de neiging om me eroverheen te werpen, wat moet ik anders? Zo'n onmogelijk mens als ik, een vrouw die niet in staat is normaal te leven, zoals alle andere vrouwen, maar ik ben geen hoer, ook in Parijs heb ik me niet laten betalen. Iemand die met alle winden meewaait, waardeloos, een slechte moeder ook...

'SIGNE, SIGNE.'

Daar is hij. Hij pakt me stevig vast, draait me om, houdt me vast, omhelst me stevig terwijl hij huilt. Ja, Alberte, echt waar.

Lars-Ivar huilt.

'Niet doen, Signe. Je mag me niet in de steek laten. Ik hou toch van je...'

Een scène als uit een van die films waarin bruggen dienst doen als decor bij heftige gebeurtenissen. Je in de stroomversnelling storten, erin geworpen worden, tegengehouden worden bij de reling, net als ik nu...

Bruggen in de regen, in de maneschijn, in de mist, in een sneeuwstorm...

Maar zelden in de zon.

Bruggen als symbool voor iets wat zowel scheidt als verbindt.

'Nee, nee laat me gaan, laat me gaan', huil ik gesmoord. 'Het gaat toch niet. Ik deug nergens voor. Ik ben niet in staat om te leven.'

Maar hij weet me mee te krijgen, vindt een taxi die ons naar het Mission Hotel brengt, waar we ook logeerden toen we Den Lyseblaa Fabrik bezochten. Zijn hartstochtelijke handen en kussen, lichamen tegen elkaar onder de douche, en dan tussen de schone lakens waar hij me berijdt met een woestheid alsof het de eerste keer is.

We blijven er drie dagen en nachten. We gaan alleen de deur uit om warm te eten. Verder blijven we op onze kamer. Diverse blozende meisjes met het haar strak naar achteren in een streng gereformeerde knot brengen dienbladen boven.

'Ze denken zeker dat we een verboden avontuurtje hebben', lacht Lars-Ivar. 'Ze loten erom wie naar boven mag om een blik op de Zonde te werpen.'

De thuiskomst werd gekenmerkt door deze verhitte maar breekbare stemming van verzoening.

'Wat heb je gekocht? Wat heb je gekocht?' riepen de jongens luidruchtig.

Een blik zuurtjes. Voor elk een miniatuurautootje, Frans model, chocola voor Hildegardt. Mijn moeder, die zonder dat ik het wist de zondag voor haar rekening had genomen, wil geen chocola. Haar beloning komt maandagochtend, als de vriendinnen op school haar eens goed bekijken en zeggen: 'Wat zie je er moe uit, Hilma. Ben je bij Signe geweest?'

Na veertien dagen begint het duidelijk te worden dat het leven ook met mij heeft overdreven. Al is mijn menstruatie onregelmatig, zó lang over tijd ben ik nooit. Er verstrijken nog twee weken zonder dat ik ongesteld word. Er is geen twijfel meer mogelijk.

Ook Lars-Ivar begrijpt dat er onzekerheid is over het vaderschap. Ik heb verteld over het laatste, onbeschermde samenzijn in Parijs.

Lars-Ivar verbijt zich, de spieren in zijn kaken verharden zich steeds meer, maar hij heeft voor eens en altijd besloten dat dit kind van hem is. De derde op rij.

De oma's nemen het nieuws als volgt op.

Mijn schoonmoeder pakt een zakdoek en snuft: 'Maar hoe moet dat allemaal? Waar halen jullie het geld vandaan voor nog een kind?'

Mijn moeder zucht, pakt ook een zakdoek maar laat geen traan. 'Ik weet niet of ik dit wel aankan, nog eentje erbij', is haar reactie.

32

Je weet, Alberte, dat de beste smoes uit de wereldgeschiedenis niet opnieuw gebruikt kan worden.

Er verscheen een engel en die zei dat ik niet bevreesd moest zijn, dat ik zwanger zou worden en een zoon zou baren en dat hij verwekt was door de Heilige Geest.

Een andere engel, of misschien was het wel dezelfde, verscheen aan Jozef, mijn verloofde, om hem gerust te stellen, 'want', zo zei hij, 'wat in haar verwekt is, is uit de Heilige Geest'.

Mattheüs 1:20.

Daarop grondvestte men een hele religie.

Daarom kan niemand meer met dat verhaal aankomen.

33

De nawinter ontdooit en vriest weer op, sneeuw komt en gaat, maar we gaan het licht weer tegemoet, zeggen de mensen tegen elkaar. Aan de lange maand maart komt uiteindelijk altijd een eind en over april zegt de dichter 'Geen meimaand spreidt haar pracht/ als het lichtende april'.

Maar in mijn situatie gloort er nog geen licht. Tijdens mijn derde zwangerschap voel ik de dood steeds nabij. Ik weet namelijk zeker dat ik dood zal gaan tijdens de bevalling. Daarover bestaat geen enkele twijfel. Over het doodvonnis dat de hele tijd is opgeschort in afwachting van het juiste moment, valt niet meer te onderhandelen. Want de misdaad van deze vrouw is van dien aard dat deze alleen afgestraft kan worden met de dood. Bovendien rust er een vloek op me.

Het was een paar maanden na de Ontrouw. Op een herfstavond had ik mijn jas aangetrokken om ergens heen te gaan, waarheen precies weet ik niet meer, toen Lars-Ivar op de trap voor me opdoemde. Hij stond in het tegenlicht van de buitenverlichting, daardoor leek hij groter.

'Vergeet niet,' beet hij me toe, 'vergeet niet dat mijn haat je zal achtervolgen zolang ik leef.'

Misschien zei hij: 'zolang jíj leeft'. Misschien zei hij 'wraak' in plaats van 'haat'; maar het was een echte, oudtestamentische vervloeking.

Ondanks alles had hij me teruggenomen, ook al had ik het in Parijs niet 'gered' en kon het kind dat ik verwachtte van een ander zijn.

Zo grootmoedig. Zo buitengewoon genereus.

Maar ik vertrouwde hem niet. Voor de zekerheid begon ik zelf maar vast met de straf en mij kon je niet omkopen.

Svarttunastifelsen had een nieuwe deken, die ook een bekend dichter was. Er weerklonken niet alleen christelijke motieven in zijn gedichten, maar ook aardse wellust en begeerte, Jaloezie.

Er gingen ook een paar regeltjes over angst. *Als jouw adem* heette de bundel. De schrijver Peter Gråberg.

In mijn totale verlatenheid zoek ik hem op.

De enige die verder naar me omkijkt is Svante. Soms komt hij aan rennen, blijft staan om me zorgelijk op te nemen en blijft dan een poosje bij me. Hij kijkt om zich heen en noemt alle mooie dingen op die hij ziet. De lamp, het schilderij, de mooie bloem die ik voor jou heb gemaakt. Mama, nu ben je weer blij.

Hij lacht aanstekelijk. En als ik niet meteen opklaar, betrekt zijn gezicht en beveelt hij: 'Blij zijn, mama!'

En dan lach ik, til hem op, knuffel hem en zwaai hem een paar keer in het rond. Hij wil meteen weer neergezet worden en naar buiten naar zijn vriendjes. Zijn taak zit er op. Ze is weer blij.

Peter Gråberg was een tengere man met aandachtige ogen en een ongewoon intense manier van luisteren. Voorovergebogen, met zijn ellebogen leunend op zijn knieën. Zijn blik liet je geen moment los.

'Ik weet dat ik dan doodga. Ik weet het gewoon en als ik langs de oever loop, denk ik dat ik net zo goed het water in kan lopen en me laten zinken naar waar geen bodem meer is. In plaats van hier te zitten afwachten. Ik durf geen pillen te nemen, het zou te erg zijn voor de kinderen als ze me vinden en ik niet meer wakker word...'

'Hoelang moet je nog?'

'Vijf maanden.'

Het uitspreken van die enorme hoeveelheid dagen, nachten en uren vervulde me opnieuw met angst.

'Ik red het niet, dat weet ik zeker. Ik kan het niet.'

Toen begon hij over mijn godsbeeld en ik vertelde in één adem in achttien minuten het relaas van de Norrlandse God die strafte en teleurgesteld was dat de mensen zijn geboden zo slecht naleefden en van Genade hadden ze nog nooit gehoord daar bij oma en opa dus wist mijn moeder daar ook niets van je moest gehoorzamen en flink zijn en nooit vers wienerbröd eten nooit op een gemakkelijke stoel gaan zitten nooit 's ochtends lachen want dan huilde je voor het avond was...

'Maar Jezus Christus', probeerde Peter Gråberg.

'O, díé, met hem hielden die van de vrije kerken zich bezig, ze schreeuwden en vielen flauw in de banken en riepen "O Here Jezus, kom tot mij", dat soort dingen vonden ze bij ons veel te lijfelijk', onderbrak ik hem.

'Maar ze hadden toch wel gehoord van Gods barmhartigheid?'

'Welke barmhartigheid? Kijk naar mijn moeder. Een verlegen onschuldige jonge vrouw die door een domineesechtpaar zo uitermate geschikt werd bevonden om hun geestesieke zoon mee te laten trouwen. Het was een eenvoudig meisje en ze wist van niets maar in de huwelijksnacht verkrachtte en mishandelde hij haar zo dat de politie eraan te pas moest komen en hem naar de Kliniek bracht waar hij drie maanden moest zitten en daarna verwekte hij mij maar dat had niet gemogen er rustte een huwelijksverbod op zijn ziekte dat wisten ze best in de pastorie maar ze wilden van de verantwoordelijkheid af en ik had nooit geboren mogen worden de Erfelijkheid begrijp je wel ik was een vreselijke vergissing en na mij werd zij gesteriliseerd ze zeiden achteraf wel dat ze onmiddellijk van hem kon scheiden maar ze was erg vroom en zei dat ze God en zijn gemeente haar belofte had gegeven en ze droeg haar kruis de hele tijd bang dat haar dochter symptomen zou vertonen en ik heb die angsten nee ik weet dat het niet mijn vaders ziekte is maar ik word tot vreselijke dingen gedreven ik ben ontrouw geweest en dit kind zou niet niet... NIET.'

Daar begon ik te huilen, ik huilde zo verschrikkelijk dat snot en slijm alle luchtwegen verstopten en het leek me ineens heel waarschijnlijk dat je kon verdrinken in de watervloed afkomstig uit je eigen lichaam.

Of erin kon stikken. Het in je longen kon krijgen.

Alberte, je vraagt je misschien bezorgd af hoe het met de financiën ging in deze periode?

Maar ach, dat weet je wel. Mijn werk was altijd in orde. Ook in de schaduw van de Dood maakte ik schitterend trefzekere, zwierige tekeningen.

Toevallig vond ik laatst in een tweedehands winkeltje een *Bonniers Månadstidning* uit de jaren vijftig. Ik kocht het tijdschrift zonder het door te bladeren. Pas toen ik thuis was zag ik dat er twee tekeningen van Signe Tornvall-Palm in stonden.

Ik keek welk nummer het was. Ik moest ze hebben gemaakt toen ik in de zevende maand was en bracht ze zelf naar de uitgeverij waar iedereen zich bewonderend uitliet over de snit van mijn jasje, over mijn huid en heldere jonge ogen, en dat ik zo fit was tijdens de zwangerschap, dat kon je niet van iedereen zeggen…

'Je stráált gewoon.'

Dat zeiden ze dus.

Negen maanden. Nu zou het gebeuren. Maar er kwamen nog ruim twee weken bij eer de beul zijn bijl zou slijpen en met zijn duim zou voelen of hij scherp genoeg was. Ik ruimde alle laatjes en kasten op, maakte mijn werktafel schoon, stopte en verstelde alles wat al heel lang in de verstelmand lag. Ik bakte cakes. Zodat men daarna verbaasd tegen elkaar kon zeggen: 'Ze was eigenlijk een heel ordelijke vrouw.'

De eerste cake ging op. De tweede ook. Bij de derde moest ik aan de potsierlijke scène van een begrafenismaal van Albert Engström denken: 'Neem nog een koekje. Het lijk heeft ze zelf gebakken.'

Toen de weeën begonnen, stond ik te strijken. Kalm trok ik de stekker uit het stopcontact, zette het strijkijzer op zijn kant en zei tegen Lars-Ivar: 'Nu is het eindelijk zover.'

Ik weet niet hoe iemand in de dodencel zich voelt als dé dag eindelijk aanbreekt. Ik was in elk geval kalm.

En ik baarde een gezond jongetje.

Ze lieten hem in een bedje naast me liggen zodat ik naar hem kon kijken terwijl ik op de verlostafel lag en 'leegliep'. Het prachtig gevormde achterhoofdje. Een toefje bruin haar op zijn kruin. De samengeknepen handjes met de perfecte lichtroze nageltjes rustten naast de oortjes van mijn pasgeboren zoon.

Hij sliep. Zijn ademhaling was zo licht dat hij niet merkbaar was door de katoenen deken. De dunne oogleden prachtig teer als de vleugels van een vlinder. Hij leefde. Ik leefde. We leefden allebei.

Zodra ik op zaal lag, vroeg ik om pen en papier. Ze gaven me een brochure over borstvoeding om als onderlegger te gebruiken terwijl ik een logboek van de bevalling schreef. Uur na uur met de wand-klok hard tikkend door de weeën en het schreeuwen heen. Ik noemde het stukje 'Terwijl ik lag te baren'. De roman van de Amerikaan William Faulkner *As I Lay Dying* werd op dat moment door velen gelezen.

Ik schreef over het omgekeerde. Niet alleen een kind werd geboren. Ook ik. Wij tweeën werden die nacht tegelijkertijd geboren.

Ik kwam thuis met de nieuwe baby. Svante kwam binnenstormen met zijn vriendjes, blozende, smerige, snotterige jongetjes die nog nooit zo'n klein kindje hadden gezien. Met open mond bewonderden ze zwijgend het nieuwe gezinslid.

Na vijf minuten vond Svante het genoeg en stuurde hij ze naar buiten. Toen keek hij me aan en zei op vertrouwelijke toon: 'Ze hebben hem gezien. Nu kan hij weer naar zijn eigen huis.'

'Maar dit is zijn eigen huis. Hij woont hier bij ons.'

'Nee, hij mag hier niet wonen', schreeuwde Svante. 'Hij mag hier niet wonen.'

Peter was bij George aan het spelen. Lars-Ivar had gebeld om te zeggen dat we thuis waren gekomen. Peter was door de wol geverfd. Een broertje meer of minder maakte niet uit. Gewoon nog eentje die de boel kwam bederven.

Ik leende een typemachine en typte mijn logboek van de bevalling uit. Het werden al met al drie artikelen. Het tweede ging over het wel en wee op de kraamafdeling. Het derde over de thuiskomst en jaloerse broertjes.

Maar voordat ik ze schreef moest ik eerst een tekenopdracht zien binnen te halen. We hadden geld nodig voor de kerst. Een uitgeverij stuurde een kinderboek in manuscriptvorm en vroeg of ik het wilde illustreren. Lars-Ivar was bezig met de voorbereiding van een nieuwe expositie en had daar zijn handen vol aan. Zijn nieuwe stijl was non-figuratieve driedimensionale objecten van ijzerdraad. Ik herinner me nu nog het sissen van de soldeerbout.

We hadden een nieuw Duits meisje, Gerda. Ook zij had gevoel voor orde en netheid en ze was een kei in koken; precies wat we nodig hadden.

Kvinnans Värld kocht de drie artikelen over de bevalling. Ik ging ze zoals gebruikelijk naar de uitgeverij brengen. Magnus had ik meegenomen in een reiswiegje. Ik mocht hem voeden in een tijdelijk onbezette kamer. Iedereen was erg aardig tegen me. Ze vonden het allemaal zo flink en kranig dat ik zo kort na de bevalling alweer aan de slag was.

Een poosje later, we waren allebei in het atelier aan het werk, ging de telefoon. Lars-Ivar nam op, luisterde even naar wat er gezegd werd, maar gaf de hoorn toen ineens aan mij.

'Het is voor jou, Louise Svenzén. Ze zegt net dat mijn vrouw een erg goede tekenaar maar een nog beter schrijfster is.'

Deze vriendelijk woorden zouden de nagels aan de doodskist van ons huwelijk worden, als je dat tenminste zo kunt zeggen.

Louise Svenzén belde omdat ze mijn honorarium wilde verhogen. De stukjes waren uniek. Het eerste artikel was al aangekocht door Denemarken. Nooit was een bevalling zo direct beschreven in een familieblad. Ze vroeg om meer teksten van mijn hand. De eerste opdracht was een serie columns over de kinderen. 'Magnus en zijn broertjes' heetten de stukjes die wekelijks gepubliceerd werden. Het vernieuwende van mijn stijl was dat ik over kinderen schreef zonder sentimenteel te doen en te roepen hoe schattig en enig en leuk... Nee, ik beschreef hoe kinderen zijn. Schattig en rumoerig en lastig en dat je ze soms niet kunt uitstaan.

Dat was nieuw in de kinderbranche.

Binnen de kortste keren schreef ik evenveel als dat ik tekende.

Op een ochtend zaten we in het atelier terwijl ik me met één wijsvinger behielp op een geleende oude Haldan. Plotseling rukte Lars-Ivar het papier uit de typemachine, scheurde het in stukken en schreeuwde: 'Waarom zit je hier verdomme op zo'n ding te rammen? Je bent tekenaar, vergeet dat niet. Tékenaar.'

Er klonk dreiging in zijn stem. Of was het eerder haat?

'Alles wat jij aanraakt verandert in geld, verdomde hoer. Want dat is wat je doet, je prostitueert jezelf... Weekbladen, pfff. Ergens anders zou je nooit iets gepubliceerd krijgen. Commerciële truttigheid, schaam je je niet? Je denkt er niet aan, nee, je hebt er gewoon schijt aan hoe het verder moet met onze samenwerking. We zijn tekenpartners. Dat ben je voor het gemak zeker vergeten...?'

Zwijgend deed ik een nieuw vel in de machine, draaide de wals rond en begon te typen.

'Verdomde trut! Moet je alles weer verpesten?'

Ik spande mijn nek en wachtte de klap af.

Maar die kwam niet. In plaats daarvan legde hij zijn penseel neer, en Lars-Ivar, die zijn motoriek altijd zo goed onder controle had, struikelde over een poot van de schildersezel. De ezel zelf viel met een knal op de grond.

Maar hij wist op de been te blijven en hervond op tijd zijn evenwicht.

Hij ging naar buiten. Mooi. Het huis haalde opgelucht adem. Peter en Svante, die het voor één keer goed met elkaar konden vinden, waren samen aan het bouwen.

Ik had geen last meer van doodsangst. Maar wel van depressie en slapeloosheid. Het was precies als na de twee vorige bevallingen.

Maar dit keer vond ik nieuwe redenen: wroeging over mijn ontrouw in Parijs, Lars-Ivars twijfels, al hield hij die angstvallig verborgen.

Hij was net als altijd geweldig in het verzorgen, verschonen en tutten met de baby. Pas later begon ik te begrijpen dat Lars-Ivars grenzeloze liefde voor de kinderen wanneer ze klein waren misschien wel eens kon samenhangen met het feit dat ze toen nog kritiekloos en afhankelijk van hem waren.

Zoals ik in het begin. Hij moest het gevoel hebben dat we het zonder hem niet zouden redden.

'Je kunt nooit bij me weg, want je weet zelf niet welke tekening goed is.'

Maar als ik nu steeds meer ging schrijven? Wat bleef er dan over? Lars-Ivar was immers woordblind.

Het eeuwige gezeur van zijn moeder dat haar zoon niet beter zijn best deed op school, of op z'n minst wat meer interesse zou tonen en zijn schouders eronder zette en zijn ouders het plezier gunde dat hij een einddiploma haalde en iets werd.

Dat droeg hij allemaal met zich mee. Maar hij praatte er nooit over. Hij compenseerde het met mannelijke zelfverzekerdheid, charme en natuurlijk zijn kunstenaarschap. Maar de kunstwereld liet zich niet gemakkelijk overtuigen. Ook de nieuwe tentoonstelling trok weinig aandacht. Hemeltjelief, hoeveel was er niet mee gered geweest als hij goede kritieken had gekregen en was aangemerkt als een vernieuwer? (Uiteindelijk gebeurde dat ook. Maar toen waren we al achttien jaar gescheiden.)

Ik herinner me hoe ik en de baby, die elkaar het leven gegeven hadden, soms moesten vluchten naar mijn kamer met de deur achter ons op slot. Om verlost te zijn van de broertjes, Lars-Ivars geïrriteerdheid, en ons te ontspannen tussen de rozen op het behang die voor de afwisseling ook wel eens een knus tafereeltje wilden zien. Dat ik hem niet alleen maar borstvoeding gaf, maar hem vervolgens ook knuffelde, zijn buikje kietelde, alle vingers en tenen telde, de mollige beentjes op en neer bewoog en half praatte, half zong: 'Twee emmertjes water halen, twee emmertjes pompen...'

Toen Magnus anderhalf jaar oud was kreeg hij eczeem in zijn knieholtes en armplooien, net als Lars-Ivar toen hij klein was. Dat kalmeerde de toestand enigszins. Voor het kind was het minder prettig. Maar op de laconieke manier van een peuter liet hij zich iedere avond op de eettafel zetten, insmeren met zalfjes en met verband omwikkelen.

De zalfjes roken naar zwavel en teer, maar ze hadden geen enkel effect. Een oude wijze dame, schoonheidsexpert, die ik een keer geïnterviewd had, hoorde van het probleem en adviseerde een Frans product dat zonder recept verkrijgbaar was. Een heel oud middeltje. En kijk, dat hielp.

Net op tijd, want er was al sprake van om Magnus te laten opnemen in een huidkliniek waar ze lange manchetten over zijn handjes wilden doen.

In deze periode was Solbritt buiten verwachting een goede vriendin van me geworden. Ze kwam altijd even bij ons langs vanuit haar werk in Uppsala. Ze at graag een hapje mee. Solbritt was altijd in een stralend humeur.

De jongens juichten als ze kwam. Ze had altijd iets lekkers voor hen bij zich. Zonder het te begrijpen merkten ze wel dat de sfeer meer ontspannen was als Solbritt er was.

Ze bood ook aan te helpen als het kindermeisje zich na het eten had teruggetrokken. Wanneer ik haar een beetje opgelaten bedankte voor haar vriendelijke aanbod – ze had toch welk iets beters te doen in haar vrije tijd – kwetterde ze terug: 'Ik heb ergens gelezen dat het goed is voor een oude vrijster om contact te hebben met een gezin met kinderen. Zodat je niet helemaal buiten het gewone leven komt te staan.'

Oude vrijster? Dat was overdreven. Drieëndertig en knap, nog lang niet in de buurt van het beruchte eindstation, de eeuwige vrijgezellenstatus.

Met Solbritt ontstond ook, eindelijk, echte vertrouwelijkheid. Zoiets had ik nooit eerder ervaren.

Als de kinderen op bed lagen kon ik eens bij haar aanwippen in haar knusse tweekamerwoning, altijd schoon en opgeruimd. Uit een pot met potpourri op de oude kast geurde het naar lavendel en gedroogde rozen. Ze deed nooit de plafonnière aan. Een staande lamp en een schemerlampje op tafel, beide met rozerode kapjes, verspreidden een mild, bijna meditatief licht dat bij uitstek geschikt leek om het bezoek te laten ontspannen.

In zo'n sfeer vloeiden de tranen ook makkelijk.

Bij dokter Sundbom kwam ik nooit zover, maar hier stroomden de tranen vanzelf en Solbritt luisterde zo meelevend en begrijpend.

O ja, dokter Sundbom. Dat ben ik vergeten te vertellen, Alberte. Op een dag belde zijn assistente namelijk om de afspraak van woensdag af te zeggen.

'Zal ik dan gewoon volgende week woensdag komen?'

'Nee,' zei de assistente, 'u kunt geen afspraak meer maken met dokter Sundbom.'

'Is hij ziek?'

'Nee, hij is overleden.'

'Hoe kan dat? Ik bedoel, hij leek me volkomen gezond?'

'Hij heeft zelfmoord gepleegd.'

Maar nu had ik Solbritt. Vaak was Lars-Ivar de oorzaak van mijn tranen, dat begrijp je wel. 'Hoe hou ik het met hem vol?' jammerde ik. 'Hij is de hele tijd zo boos op me.'

Solbritt schoot een keer onverwacht in de lach.

'Pas maar op dat ik hem niet overneem.'

Haar toon was luchtig en schertsend. Toch besloot ik van onderwerp te veranderen.

Lars-Ivar ging steeds vaker 's avonds sigaretten kopen in de kiosk. Twee uur later kwam hij duidelijk opgevrolijkt en met een zwakke geur van alcohol om zich heen thuis. Hij was toevallig Jan Fredrik (Jerker, Elis) tegengekomen en ze hadden bij iemand thuis een paar pilsjes gedronken.

Solbritt ging zo ver in haar behulpzaamheid dat ze aanbood om een weekendje op te passen zodat het ouderpaar naar de grote stad kon om eens lekker uit eten te gaan en daarna samen naar de film of de schouwburg. Overblijven in een hotel. Een romantische nacht niet onderbroken door kindergehuil of doordat er eentje midden in de nacht aan kwam trippelen en erbij wilde kruipen.

Daarop trakteerde Solbritt ons. Zo'n vriendin was ze.

De enige in Svarttuna, besefte ik steeds meer.

Ondertussen waarschuwde ze me uit te kijken voor Marianne: 'Je weet niet wat ze allemaal zegt als jij er niet bij bent en Bodil moet je helemaal niet vertrouwen. Kijk uit met wat je haar vertelt. De muren hebben oren in Svarttuna.'

'En Bettan dan?' riep ik uit. 'Ik weet zeker dat zij aan mijn kant staat.'

'Die stakker heeft last van haar zenuwen. Slikt slaappillen zodat ze twee dagen van de wereld is. Bettan is echt een wrak en dan nog die pijnlijke verhouding met een knul die haar voortdurend bedriegt…'

Op een keer bracht ik Lars-Ivars langdurige uitjes om sigaretten te gaan halen ter sprake. 'Ik wéét dat er iemand is, een vrouw waar hij naartoe gaat.' En Solbritt hielp mee te bedenken wie dat dan kon zijn.

Leman overleed. Hij bleek een stuk grond met een bouwval van een huis erop te hebben waarin hij nooit had gewoond.

Dat stuk grond kochten mijn moeder en Lars-Ivars vader zodat we een echt huis zouden krijgen om in te wonen. Het was echt heel erg behelpen in de 'vleugel' waar we tot dusverre gewoond hadden.

Het waren de jaren vijftig. De sociaal-democratische regering stimuleerde arbeiders en andere groepen met een laag inkomen om zelf een huis te bouwen door het verstrekken van gunstige leningen. Het moest dan wel binnen een bepaald aantal vierkante meter blijven. Ons nieuwe huis moest ook aan die norm voldoen. Een bevriende architect ontwierp het. De beperkte oppervlakte moest in de eerste plaats een flink atelier herbergen.

Vervolgens een keuken en drie kleine kamertjes, elk niet groter dan de slaaphut op een schip.

Het huis in aanbouw bezorgde me een onverklaarbare 'angst voor het nieuwe'. 's Nachts hield ik Lars-Ivar wakker met gehuil: 'Ik wil niet verhuizen naar een eigen huis. Dat klinkt zo definitief. Ik wil niet.'

'Je bent verdomme niet goed wijs, Signe. Iedere andere jonge vrouw en moeder zou staan te juichen om in een eigen huis te gaan wonen. Dit is toch waar we altijd van gedroomd hebben?'

'Ik niet', snik ik.

'Nee, jij zou het liefst in een woonwagen wonen. Je bent net een zigeuner. Een zwerver.'

En daar had hij volkomen gelijk in.

34

Solbritt hielp ons met verhuizen; nee, niet in haar eentje natuurlijk.

Ze hing kleren in de kasten, legde kastpapier in de laden, rangschikte de boeken; ze werkte immers in een boekhandel. Ze was echt onbetaalbaar.

Zes maanden later maakt Lars-Ivar me wakker. Het is halftwee 's nachts. Hij maakt me wakker om te zeggen: 'Ik vind dat ik je moet vertellen dat Solbritt en ik al anderhalf jaar een verhouding hebben.'

Slaapdronken til ik mijn hoofd van het kussen en zeg: 'En wat wil je dat ik daaraan doe? Midden in de nacht?'

Dan val ik terug in het kussen en slaap onmiddellijk verder.

Ik word laat wakker. Mijn kamertje ligt naast het atelier op de bovenste verdieping. In nachthemd stap ik blootsvoets op de houten vloer.

Door de schuine dakramen kijk ik naar beneden. Daar staat een man hout te hakken.

En binnenin mij knapt er iets; alsof er een gat in mijn middenrif wordt geslagen.

Wat zei hij vannacht ook alweer?

En dan herinner ik het me.

35

De zomer in Bretagne is voorbij. Sivert en Eliel zijn jullie af en toe komen opzoeken. Ze waren goedgekleed en zelfingenomen. Maar Sivert ergerde zich steeds meer aan je overdreven bezorgdheid over de jongen. Zo zou hij nooit een echte kerel worden…

Dan gebeurt er iets wat je positie en zelfvertrouwen nog meer ondermijnt.

Sivert beweert dat er honderd franc ontbreekt uit het kistje waarin hij jullie geld bewaart. Hij beschuldigt jou.

Je schrikt en raakt ervan in de war. Stamelend, waardoor je schuldig lijkt, vraag je of hij echt overal heeft gezocht. In zijn beste pak? Misschien in de binnenzak?

Maar voor hem is het een uitgemaakte zaak. Jij hebt het geld weggenomen. Hij vraagt alleen maar van je dat je bekent.

'Ik heb het geld niet gepakt, Sivert… Je vergist je.'

Maar hij houdt vast aan zijn bewering. Vernederd ontvlucht je het huis en zoekt je vriendinnen op: Liesel, Marusjka en Alphonsine.

Die nacht slaap je in een hotel en Liesel blijft bij je. De volgende ochtend komt Alphonsine ook. Ze zet koffie voor je en gaat met je naar de apotheek.

Ik ben jaloers op je, Alberte. Jij hebt zoveel lieve vriendinnen die om je geven, je willen steunen, aan jouw kant staan.

Maar de jongen is bij Sivert.

Dus je moet wel terug. Door het raam zie je Sivert en Lillen aan tafel een spelletje doen. De jongen kijkt naar het raam maar hij ziet je niet.

Je doet de deur open.

'Daar is moeder', zegt je zoon rustig, alsof het vijf minuten geleden is dat je bent weggegaan.

'Ja, daar hebben we inderdaad je moeder.' Ook Sivert klinkt heel gewoon. Alsof er niets gebeurd is.

Wanneer de jongen slaapt, komt het tot een soort finale.

'Als ik je nu eens vertel, Alberte, dat ik om een ander ben gaan geven?'

Alberte krimpt ineen. Dit zijn beslissende woorden, dit betreft hun lot, het lot van hen drieën...

'Zoiets hoef je niet aan me te vertellen, Sivert.'

'Nee, nee, maar wat vind je ervan?'

'We zullen ons ernaar voegen.' Alberte heeft het gevoel dat de grond onder haar voeten wegglijdt. Ze weet niet of ze bij de volgende stap nog houvast heeft. Hoe moeten ze zich in godsnaam naar zoiets voegen?

'Ja', zegt Sivert. 'Dat had ik ook gedacht. Gelukkig zijn we niet getrouwd, dat bespaart een hoop rompslomp. Je vraagt niet eens wie het is?'

Een gedachte schiet door Alberte heen: het gaat me niets aan. (of: het kan me niets schelen.)

Ze zegt: 'Moet ik vragen naar de bekende weg?'

'Ik heb de laatste tijd veel nieuwe mensen ontmoet.'

'Heb ik het soms bij het verkeerde eind...?'

'Dat weet ik niet. Het is in ieder geval die Zweedse schilderes.'

...

Hij houdt een korte voordracht over de vrouw als moeder en minnares. Ze is of het een of het ander, zelden allebei tegelijk. En dan zijn er vrouwen die geen van beide zijn...

De nacht valt. Je hoort Siverts ademhaling, regelmatig als het getik van een klok.

Alberte slaapt niet. Een mens kan zo moe zijn dat een slaappoeder niet helpt, zelfs twee tegelijk niet.

Je was dus gewaarschuwd. Je had het voorvoeld. Ik ook en uitgerekend die voorgevoelens had ik met Solbritt besproken en giechelend hadden we ons samen afgevraagd wie het kon zijn. Het aanbod in Svarttuna was niet zo heel groot.

Mijn tweede repliek in de zaak, ik bedoel dus na mijn slaapdronken en-wat-wil-je-dat-ik-daaraan-doe-midden-in-de-nacht? was: 'Ik begrijp het niet. Solbritt en ik hadden toch afgesproken dat jij en ik vanavond in Stockholm naar de film zouden gaan. Naar die reprise met Cary Grant en Katherine Hepburn. Doen we dat dan nog, of niet?'

Technisch gezien staat hij vlak naast me, maar het is alsof ik door de verkeerde kant van een verrekijker naar hem kijk.

Maar ook van die afstand zie ik dat hij bijna mild glimlacht voordat hij zegt: 'Ik denk niet dat je Solbritt nog langer als je vriendin kunt beschouwen.'

Haar als vriendin beschóúwen? Was ze dan niet mijn vriendin geweest, de enige vertrouwelinge die ik hier had?

Nee, dat zeg ik niet. Ik denk het. Mijn verwarring fixeert zich op dat punt.

Het is dus ónze Solbritt.

Lars-Ivar en ik hadden lange tijd in een slecht geregisseerd Strindberg-drama doorgebracht. Tussen ons was het net als met jou en Sivert: onherstelbaar voorbij.

Maar Solbritt? Al die keren dat we in haar roze licht thee hadden gedronken uit de grote Engelse bekers en de vrouwen uit Svarttuna, zowel de gehuwde als ongehuwde, de revue hadden laten passeren... Wie van hen?

's Middags komt ze langs. Ze is bewonderenswaardig beheerst en koel. Ze straalt zo'n haat uit dat de kamer, ja, het hele huis er te klein voor is. Het huis waar ze kastpapier in de laatjes heeft gelegd en het serviesgoed heeft ingeruimd. De vrolijke, gezellige tante Solbritt.

Het is simpel uit te rekenen dat het toen al aan de gang was. Ze had gewoon voor zichzelf verhuisd. Het kastpapier was nog in prima staat; ze hoefde alleen het serviesgoed maar te verwisselen.

Lars-Ivar voert het woord. De verwarring over Solbritts warme vriendschap is voorbij, maar Lars-Ivar wil het toch nog verduidelijken.

Mijn man had ons natuurlijk het liefst allebei gehad, niet ongebruikelijk, en in alle opzichten handig. Met mij had hij de kinderen en de samenwerking op tekengebied en zo nu en dan een opmerking van mij over zijn werk. We hadden het huis en onze vrienden.

En wat kan een man zich nog meer wensen dan nadat de kinderen naar bed zijn, sigaretten te gaan kopen met een tussenlanding in Solbritts lavendelgeurende rust? Geen kinderen die huilen of kotsen. Geen kinderen die roepen. Zelfs het risico dat de alleen gelaten vrouw opbelt is nihil.

Hij had Solbritt dus gevraagd haar contact met mij te intensiveren. Zodat ze niet het risico liepen dat ik argwaan kreeg.

In ieder geval niet in de richting van Solbritt.

Heb je ooit zoiets uitgekookts gehoord, Alberte?

Mijn mond valt open van verbazing, ik geloof mijn eigen oren niet.

In feite is de werkelijkheid vindingrijker dan fictie. Er is een diplomatiek talent of meesterspion verloren gegaan aan Solbritt.

Mijn enige, miezerige triomf is wanneer ik een plotseling rood over haar mooie gezicht zie vlammen. Als ik vertel dat Lars-Ivar ook tegen háár heeft gelogen. Conform het standaardrepertoire van een bedriegende man heeft hij zijn minnares wijsgemaakt dat zijn huwelijk in seksueel opzicht allang dood is.

'Je bent gek, Solbritt, dat je zoiets kon geloven! Natuurlijk ging hij al die tijd nog met me naar bed. En wat dacht je dat we die keer tijdens dat uitstapje naar Stockholm hebben gedaan toen jij zat op te passen? Wat denk je dat we in die hotelkamer hebben zitten doen? Mens-erger-je-nieten?'

Ik voel en zie hoe mijn man me letterlijk verlaat en naar Solbritt toe loopt. Nu staat hij naast haar, legt een arm om haar schouders en mompelt iets liefs in haar krullen. Dan kijkt hij me aan en zegt: 'Ik ga voorlopig met Solbritt mee naar huis. Je begrijpt dat dit niet makkelijk is voor haar.'

Duizelig ga ik op een keukenstoel zitten. Het is nog volslagen onwerkelijk. Ik hoor de buitendeur in het slot vallen. Op hetzelfde moment ontwaakt Magnus uit zijn middagdutje. Het is erg zorgelijk dat hij altijd huilend wakker wordt. Ook al is het snel voorbij als je hem opneemt, in zijn slaap was hij verdrietig. Ik zet hem op de grond en loop naar het aanrecht om een hapje klaar te maken.

Op hetzelfde moment komt Svante via de keukendeur naar binnen met zijn gebruikelijke triomfkreet: 'Ik ben thuis!'

Hij heeft een van de drukke jongetjes van de Ronaldssons bij zich en een voor mij onbekend jongetje van dezelfde leeftijd. Magnus' gezicht klaart op en hij lacht opgeruimd. Ze krijgen allemaal sap en een kaneelbroodje.

346

Grote broer Peter is nog op school. Hij weet niet, ze weten geen van allen dat hun leventje zojuist aan stukken is geslagen en het nooit meer helemaal zal worden als voorheen.

Sivert heeft dus verteld van de Zweedse schilderes en dat hij bij haar in zal trekken.

De volgende avond, als Sivert op weg is naar buiten, zeg je tegen hem dat jullie moeten praten.

'Wat is er dan...?'
En Alberte perst de vraag eruit, de moeilijkste, de meest brandende.
'Heb je aan ons gedacht?'
'Aan jullie...?'
'Ja, aan Lillen en mij? Hoe moeten wij ons redden?'
'Natuurlijk heb ik dat.'
'En...?'
'Ik zal de jongen wel nemen.'
'Jij?'
'Ja, ik. Ik kan hem onderhouden. Wees maar blij dat je er vanaf bent. Dan kun je tenminste doen en laten wat je wilt. Trouwens... je bent zelf weggegaan. Als je al rechten had, heb je die daarmee verspeeld...'
'Moeder in de echte zin van het woord ben je toch niet', vervolgt Sivert als Alberte geen woord weet uit te brengen...

'Moeder in de echte zin van het woord ben je toch niet', zo formuleerde Sivert het.

Lars-Ivar zei hetzelfde, in misschien wat andere bewoordingen. Maar de bedoeling was duidelijk. Een slechte moeder. Geen echte moeder. Een belabberde, rampzalige moeder, als je er goed over nadacht.

Ook in ons geval bepaalt de goede vader dat het vanzelfsprekend is dat hij de voogdij over de kinderen krijgt. In de keuze van de 'stiefmoeder' heeft Lars-Ivar meer geluk dan Sivert. Siverts hoop dat de Zweedse schilderes een goede stiefmoeder zou zijn, bleek ijdel, zoals hij later tegen je zei. Ze bleek van het onbetrouwbare

347

soort te zijn. Ze bedacht zich en haakte af.

Maar van Solbritt viel zoiets wispelturigs niet te verwachten. Een korte tijd moesten allebei de vrouwen accepteren dat Lars-Ivar van de een naar de ander liep. Ieder voor zich wist: als hij niet bij mij is, is hij bij haar. Het tekende Solbritts enorme passie dat ze hiermee akkoord ging.

Maar ze wist dat ze zou winnen.

Iedere zondag en woensdag hielp Lars-Ivar eerst de kinderen naar bed te brengen. Dan scheerde hij zich, ging uitgebreid onder de douche en trok een schoon overhemd aan.

'Ik ga even een ommetje maken', zei hij.

Als hij weg was hing de geur van aftershave nog in de hal.

Wanneer hij midden in de nacht thuiskwam, deed hij zachtjes met het slot. Liep op zijn tenen op kousenvoeten. Alsof hij dacht dat ik sliep.

Wat kan een mens dom zijn.

Je begrijpt, Alberte, dat zoiets niet lang vol te houden is. Zelfs niet voor de kinderen.

Mijn probleem was dat ik het de hele tijd zo vreselijk koud had. (Huilen deed ik niet. Wat had dat voor zin?)

Hoeveel vesten, sjaals, sokken en wollen broeken ik ook aantrok, de koude rillingen bleven door me heen trekken.

We hadden de kamers opnieuw ingedeeld. Ik sliep in Lars-Ivars bed en we hadden de drie kinderbedden erbij gezet. Voor de twee jongsten was het een feest dat de kamer enkel uit bedden bestond en ze vonden het heerlijk blootsvoets van het ene bed in het andere te springen en elkaar te duwen in de veilige wetenschap dat je altijd op een bed zou terechtkomen.

Zoals je weet, kan ik niet slapen als er iemand tegen me aan ligt. Daarom kon ik ze niet bij me in bed hebben, zoals Lars-Ivar: een aan elke kant en een aan het voeteneind. Maar zo was ik altijd bij de hand, kon ze instoppen, liedjes zingen, wachten tot het onrustige kind was ingeslapen.

Lars-Ivar had dus mijn kamer genomen. Solbritt kon zich troosten met de gedachte dat de echtelieden nu echt niet meer intiem waren.

Maar in de vierde week zei ik tegen hem: 'Je moet kiezen. Ik hou het niet meer vol. Ik vries dood.'

Hij koos voor Solbritt. Vanwege haar onwrikbare loyaliteit.

Toen kwam hij op Siverts woorden. De voogdij voor de kinderen. Hij had het voordeel dat de jongens de stiefmoeder al kenden en gek op haar waren.

Onze, ik bedoel Lars-Ivars en Solbritts, vrienden hoefden niet langer te huichelen. Ze hadden natuurlijk al die tijd van de verhouding geweten en gunden Lars-Ivar van harte een volgzamer en betrouwbaarder vrouw. Eentje die niet alleen maar aan zichzelf dacht.

Ja, nog zo'n voorbeeld van onwrikbare loyaliteit.

Bij de scheiding kreeg hij de voogdij over Peter van acht. Svante was vijf en Magnus tweeënhalf, en in sociaal opzicht viel er volgens de kinderbescherming niets op hun moeder aan te merken. Geen verslavingsprobleem, een gevestigde naam als vakvrouw, geregelde inkomsten, ze betaalde netjes belasting.

Deze overeenkomst werd in het late voorjaar vastgelegd. In de zomer liep hij op te scheppen dat hij, je zult het zien, in het najaar alle drie de kinderen zou hebben. Ze is onmogelijk als moeder, dat weet toch iedereen.

Maar, om in zijn sappige vocabulaire te blijven: hij scheet in zijn eigen zak.

Ik sloeg me er beter doorheen dan iedereen gedacht had, mijzelf inbegrepen.

Ik begon mijn eerste boek te schrijven.

Toen dat aansloeg en de kranten me kwamen interviewen, dankte ik God en alle andere machten dat ik dit succes had zonder dat Lars-Ivar zich ermee had bemoeid of het weg zou honen.

Nooit meer kon hij een blad papier uit mijn typemachine rukken.

Sivert nam jou en Lillen mee naar zijn ouders in Noorwegen. Het waren eenvoudige, vriendelijke mensen die weinig begrepen van jullie verhouding. Maar ze respecteerden je. De jongen had het naar zijn zin. Hij groeide zichtbaar. Kreeg vlees op zijn botten, blosjes op zijn wangen en zonnegloed in zijn ogen.

Hij kon goed opschieten met zijn opa en alle dieren; het land-leven beviel hem.

Je kreeg een bovenkamertje in een huisje diep in het bos.

Je begon je eerste boek te schrijven. Eindelijk begon je in het lapwerk van woorden systematisch verbanden aan te brengen.

Toen je later vertrok, liet je de jongen achter.

We lieten allebei een jongetje achter toen we opbraken.

En geloof me: ze vergeven het ons nooit.

Kerstin Thorvall bij Uitgeverij De Geus

Huwelijksnacht

Hilma Strömberg is twintig als ze verliefd wordt op de charmante domineeszoon Sigfrid Tornvall, die twaalf jaar ouder is dan zij. Op aandringen van Sigfrids familie wordt er haast gemaakt met een huwelijk. Maar niemand licht Hilma in over de duistere kanten van haar mans gesteldheid.

Schaduw van onrust

Na Sigfrids dood voelt Hilma zich bevrijd uit een verwrongen huwelijk, maar haar dochter Signe rouwt en kan bij haar moeder geen troost vinden. Terwijl Hilma vreest dat Signe het manische gedrag van haar man heeft geërfd, werpt het meisje zich met hart en ziel op het tekenen.